はじめての日本語能力試験

N1単語 3000

3000 Essential Vocabulary for the JLPT N1

アークアカデミー

英語・中国語訳 + 赤シート

with English Translation
另附中文翻译

ask
PUBLISHING

　この本は、日本語能力試験のレベル別シリーズの一冊となっており、本書はＮ１合格を目指すためのものです。

　日本語能力試験によく取り上げられ、毎日の暮らしにも役立つ単語をリストアップしました。チャプター・セクションごとにテーマがあり、それぞれの場面をイメージして学べます。英語・中国語の対訳がついているので、単語や例文の意味もスムーズに確認することができます。Ｎ１レベルの基本単語に加え、「同義語」「反義語」「関連語・類義語」、コラムで挙げた単語・表現を含め、約 3,000 語を収録しました。

　すべての漢字にルビがついているので、辞書なしで勉強できるのも魅力です。また、赤シート、単語と例文の音声、チャプターごとの模擬試験も用意しました。

　日本で学習している方はもちろん、日本以外の国で学習している方にもイメージしやすい内容になっています。この単語帳は試験対策だけではなく、日本語を学習する皆さんにとって心強い一冊になります。合格を心から祈っています。

2017 年 4 月

著者一同

　　This series is divided into levels corresponding to the levels of the Japanese Language Proficiency Test. This volume is for learners aiming to pass the N1 level of the JLPT.

　　This book presents vocabulary words found commonly on the Japanese Language Proficiency Test and used in daily life in Japan. Each section of every chapter has its own theme to help you study efficiently while visualizing each setting. English and Chinese translations are included so you can study smoothly and with ease. Along with the basic vocabulary for the N1 level, the book presents 3,000 words including synonyms, antonyms, related words and quasi-synonyms, as well as words and phrases mentioned in the column.

This book also includes the readings for all of the kanji, so we hope that you are able to make use of this handbook of sorts without the additional aid of any dictionary. Furthermore, a red sheet and audio files for every vocabulary word and example sentence have been provided for further assistance, along with practice tests for each chapter.

These books are easy to follow and understand for those studying both inside and outside of Japan. We strongly hope that they serve to not only help you prepare for the JLPT, but also help you study Japanese.

April 2017
From the Authors

本书为日语能力考试分级别系列之一，专为以 N1 为目标的学习者而制作。

本书汇集了日语能力考试中频繁出现的、日常生活中也能用到的单词。每个章节、每个部分都有不同的主题，可通过想像不同的场景来学习。配有英语、中文的对照翻译，可即时确认单词、例句的意思。本书除 N1 级别的基本单词以外，加上"同义词"、"反义词"、"关联词·类义词"专栏中的单词及表达，共收录了 3000 词。

所有的汉字上都标有假名，不用查字典就能自学也是本书的魅力所在。另附红色卡片、单词及例句的音频，每个章节还配有模拟试题。

本书内容不但适用于身在日本的学习者，对在海外的学习者来说也同样明了易懂。这本单词书不仅是一本考试对策书，对于日语学习者来说是能让日语水平更上一个台阶的不可多得的参考书。我们衷心期待大家的好成绩。

2017 年 4 月
全体著者

この本の使い方
ほん　つか　かた
How to Use This Book / 本书的使用方法

▶ テーマ別単語学習
べつ たん ご がくしゅう
Study vocabulary by theme / 分主题学单词

日本語能力試験で取り上げることが多い単語がテーマ別にチャプター・セクションでまとめられています。チャプターの順どおりに進めてもいいですし、興味のあるチャプターから始めてもいいでしょう。

Vocabulary words often used on the Japanese Language Proficiency Test are divided into various themes organized into chapters and sections for ease of study. You may progress sequencially through each chapter, or begin from whatever chapter interests you.

我们把日语能力考试中频繁出现的单词分为不同的主题，汇总成了各章节及各部分。大家使用时可按照章节的顺序，也可从感兴趣的章节开始学习。

▶ 模擬試験で腕試し
も ぎ し けん うでだめ
Use the practice test to gauge your progress / 通过模拟试题自我测试

日本語能力試験の語彙問題の模擬試験がウェブサイトにあります（PDF ／ オンライン）。くわしくはウェブサイトをご覧ください。

https://www.ask-books.com/jp/hajimete-jlpt/

The Japanese Language Proficiency Test practice test is available at our website for PDF download or use online. Please see the website for more details.

网站上附有日语能力考试的词汇部分的模拟试题（PDF/ 在线）。详情请查看官网。

▶ 赤シートの活用
あか かつよう
Use the red sheet / 活用红色卡片

付属の赤シートで、単語と例文中の単語を隠して学習できます。訳を参照して、隠れている語がすぐに思い出せるか確認しましょう。

Use the attached red sheet to hide vocabulary words and example sentences for studying. Try showing the translation while trying to guess the hidden vocabulary word.

可将随书附赠的红色卡片用于遮盖单词及例句来学习。参考译文的同时，测试自己是否能马上联想到被遮盖的部分。

▶ 音声の活用
おんせい かつよう
Use the audio files / 活用音频

単語と例文の音声がウェブサイトにあります。くわしくはウェブサイトをご覧ください。https://www.ask-books.com/jp/hajimete-jlpt/

Audio files for the vocabulary words and example sentences are available on the website in mp3 files and for use online. Please see the website for more details.

网站上附有单词与例句的音频（mp3/ 在线）。详情请查看官网。

単語の番号です。
たんご ばんごう
This is the vocabulary word number. / 单词编号

覚えたら、チェックボックスにチェックを
おぼ
入れましょう。
If you have memorized it, check the box. /
记住后请在确认栏上做上标记。

単語の品詞です。
たんご ひんし
This is the part of speech of the vocabulary word. /
单词词性

一緒に覚える単語と、注意点や説明などです。
いっしょ おぼ たんご ちゅういてん せつめい
These are related vocabulary words, points to keep in
mind and explanations. / 需要同时记住的单词、注意点、
说明等。

➕：関連語・類義語など
　　かんれんご るいぎご
　　Related words or similar words /
　　关联词・类义词等

＝：同義語　Synonyms / 同义词
　　どうぎご

↔：反義語　Antonyms / 反义词
　　はんぎご

☞：注意点や説明
　　ちゅういてん せつめい
　　Points to keep in mind or explanations /
　　注意点、说明

自動詞・他動詞の助詞、ま
じどうし たどうし じょし
たは主に否定文で使われる
おも ひていぶん つか
ことを示す「ない」は太字
しめ ふとじ
で表記しています。
ひょうき
The word ない in bold is the
particle used for transitive
or intransitive verbs, or in
negative sentences. /
自动词・他动词的助词，以及
主要用于否定句中的"ない"，
都用粗体字表示。

▶ この本で使用する品詞の一覧　All of the parts of speech used in this book /
　 ほん しよう ひんし いちらん　本书中使用的词性一览表

名：名詞　Noun / 名词 めいし		接続：接続詞　Conjunction / 接续词 せつぞくし	
動：動詞　Verb / 动词 どうし		連語：連語　Copula / 连词 れんご	
副：副詞　Adverb / 副词 ふくし		接辞：接辞　Affix / 词缀 せつじ	
代：代名詞　Pronoun / 代名词 だいめいし		慣：慣用句　Idiom / 惯用语 かんようく	
ナ形：ナ形容詞　Na-adjective / na 形容词 けいようし		連体：連体詞　Adnominal adjective / 修饰词 れんたいし	
イ形：イ形容詞　I-adjective / i 形容词 けいようし		感：感動詞　Interjection / 感叹词 かんどうし	

N1
Chapter

1

人と人との関係
ひと　　ひと　　　かんけい

Relationships Between People
人际关系

Section **1**

肉親
にくしん

Family / 亲人

---

1 身内
みうち

名 relative
亲属

身内に医者がいると、何かと安心だ。
みうち　いしゃ　　　　なに　　あんしん

It's reassuring to have a doctor as a relative.
家里有亲戚是医生的话，总令人比较安心。

➕ 親類 relative / 亲戚・親戚 relative / 亲戚
　　しんるい　　　　　　　　　しんせき

---

2 肉親
にくしん

名 immediate family
亲人

父が他界し、肉親は兄だけになった。
ちち　たかい　　にくしん　あに

My father passed away and all that is left of my immediate family is my big brother.
父亲去世了，现在哥哥是唯一的亲人了。

---

3 配偶者
はいぐうしゃ

名 spouse
配偶

配偶者の有無をこちらに書いてください。
はいぐうしゃ　うむ　　　　　　か

Please write down here whether you have a spouse or not.
请在此写一下有无配偶。

➕ パートナー partner / 配偶，伙伴

---

4 家系
かけい

名 family line
家系

自分のルーツを知るために、家系図を作った。
じぶん　　　　　し　　　　　　かけいず　つく

I created a family tree to learn about my roots.
想知道自己的祖先，便制作了家谱。

➕ 家系図 family lineage / 家谱・血縁 blood ties / 血缘
　　かけいず　　　　　　　　　　　　けつえん

---

5 おふくろ

名 mom
老妈

A「今の電話、誰から？」
　いま　でんわ　だれ
B「おふくろ。」

A: Who was that on the phone?
B: My mom.
A："刚才谁来的电话？"
B："是老妈打的。"

➕ おふくろの味 mother's dishes / 妈妈的味道
　　　　　　あじ

👉 A casual expression used by men to call their mother / 男性称呼母亲时用的通俗的表达。

---

6 おやじ

名 dad
老爸

息子「おやじ、まだ帰ってないの？」
むすこ
母　「今日も飲んでるんじゃない？」
はは　きょう　の

Son: Dad's not home yet?
Mother: He's probably out drinking.
儿子："老爸还没回来？"
母亲："今天也去喝酒了吧。"

👉 A casual expression used by men to call their father / 男性称呼父亲时用的通俗的表达。

12

7 よこす
しゅう
動 send
送来，寄来

週に一度は母親が電話をよこす。
しゅう いち ど ははおや でん わ
My mother calls me once a week.
每个礼拜老妈会打一次电话来。

8 女房
にょうぼう
名 wife
老婆

A「今日、一杯どう?」
きょう いっぱい
B「女房がうるさいから、帰るよ。」
にょうぼう かえ
A: How about a drink today?
B: My wife would be mad so I'm taking off.
A：“今天去喝一杯?”
B：“我老婆很烦的，还是回去了。”

👍 a casual way of calling one's wife / "妻" 的通俗的说法。　　➕ 家内 wife / 内人，妻子
かない

9 亭主
ていしゅ
名 husband
当家的，丈夫

A「ご主人、単身赴任なの?」
しゅじん たんしん ふ にん
B「亭主は元気で留守がいいって言うじゃない。」
ていしゅ げん き る す い
A: Is your husband away on assignment alone?
B: As the saying goes, "Best that the husband is away and well."
A：“你先生单身赴任了?”
B：“不是都说当家的只要赚钱养家但别回家嘛。”

➕ 亭主関白 domineering husband / 大男子主义・旦那 husband / 老公
ていしゅかんぱく だんな
👍 a casual way of calling one's husband / "夫" 的通俗的说法。

10 温もり
ぬく
名 warmth
温暖，温情

結婚したら、温もりのある家庭を作りたい。
けっこん ぬく か てい つく
I wanted to get married and build a household full of warmth.
结婚后，想组建一个温暖的家庭。

➕ 温かみ warmth / 温暖
あたた

11 授かる
さず
動 be given
被赐予，领受

姉夫婦が女の子を授かった。
あねふう ふ おんな こ さず
My elder sister and her husband are having a baby girl.
姐姐夫妇生了个女儿。

➕ (～を) 授ける receive / 赐予，授予
さず

12 名付ける
な づ
動 name
取名

日本では昔、長男を太郎と名付けることが多かった。
に ほん むかし ちょうなん たろう な づ おお
In Japan, first-born sons were historically often named Taro.
在日本以前很多人给长男取名叫太郎。

➕ 名付け親 godparent / 起名人・命名〈する〉 give a name / 命名
な づ おや めいめい

13 すやすや

副 sleep soundly
香甜地（睡）

赤ちゃんが<u>すやすや</u>眠っている。

The baby is fast asleep.
婴儿睡得正香甜。

👉 often used for babies and children / 常用于婴儿和幼儿睡觉的样子。

14 しぐさ

名 gesture
举止

娘の<u>しぐさ</u>は、私によく似ているらしい。

My daughter's gestures are apparently very much like mine.
女儿的举止好像和我很像。

15 愛しい

イ形 adorable
可爱，恋慕

子どもが寝ている姿が、<u>愛しくて</u>たまらない。

The sight of a sleeping child is so adorable.
孩子睡着的样子，真是太可爱了。

16 懐く

動 be attached
亲近，喜欢

末っ子は父親になかなか<u>懐か</u>ない。

The youngest child is having difficulty becoming attached to the father.
最小的孩子不怎么亲近父亲。

17 ねだる

動 scrounge
死皮赖脸地索求

妹は父に、よくおもちゃを<u>ねだって</u>いる。

My younger sister often scrounges off my father for toys.
妹妹常常缠着父亲要玩具。

➕ せがむ pester / 央求・おねだり〈する〉 scrounge / 撒娇央求

18 すねる

動 sulk
任性，撒泼

妹は自分の我がままが通らないと、すぐ<u>すねる</u>。

My younger sister sulks every time she is not indulged.
不顺妹妹心意的话，她立刻就任性闹别扭。

19 指図 〈する〉

名 order
指使

幼い頃から私は兄に<u>指図される</u>のが嫌だった。

Even as a child, I disliked having my brother order me around.
小时候我很讨厌老是被哥哥使唤。

➕ 指示〈する〉 direction / 指示・命令〈する〉 order / 命令

20 横取り 〈する〉

名 snatching
抢夺，横刀夺爱

子どもの頃、兄にいつもおもちゃを<u>横取りされた</u>。

When I was a child, my big brother was always snatching my toys away.
小时候老是被哥哥抢玩具。

21 反発 〈する〉

名 rebound, repel
反抗，顶撞

いつも兄に<u>反発して</u>、けんかになってしまう。

I always rebel against my brother, and we end up in a fight.
总是反抗哥哥，然后就吵架。

➕ 反抗〈する〉 rebel / 反抗

22 家出〈する〉
いえで

名 **running away from home**
离家出走

両親がうるさくて、何回か家出したことがある。
りょうしん　　　　　　　　　なんかい　いえで

My parents were so strict that I ran away from home several times.
父母太罗嗦，我离家出走过好几次。

➕ プチ家出〈する〉 temporary runaway / 短期离家出走
いえで

23 ぎくしゃく〈する〉
副 **be strained**
别扭，生硬

ささいなことが理由で、兄弟の関係がぎくしゃくした。
りゆう　　きょうだい　かんけい

The relationship between the brothers became strained for a petty reason.
为了点小事情，兄弟关系变僵了。

24 言い返す
い　かえ

動 **talk back**
回嘴，反驳

父親の忠告に言い返して叱られた。
ちちおや　ちゅうこく　い　かえ　　しか

I was scolded for talking back to my father after he warned me.
反驳了父亲的忠告，被骂了。

25 言い張る
い　は

動 **insist**
扬言，硬说

姉はいつも自分が正しいと言い張る。
あね　　　　じぶん　ただ　　　い　は

My big sister always insists that she is correct.
姐姐总是坚持说自己是对的。

26 門限
もんげん

名 **curfew**
门限

大学生になっても門限は10時だ。
だいがくせい　　　　もんげん　じ

Even after becoming a college student, my curfew is 10 p.m.
即使是大学生了，门限还是10点。

27 さんざん〈な〉
ナ形　**severe, harsh/severely,**
副 **harshly**
严厉，很很地

門限を破って、父にさんざん説教された。(副)
もんげん　やぶ　　　ちち　　　　　せっきょう

I broke my curfew and my father lectured me harshly.
破了门限被父亲狠狠地说了一顿。

28 省みる
かえり

動 **reflect**
反省

父に叱られて、自分の行動を省みた。
ちち　しか　　　　じぶん　こうどう　かえり

After I was scolded by my father, I reflected on my actions.
被父亲教训后反省了自己的行为。

➕ 反省〈する〉 reflection / 反省
はんせい

29 さも
副 **as if**
很，确实

姉は知らないことも、さも知っているかのように話す。
あね　し　　　　　　　　し　　　　　　　　　　はな

My older sister always talks about things she knows nothing about as if she did.
姐姐她说起自己不知道的事情的时候也说得好像知道一样。

➕ いかにも indeed / 确实，实在

30 やまやまな

ナ形 | **have a strong desire to**
很多，很想

仕事を続けたいのは<u>やまやまだ</u>が、育児中は難しい。
しごと つづ いくじちゅう むずか

I really want to continue working, but it is difficult to do so while raising a child.
非常想继续工作，但育儿期间真的很难。

---

31 再婚 〈する〉
さいこん

名 | **remarry**
再婚

いい縁があって<u>再婚する</u>ことになった。
えん さいこん

I happened to meet someone and decided to remarry.
偶遇良缘又结婚了。

➕ バツイチ once divorced / 离过一次婚

---

32 健在な
けんざい

ナ形 | **in good health**
健在

父と母の、どちらの両親も<u>健在だ</u>。
ちち はは りょうしん けんざい

My grandparents on both sides of my family are still alive.
我父母的父母都健在。

---

33 いたわる

動 | **care**
体贴

息子は祖父母を<u>いたわる</u>、とてもやさしい子だ。
むすこ そふぼ こ

My son is a kind boy that cared a lot about his grandparents.
儿子是个很体贴祖父祖母的善良的孩子。

---

34 他界 〈する〉
たかい

名 | **pass away**
去世

先月、祖父が100歳で<u>他界した</u>。
せんげつ そふ さい たかい

My grandfather passed away last month at the age of 100.
上个月祖父去世了，享年100岁。

---

35 受け継ぐ
う つ

動 | **take over**
继承，相传

数年後には父の事業を<u>受け継ぐ</u>つもりだ。
すうねんご ちち じぎょう う つ

I plan to take over my father's business in the next few years.
我打算数年后继承父业。

➕ 継ぐ succeed / 继承・継承〈する〉 inheritance / 继承
つ けいしょう

---

36 遺産
いさん

名 | **inheritance/heritage**
遗产

①父の<u>遺産</u>について家族会議を開いた。
ちち いさん かぞくかいぎ ひら
②いつか海外の世界<u>遺産</u>を巡りたい。
かいがい せかいいさん めぐ

① We held a family meeting to discuss our father's inheritance.
② I want to travel around the world to visit World Heritage sites.
①关于父亲的遗产全家人开了会。
②真想能有一天去环游国外的世界遗产。

➕ ①遺産相続〈する〉 inheritance / 遗产继承・形見 heirloom / 遗物・
いさんそうぞく かたみ
②世界遺産 World Heritage / 世界遗产
せかいいさん

👉 ① possessions and valuables left by the deceased, ② things left by people of the past / ①去世的人留下的财产等②古时人类留下的东西

Section 2

友人
ゆうじん

Friends / 朋友

---

37 かけがえのない

慣 **invaluable**
无可替代的

彼は私にとって<u>かけがえのない</u>存在だ。
かれ　わたし　　　　　　　　　　　　　　　　　そんざい

He is an invaluable person to me.
他对我来说是无可替代的存在。

---

38 気が置けない
き　お

慣 **easy to get along with**
不分彼此

<u>気が置けない</u>仲間と過ごす時間が一番だ。
き　お　　　　なかま　す　　じかん　　いちばん

Spending time with close friends is the best.
和不分彼此的朋友在一起度过的时光是最棒的。

➕ 気安い familiar, relaxed / 随意
き やす

---

39 気心
き ごころ

名 **disposition**
脾气

彼女とは<u>気心</u>が知れた仲だ。
かのじょ　　　きごころ　し　　なか

She is a friend who knows my disposition well.
我和她是互相知道彼此性情的朋友。

---

40 打ち明ける
う　あ

動 **confess**
毫不隐瞒地说出

親友にだけ悩みを<u>打ち明けた</u>。
しんゆう　　　なや　　　う　あ

I shared my problems only with my best friend.
只对好朋友毫不隐瞒地说出自己的烦恼。

➕ 打ち明け話 confession / 知心话
う あ ばなし

---

41 察する
さっ

動 **sense**
揣测，察知

友人は私の気持ちを<u>察して</u>、何も聞かなかった。
ゆうじん　わたし　きも　　　さっ　　　なに　き

My friend sensed how I felt and didn't ask about anything.
朋友察觉到了我的心情，但什么都没有问。

---

42 同い年
おな　どし

名 **same age**
同岁

彼は私と<u>同い年</u>とは思えないくらい若い。
かれ　わたし　おな　どし　　　おも　　　　　　わか

He looks so young that you wouldn't think that we are the same age.
他年轻得都看不出和我同岁。

---

43 連中
れんちゅう

名 **group**
伙伴，同伙

もうあんな<u>連中</u>と付き合うのはやめよう。
れんちゅう　つ　あ

Let's stop hanging out with people like that.
不要和那家伙再交往下去了。

👉 used with close friends or a group you dislike / 对关系亲近的或者是轻蔑的对象使用。

---

44 呼び捨て
よ　す

名 **calling someone without honorifics**
直呼其名

あんな人に<u>呼び捨て</u>にされたくない。
ひと　よ　す

I don't want someone like him referring to me so rudely.
不想被那种人直呼名字。

---

45 身の上
み うえ

名 circumstances
身世，经历

お酒を飲みながら、お互いの身の上を話した。
さけ の　　　　　たが　　み うえ　はな

We shared our life stories over drinks.
一边喝酒，一边聊彼此的经历。

➕ 身の上話 personal history / 一生的经历・身の上相談 seek personal advice / 人生咨询
み うえばなし　　　　　　　　　　　　　　　　み うえそうだん

---

46 徹する
てっ

動 devote oneself to
贯彻始终

友達との飲み会では、私は聞き役に徹する。
ともだち　　の かい　　　　わたし　き やく　てっ

I'm always the listener when I go drinking with my friends.
和朋友们聚餐的时候，我一如既往地当听众。

---

47 踏みにじる
ふ

動 violate
践踏，糟踏

大切な友人の思いを踏みにじってしまった。
たいせつ　ゆうじん　おも　　ふ

I violated the feelings of my dear friend.
践踏了很重要的朋友的心意。

➕ ないがしろにする neglect / 瞧不起

---

48 気に障る
き さわ

慣 annoying
得罪，使人不高兴

あいつは時々、人の気に障ることを言う。
ときどき　ひと　き さわ　　　　い

He sometimes says things that annoy people.
那个人总是说些让人生气的话。

➕ 気分を害する be disappointed / 得罪
き ぶん　がい

---

49 きまり(が)悪い
わる

イ形 feel embarrassed
难为情，丢人

小さなことで腹を立てて、きまり悪い。
ちい　　　　　はら　た　　　　　　わる

I feel embarrassed for getting mad at nothing.
为了点鸡毛蒜皮的事生气，真丢人。

---

50 たかが

副 only
顶多，充其量

友達からお金を借りたら、たかが100円でも返す
ともだち　　かね　か　　　　　　　　　えん　　かえ
べきだ。

If you borrow money from your friend, you should return it,
even if it's only 100 yen.
问朋友借了钱，哪怕100日元也应还还。

---

51 かばう

動 protect
庇护，祖护

親友はどんな時でも私をかばってくれる。
しんゆう　　　とき　わたし

A true friend will protect you any time.
无论何时好朋友都会祖护我。

---

52 あえて

副 purposely
硬是，敢于

友達だからこそ、あえて厳しい忠告もする。
ともだち　　　　　　　　きび　ちゅうこく

I'm being hard on you purposely because I'm your friend.
正因为是朋友，所以敢说逆耳忠言的话。

---

53 頻繁な
ひんぱん

ナ形 frequent
频繁

大学時代の友人たちと頻繁に集まっている。
だいがく じ だい　ゆうじん　　ひんぱん　あつ

I often get together with my friends from my college days.
和大学时代的朋友们频繁聚会。

---

54 タイミング

友達を食事に誘ったが、<u>タイミング</u>が悪く断られた。
ともだち　しょくじ　さそ　　　　　　　　　　　　　わる　ことわ

名　**timing**
時机

I invited a friend for a meal, but the timing was bad, so she declined.
朋友约我吃饭，但时间不凑巧因此回绝了。

---

55 じゃんけん〈する〉

今度の飲み会の幹事を、<u>じゃんけん</u>で決めよう。
こんど　の　かい　かんじ　　　　　　　　　　き

名　**rock-paper-scissors**
猜拳

Let's pick the organizer of the next drinking party by rock, paper scissors.
这次聚餐的干事就猜拳来决定吧。

☞ game using "gu (rock)," "choki (scissors)," and "pa (paper)" / 通过"石头""剪刀""布"来决胜负。

---

56 ［お］あいこ

何回じゃんけんしても<u>あいこ</u>で、勝負がつかない。
なんかい　　　　　　　　　　　　　　しょうぶ

名　**tie**
不分胜负

We keep ending in a tie no matter how many times we play rock, paper, scissors.
猜了好几次拳都不分胜负。

➕ 引き分け tie / 和局
ひ　わ

---

57 つながる

① SNS で、音信不通だった友人と<u>つながる</u>ように
おんしんふつう　　　ゆうじん
なった。

②友達に電話しているが、なかなか<u>つながら</u>ない。
ともだち　でんわ

動　**connect**
联系，接通

① I reconnected with a friend I lost contact through social network.
② I keep calling my friend but he doesn't pick up.
①在社交网络上联系上了失联的朋友。
②给朋友打了电话，但怎么也打不通。

➕ つながり connection / 联系，关系

☞ ① relationship continues without being severed, ② something that was separated becomes united / ①维持关系②分开的东西连接上

---

58 やたら［な／と］

彼はお酒を飲むと、<u>やたら</u>とうるさい。(副)
かれ　さけ　の

ナ形　**profuse/profusely**
副　胡乱，过分

He starts to whine profusely when he drinks alcohol.
他一喝酒就大声嚷嚷。

---

59 さぞ

彼女の服は全部ブランド品だ。<u>さぞ</u>お金持ちなの
かのじょ　ふく　ぜんぶ　　　　　　ひん　　　　　　かねも
だろう。

副　**must be**
想必

All of her clothes are brand-name. She must be rich.
她的衣服都是名牌，想必是有钱人。

60 □ そもそも	また友達とけんかした。<u>そもそも</u>彼の一言が原因だ。
副 **to start with** 最初，开端	I fought with my friend again. But it was something he said that triggered the fight in the first place. 又和朋友吵架了，最开始的原因是他的一句话。
61 □ よもや［〜ない］	彼女が恋人になるとは<u>よもや</u>思わ<u>なかった</u>。
副 **never imagine** 未必…吧，难道	I never imagined that she would become my girlfriend. 没想到她能做自己的女朋友。

これも覚えよう！ ❶

➕ 接辞① Affix ① / 词缀①

● 副〜：二番目の〜

副作用 ふくさよう	side effect / 副作用	
副題 ふくだい	subtitle / 副标题	
副賞 ふくしょう	extra prize / 附加奖	
副産物 ふくさんぶつ	by-product / 副产物	
副収入 ふくしゅうにゅう	secondary income / 副业收入	
副食 ふくしょく	side dish / 副食	
副大臣 ふくだいじん	vice minister / 副大臣	
副社長 ふくしゃちょう	vice president / 副社长	
副読本 ふくどくほん	supplementary reader / 辅导读物	
副都心 ふくとしん	sub center of city / 副中心	

Section 3
知り合い
しあ

Acquaintance / 熟人

---

62 縁
えん

名 fate/ties
缘分

① 彼女とはバイトが縁で知り合った。
かのじょ　　　　　　えん　し　あ
② あんな人とは今すぐにでも縁を切りたい。
ひと　　　いま　　　　　　えん　き

① I met her at a part-time job.
② I would want to cut ties with someone like that immediately.
① 和她是有缘一起打工认识的。
② 和那种人真想马上绝交。

➕ 縁結び matchmaking / 结缘
えんむす

👉 ① the beginning of a relationship, ② ties that cannot be severed / ①认识的契机②无法结束的关联

---

63 一見 〈する〉
いっけん

名 appearance/at first glance
副 乍一看, 初见

あの人は一見怖そうだが、面白い人だ。(副)
ひと　いっけんこわ　　　　　　おもしろ　ひと

At first glance, he may appear frightening, but he is actually a funny person.
初见那人觉得有点可怕，其实是个有趣的人。

➕ ちょっと見 quick peek / 乍一看
み

---

64 恐縮 〈する〉
きょうしゅく

名 feeling obliged
惶恐, 惭愧

わざわざお電話をいただき、恐縮です。
でんわ　　　　　きょうしゅく

Thank you so much for taking the time to call me.
您还特地打电话来，真不好意思。

---

65 思いやり
おも

名 compassion
体谅, 体贴

彼女は誰に対しても思いやりを持って接する。
かのじょ　だれ　たい　　　　おも　　　　も　　せっ

She is compassionate to everyone she associates with.
她不管对谁都十分体贴周到。

---

66 気配り 〈する〉
きくば

名 sensitivity
照顾, 细心周到

みんなが彼のことを気配りができる人だと言う。
かれ　　　　　きくば　　　　　　ひと　　い

Everyone says that he is sensitive to people.
大家都说他是个周到细心的人。

➕ 配慮 〈する〉 consideration / 关怀，照料・心配り 〈する〉 watchfulness / 关心，照料
はいりょ　　　　　　　　　　　　　　　　　　こころくば

---

67 打ち解ける
うと

動 warm to
融洽, 无隔阂

彼とは初めて会ったが、すぐに打ち解けることができた。
かれ　　　はじ　あ　　　　　　　　うと

It was the first time to meet him, but we were able to warm to each other quickly.
虽然和他是第一次见面，但交流得很融洽。

68 好意
こうい

名 favor
好感，善意

初めて会ったときから、彼に好意を抱いている。
はじ　　あ　　　　　　　　　　かれ　こうい　　いだ

I favored him from the first time I met him.
和他初次相见时就对他有了好感。

↔ 悪意
あくい

69 色気
いろけ

名 sex appeal
风韵

あの人は色気があって、同性から見ても魅力的だ。
ひと　いろけ　　　　　　　どうせい　　み　　　みりょくてき

She is sexy and very attractive, even from a woman's point of view.
那人很有风韵，在同性看来也很有魅力。

70 見栄
みえ

名 appearance
外表，门面

好きな人の前では見栄を張りたがるものだ。
す　　ひと　まえ　　　みえ　は

People like to put on appearances in front of people they like.
在喜欢的人面前总是要修饰仪幅的。

71 見栄っ張り
みえ　ば

名 vain
爱慕虚荣

彼があれほど見栄っ張りだとは思わなかった。
かれ　　　　　　みえ　ば　　　　　　おも

I never thought he was such a vain person.
没想到他是那么爱慕虚荣的人。

72 人違い
ひとちが

名 wrong person
认错人

知り合いだと思って声をかけたら、人違いだった。
し　あ　　　おも　こえ　　　　　　ひとちが

I called out to him thinking he was an acquaintance, but he wasn't who I thought he was.
以为是认识的人就叫了一下，结果发现认错了。

73 勘違い〈する〉
かんちが

名 misunderstanding
错误判断，误解

彼は彼女の優しさを好意と勘違いしているらしい。
かれ　かのじょ　やさ　　　こうい　かんちが

He is mistaking her kindness for affection.
他好像把她的友善误解成对他有好感了。

74 根も葉もない
ね　は

慣 groundless
毫无根据

彼らが付き合っているなんて、根も葉もないうわさだ。
かれ　つ　あ　　　　　　　　　　ね　は

It's a groundless rumor that the two are dating.
谁说他们在交往着？真是毫无根据的谣言。

75 初耳
はつみみ

名 hear for the first time
初闻，首次听到

あの二人が姉妹とは初耳だ。
ふたり　しまい　　はつみみ

This is the first time I've heard that the two were sisters.
才听说她们俩是姐妹。

76 惑わす
まど

動 blinded
蛊惑，扰乱

周囲の人たちが、彼女の魅力に惑わされている。
しゅうい　ひと　　　　かのじょ　みりょく　まど

People around her are blinded by her attractiveness.
周围的人都被她的魅力所诱惑。

77 早口
はやくち
名 fast talking
说话快

彼女は早口で、時々何を言っているか分からない。
かのじょ　はやくち　ときどきなに　い　　　　　　わ

She talks fast and sometimes it's hard to understand what she is saying.
她说话很快，常常不知道她到底在说什么。

➕ 早口言葉 tongue twister / 顺口溜
はやくちことば

78 生やす
は
動 grow
留长，使生长

男の人はひげを生やすと、イメージが大きく変わる。
おとこ　ひと　　　　は　　　　　　　　　　おお　　か

When a man grows a beard, his image can change drastically.
男人留胡子的话，形象会很不一样。

79 いじる
動 fidget
摆弄

あの子はいつも髪の毛をいじっている。
こ　　　　　かみ　け

She is always fidgeting with her hair.
那个孩子老是弄自己的头发。

80 揺する
ゆ
動 shake, jitter
摇晃

知人の体を揺する癖が気になってしかたない。
ちじん　からだ　ゆ　　くせ　き

I am so bothered by my acquaintance's habitual jittering.
忍不住介意朋友老是喜欢摇晃身体的坏习惯。

➕ 揺らす shake / 晃动
ゆ

81 心得る
こころえ
動 be aware of
领会

彼らは大人としてのマナーを心得ている。
かれ　　おとな　　　　　　　　　　こころえ

As adults, they are mindful of their manners.
他懂得作为一个成人应有的礼貌。

➕ 心得 knowledge / 心得体会
こころえ

82 欠く
か
動 lacking
欠缺

礼儀を欠くような人とは関わりたくない。
れいぎ　か　　　　　ひと　　かか

I do not want anything to do with someone lacking manners.
不想和不懂礼貌的人有什么瓜葛。

➕ 常識を欠く lacking common sense / 缺乏常识・（～に）欠ける lack (something) / 欠缺
じょうしき　か　　　　　　　　　　　　　　　　　　　　　　　　　　か

83 おもむろに
副 slowly
慢慢地

彼はおもむろに右手を出して、握手を求めた。
かれ　　　　　　みぎて　だ　　　　あくしゅ　もと

He slowly stuck out his right hand hoping to shake hands.
他慢慢地伸出右手，示意握手。

恋人
こいびと

Lover / 恋人

---

84 異性
いせい

名 opposite sex
异性

彼女は異性にも同性にも好かれるタイプだ。
かのじょ　いせい　どうせい　す

She is liked by people of both the same and opposite sex.
她是那种不论异性还是同性都会喜欢的类型。

↔ 同性
どうせい

---

85 恋する
こい

動 in love
恋爱

中学生の妹は恋に恋しているようだ。
ちゅうがくせい　いもうと　こい　こい

My younger sister in junior high school seems to be in love with the concept of love.
中学生的妹妹好像恋上了恋爱的感觉。

---

86 一目ぼれ〈する〉
ひとめ

名 love at first sight
一见钟情

弟が電車の中で初めて会った人に一目ぼれした。
おとうと　でんしゃ　なか　はじ　あ　ひと　ひとめ

My younger brother fell in love at first sight with someone he met on the train.
弟弟在电车上对第一次相遇的人一见钟情了。

---

87 片思い
かたおも

名 one-sided love
单相思

片思いのままではつらいので、彼に告白することにした。
かたおも　かれ　こくはく

One-sided love was painful so he decided to declare his love.
一直这么单相思很痛苦，所以和他告白了。

➕ 両思い mutual love / 相爱・失恋〈する〉 lost love / 失恋
りょうおも　しつれん

---

88 密かな
ひそ

ナ形 secretly
暗自，悄悄地

3年前から彼女のことを密かに思い続けている。
ねんまえ　かのじょ　ひそ　おも　つづ

I have hidden my feelings for her for the last three years.
3年前开始就一直悄悄地喜欢她。

➕ 密やかな hidden / 悄悄地
ひそ

---

89 引かれる
ひ

動 attracted
吸引，打动

兄は彼女の優しさに引かれたそうだ。
あに　かのじょ　やさ　ひ

My older brother says he was attracted to her kindness.
哥哥好像是被他女朋友的温柔所打动了。

---

90 気がある
き

慣 have the hots for
有兴趣

あの子は僕に気があるようだ。
こ　ぼく　き

She seems to have the hots for me.
那个人好像对我有兴趣。

---

91 まんざら［〜ない］

副 pretty much
（未必）一定

彼女も彼のことをまんざら嫌いでもないようだ。
かのじょ　かれ　きら

She seems to have feelings for him too.
好像她也不一定是讨厌他。

---

92 赤らめる
あか
動 **blush**
染红，变红

彼女のことを見つめたら、頬を赤らめて微笑んだ。
かのじょ　　　　　　み　　　　　　　ほお　あか　　　　　ほほえ

When I glanced at her, she blushed and smiled.

当我凝视她时，她的脸颊泛起了微微微笑了起来。

➕ 赤面〈する〉 red face / 脸红
せきめん

93 まなざし
名 **a look**
目光

彼からの熱いまなざしを感じた。
かれ　　　あつ　　　　　　　　かん

I felt him giving staring hotly at me.

感受到了他炙热的目光。

➕ 視線 line of sight / 视线
しせん

94 直感〈する〉
ちょっかん
名 **instinct**
直觉

初めて会ったときに、結婚すると直感した。
はじ　　あ　　　　　　　けっこん　　　　ちょっかん

I knew I was going to marry him when I first met him.

第一次见面的时候，就有了会结婚的直觉。

➕ ぴんとくる catch on quickly / 一点就通・第六感 sixth sense / 第六感，直觉
だいろっかん

95 告白〈する〉
こくはく
名 **confession**
告白，表白

好きな気持ちを彼になかなか告白できない。
す　　　きも　　　　かれ　　　　　　　こくはく

I just can't confess my feelings for him.

喜欢他的心情总是无法向他表明。

➕ 愛の告白 declaration of love / 爱的表白
あい　こくはく

96 受け止める
う　と
動 **accept**
接住，接受

①彼女は僕の告白をしっかり受け止めてくれた。
かのじょ　ぼく　こくはく　　　　　　　う　と
②相手の言葉を深刻に受け止める。
あいて　ことば　しんこく　　う　と

① She strongly accepted my declaration of love.
② One must seriously listen to what the other person is saying.

①她完全接受了我的告白。
②深刻领会对方所说的话。

👉 ① firmly receive and hold something that approaches you, ② understand clearly / ①接住顺势而来的东西 ②领悟，理解

97 運命
うんめい
名 **fate**
命运

二人の出会いに運命を感じた。
ふたり　であ　　　うんめい　かん

I felt that our meeting was fate.

感觉彼此的相遇是种命运。

➕ 宿命 destiny / 宿命
しゅくめい

98 一筋
ひとすじ
名 **single-hearted**
一心一意

付き合い始めてから彼女一筋だ。
つ　あ　　はじ　　　　　かのじょひとすじ

I've only had eyes for her since we started dating.

从开始交往一直都只对她一心一意。

99 □ **育む** はぐくむ 動 **nurture** 培养，哺育	遠くに住んでも、二人は愛を<u>育んでいる</u>。 とお　す　　　　ふたり　あい　はぐく We live far apart, but we are nurturing the love between us. 即使两人分别两地，还是培养着感情。

100 □ **のろける** 動 **brag** 秀恩爱	親友はいつも恋人のことを<u>のろけて</u>いる。 しんゆう　　　こいびと My best friend is always bragging about his girlfriend. 好朋友老说起他的对象，老秀恩爱。

➕ のろけ boast / 恋人间恩爱之事

101 □ **片時** かたとき 名 **not for a moment** 片刻，瞬间	彼女のことを<u>片時</u>も忘れられない。 かのじょ　　　　かたとき　わす I cannot forget about her for even a moment. 片刻都无法不想起她。

➕ 一時も not even for a moment / 一刻也
　　いっとき

102 □ **隅に置けない** すみ　お 慣 **not to be underestimated** 有两下子，不可小看	恋愛に関しては、弟は<u>隅に置けない</u>タイプだ。 れんあい　かん　　　おとうと　すみ　お My younger brother is not to be underestimated when it comes to matters of love. 关于恋爱，弟弟是那种情场高手类型的。

103 □ **張り合う** は　あ 動 **fight over** 竞争	弟を巡って、三人の女の子が<u>張り合っている</u>。 おとうと　めぐ　　さんにん　おんな　こ　は　あ Three girls are fighting over my younger brother. 三个女孩子围绕着我弟弟展开了争夺。

104 □ **有頂天な** うちょうてん ナ形 **ecstatic** 欢天喜地，得意洋洋	弟は可愛い彼女ができて、<u>有頂天</u>になっている。 おとうと　かわい　かのじょ　　　　うちょうてん My younger brother is ecstatic about his new girlfriend. 弟弟谈了一个很可爱的女朋友，现在得意洋洋的。

105 □ **[お] 揃い** そろ 名 **matching** 同款，一式	二人で<u>お揃い</u>のリングを買った。 ふたり　　　そろ　　　　　　か The two bought matching rings. 两个人买了对戒。

➕ ペア pair / 成对

👉 matching fashion often uses the term お揃い (matching) / 情侣装，亲子装等常用"お揃い"这个说法。

106 □ **冷やかす** ひ 動 **tease** 嘲笑	彼と一緒のところを同僚に見られ、<u>冷やかされた</u>。 かれ　いっしょ　　　　　どうりょう　み　　　ひ I was teased by my co-workers when they saw me with my boyfriend. 和男朋友在一起的时候，被同事们看见，被他们笑话了。

➕ 冷やかし ridicule / 嘲笑
　　ひ

107 もの好き〈な〉
（ず）
名 ナ形
having strange tastes
好奇心强，偏好怪异

もの好きと言われても、私は彼が大好きだ。(名)
（ず）（い）（わたし）（かれ）（だいす）
Even though other people think he has strange tastes, I like him.
即使被说偏好怪异，我还是很喜欢他。

108 そっぽを向く
（む）
慣
turn away
不理睬

彼女は怒って、そっぽを向いた。
（かのじょ）（おこ）（む）
She got mad and looked away.
她生气了，不理我了。

109 束縛〈する〉
（そくばく）
名
constrain
束缚

結婚しても、彼に束縛されたくない。
（けっこん）（かれ）（そくばく）
I don't want to be tied down by him, even if we get married.
即使结婚了，也不想被他束缚。

110 嫉妬〈する〉
（しっと）
名
jealously
嫉妒

彼は私が他の人と話しているだけで嫉妬する。
（かれ）（わたし）（ほか）（ひと）（はな）（しっと）
He gets jealous when he sees me even talking with someone else.
他连我跟别人说话都要嫉妒。

➕ ジェラシー jealousy / 嫉妒

111 浮気〈する〉
（うわき）
名
infidelity
花心

浮気は絶対に許さない。
（うわき）（ぜったい）（ゆる）
I will never forgive infidelity.
绝对不能容忍花心。

112 発覚〈する〉
（はっかく）
名
revealed
被发觉，暴露

浮気が発覚したら、すぐに彼と別れるつもりだ。
（うわき）（はっかく）（かれ）（わか）
I will break up with my boyfriend the moment I find out he is unfaithful.
发现他在外花心的话，就跟他分手。

113 弁解〈する〉
（べんかい）
名
excuse
辩解

彼女のどんな弁解にも耳を傾けるつもりはない。
（かのじょ）（べんかい）（みみ）（かたむ）
I have no intentions of listening to her excuses.
无论她怎么辩解我也不打算听了。

114 未練
（みれん）
名
lingering affection
依恋

別れた彼に少しも未練はない。
（わか）（かれ）（すこ）（みれん）
I have no feelings left for my ex-boyfriend.
对前男友没有丝毫眷恋了。

➕ 心残り regrettable / 挂念

115 ぽっかり［と］
副
gaping
突然裂开

振られてから心にぽっかり穴が空いたままだ。
（ふ）（こころ）（あな）（あ）
I feel empty inside after being dumped.
被甩了，心里突然像裂了个洞一样空空的。

116 前提
ぜんてい
名 premise
前提

姉たちは結婚を<u>前提</u>に付き合っている。
あね　けっこん　ぜんてい　つ　あ

My elder sister is dating her boyfriend with the hopes that they will get married.
姐姐他们是以结婚为前提谈恋爱的。

117 誠意
せいい
名 sincerity
诚意

彼はいつも素直に<u>誠意</u>を示してくれる。
かれ　　　　すなお　せいい　しめ

He is always very truthful.
他一直都很坦率地表达他的诚意。

➕ 誠心誠意 sincerely / 诚心诚意
せいしんせいい

118 なれそめ
名 start of a romance
恋爱的开端

二人の<u>なれそめ</u>はボランティア活動だった。
ふたり　　　　　　　　　　　かつどう

The two met when doing volunteer activity.
那俩人恋爱的开端是志愿者活动。

119 縁談
えんだん
名 arranging marriage
亲事

親戚がいい<u>縁談</u>を持ってきてくれた。
しんせき　　　えんだん　も

My relative offered to arrange marriage for me.
亲戚给介绍了一桩好亲事。

120 ゴールイン〈する〉
名 tie the knot
终成眷属

長年愛を育み、二人は<u>ゴールインした</u>。
ながねんあい　はぐく　ふたり

The two tied the knot after years of being together.
培养了多年的感情之后，两人终成眷属。

121 日取り
ひど
名 date
日子

結婚式の<u>日取り</u>を大安の日に決めた。
けっこんしき　ひど　　たいあん　ひ　き

The two decided the date of their marriage to be on a "tai-an" good-luck date.
大喜日子决定在大安吉日。

➕ 日時 date and time / 日期・大安 lucky day / 大安吉日・仏滅 unlucky day / 入灭凶日
にちじ　　　　　　　　　　　たいあん　　　　　　　　　　　ぶつめつ

122 披露〈する〉
ひろう
名 exhibit
婚礼

彼女の美しい花嫁姿を<u>披露する</u>のが待ち遠しい。
かのじょ　うつく　はなよめすがた　ひろう　　　　ま　どお

I can't wait to see her in her beautiful wedding dress.
翘首以盼她在婚礼上穿上美丽嫁衣的样子。

➕ 披露宴 reception / 婚宴
ひろうえん

123 厳かな
おごそ
ナ形 solemn
庄严

<u>厳かな</u>雰囲気の中で式が行われた。
おごそ　　ふんいき　なか　しき　おこな

The ceremony was conducted in a solemn atmosphere.
在庄严的气氛下举行了仪式。

124 一同 いちどう	田中さん、ご結婚おめでとうございます。 どうぞお幸せに。社員一同
名 **all** 全体	Mr./Ms. Tanaka, congratulations on your marriage. We hope you have a happy life together. From all the employees 田中先生／女士，恭祝新婚愉快。美满幸福。全体社员敬上。
125 潤む うるむ	式の間、姉の目がずっと潤んでいた。
動 **be wet** 湿润	My elder sister's eyes were teary throughout the ceremony. 仪式期间，姐姐的双目一直闪着泪光。
126 寄り添う よそ	あの人となら、ずっと寄り添っていけそうだ。
動 **snuggle against, be close together** 贴近	I believe I'll be able to spend a lifetime together with him. 那个人的话，感觉可以一直一起走下去。

これも
覚えよう！❷
おぼ

➕ **接辞**② Affix ② / 词缀②
せつじ

● **不~**：~ではない
 ふ

不可侵 ふ か しん	nonaggression / 不可侵害	不健全 ふ けんぜん	unhealthy / 不健全
不可解 ふ か かい	puzzling / 不可理解	不合理 ふ ごうり	irrational / 不合理
不可分 ふ か ぶん	indivisibility / 不可分割	不条理 ふ じょうり	illogical / 无条理
不規則 ふ き そく	irregular / 不规则	不摂生 ふ せっせい	neglecting one's health / 不摄生，不注重健康
不義理 ふ ぎ り	ingratitude / 不合情理		
不均衡 ふ きんこう	uneven / 不均衡	不道徳 ふ どうとく	immoral / 不道德
不謹慎 ふ きんしん	imprudent / 不谨慎	不文律 ふ ぶんりつ	unwritten law / 不成文
不経済 ふ けいざい	uneconomical / 非经济	不本意 ふ ほんい	loathe / 非本意，不情愿
不見識 ふ けんしき	thoughtless / 见识短	不名誉 ふ めいよ	disgrace / 不名誉，有损名誉

Section 5
いろいろな関係
かんけい

Various Relationships / 各种关系

127
対人関係
たいじんかんけい

名 **interpersonal relationship**
人际关系

社会に出ると、対人関係で苦労することが多い。
しゃかい で たいじんかんけい くろう おお

One often experiences hardships in human relationships when one starts working.
上了社会，人际关系上很费神。

128
義理
ぎり

名 **morality/in-law**
情义，道理，没有血缘的亲戚关系

①人との付き合いでは義理を大切にしなければならない。
ひと つ あ ぎり たいせつ

②義理の父と母も、とてもいい人だ。
ぎり ちち はは ひと

① One must respect moral obligations when interacting with people.
② Both my father-in-law and mother-in-law are good people.
①和人交往情义很重要。
②岳父岳母 / 公公婆婆都是很好的人。

➕ ②義理の兄弟姉妹 brothers and sisters-in-law / 妯娌连襟
ぎり きょうだいしまい

👉 ① something necessary in interpersonal relationships, ② a relationship created through marriage and others / ①和人交往时很重要的事情 ②由婚姻等因素产生的亲属关系

129
円滑な
えんかつ

ナ形 **smooth**
圆滑，和谐

円滑な人間関係に欠かせないのは、義理と思いやりだ。
えんかつ にんげんかんけい か ぎり おも

A sense of moral obligation and consideration for others is indispensable for smooth interpersonal relationships.
和谐的人际关系中情义和体谅是不可缺少的。

130
踏み込む
ふ こ

動 **interfere**
踏入，涉足

人の生活にあまり踏み込まず、少し距離を保つ。
ひと せいかつ ふ こ すこ きょり たも

Keep a distance and don't intrude too much into other people's lives.
尽量不涉足别人的生活，稍微保持一定的距离。

➕ 立ち入る interfere / 介入，进入
た い

131
嫌がらせ 〈する〉
いや

名 **harassment**
故意气人

隣の部屋の人に嫌がらせをされて困っている。
となり へや ひと いや こま

I'm being harassed by the tenant in room next door.
隔壁的人老是另人讨厌，真是闹心。

132
告げ口 〈する〉
つ ぐち

名 **tattling**
告状

会社の同僚が私のミスを上司に告げ口した。
かいしゃ どうりょう わたし じょうし つ ぐち

My co-worker told our boss about my mistake.
公司同事把我的失误告状给了上司。

➕ 言いつける tell on / 告状
い

30

133 行き違い
い/ゆ ち が

①彼と待ち合わせしたが、行き違いで会えなかった。
かれ ま あ い/ゆ ち が

②行き違いがあって、荷物が届かなかった。
い/ゆ ち が に もつ とど

名 **crossing, missing each other**
错过，弄错

① We promised to meet but we missed each other.
② The package did not arrive as we missed each other.
①想和他碰头约的，但错过了没见成。
②错过了，结果东西没收到。

➕ ①すれ違い miss each other / 擦肩而过
ちが

👉 ① cannot meet due to bad timing, ② problem occurs due to mistakes such as lack of communication / ①时机不凑巧没有见成②联系等发生了问题

134 敬遠〈する〉
けいえん

彼は悪い人ではないが、みんなに敬遠されている。
かれ わる ひと けいえん

名 **avoidance**
敬而远之

He's not a bad person, but everybody avoids him.
他不是坏人，但大家都对他敬而远之。

135 こじれる

話がこじれて、関係の改善は難しい状況だ。
はなし かんけい かいぜん むずか じょうきょう

動 **get complicated, get worse**
别扭，复杂化

The situation worsened, and it appears to be difficult to improve the relationship.
交涉越发复杂，现状是关系的改善很难。

136 けなす

一方的に相手をけなしても、何の得にもならない。
いっぽうてき あいて なん とく

動 **trash, talk bad about**
贬低，讥诮

No good comes from trashing others one-sidedly.
一味地贬低别人什么也得不到。

➕ なじる reproach / 责难

137 罵る
ののし

大統領候補者が選挙演説で相手を罵った。
だいとうりょうこうほしゃ せんきょえんぜつ あいて ののし

動 **curse**
骂，谩骂

The presidential candidate cursed at her opponent during a campaign speech.
总统候选人在选举演说上互相谩骂对方。

➕ 罵り合う abuse each other verbally / 互骂・罵倒〈する〉 abuse / 痛骂
ののし あ ばとう

138 陰口
かげぐち

苦情は陰口ではなく、本人に言うべきだ。
くじょう かげぐち ほんにん い

名 **talking behind someone's back**
背地里骂人

Complaints should be made in person, not behind the other person's back.
抱怨不应该在背后说，应该对本人说。

139 絡む
からむ

動 **involve/pester/tangle**
牵扯，胡搅蛮缠，缠绕

①トラブルにお金の問題が絡むと、解決が難しい。
②酔っ払いが通行人に絡んでいる。
③ネックレスが絡んで、なかなか外れない。

① When a situation involves money, it is difficult to resolve.
② A drunk person is pestering passersby.
③ The necklace got tangled and is difficult to take off.
①这次的问题牵扯上了钱，解决起来很难。
②醉鬼在跟行人胡搅蛮缠。
③项链缠住了，怎么都解不开。

☞ ① things become tangled with something else in a complex manner, ② someone saying something one-sidedly, ③ small items become tangled / ①事情牵扯上了别的复杂事物②对别人一个劲儿地说话③细的东西卷起来

140 怒り
いかり

名 **anger**
愤怒

優しい友人が珍しく怒りを顔に出した。

In a rare move, my gentle friend let her anger show through.
脾气很好的朋友难得露出了愤怒的神情。

➕ 怒る get mad / 生气・怒り心頭 furious / 怒火中烧

141 震わせる
ふるわせる

動 **shake**
颤抖

怒りに声を震わせて、相手に言い返した。

Shaking with anger, I retorted to the other person.
气得声音也抖了，回骂了对方。

🟰 震わす ➕ (〜が) 震える (something) shakes / 震动，抖动

142 人目
ひとめ

名 **public eye**
众目

母はいつも人目を気にしている。

My mother is always worried about how people see her.
妈妈总是介意别人的目光。

143 意地
いじ

名 **stubbornness/meanness**
心术，好胜心

①二人とも意地があって、互いに謝れなかった。
②あの人は意地が悪い。

① Both were stubborn and refused to apologize.
② That person is mean.
①两个人都很要强，互相不道歉。
②那人心术不正。

☞ ① one's strong conviction, ② one's fundamental thoughts or frame of mind / ①自己很固定的想法②这个人根本的想法和心里活动

144 なだめる

動 **calm down**
劝解

彼が感情的になったら、誰もなだめることはできない。

No one can calm him down once he gets emotional.
他一感情用事起来，谁也劝不了。

145 開き直る
ひら なお
動 defiant
态度变强硬

みんなに行動を非難されると、彼は開き直った。
こうどう　ひ なん　　　　　　　　かれ　ひら　なお

He became defiant when everyone criticized his actions.
大家都说他做得不对，他的态度却变强硬了。

146 軽べつ〈する〉
けい
名 contempt
轻蔑，鄙视

彼女はみんなから軽べつされている。
かのじょ　　　　　　　　けい

She is viewed with contempt by everyone.
她被众人鄙视。

147 割り切る
わ き
動 have no illusion about
决意

嫌なことでも仕事と割り切ってやるしかない。
いや　　　　　しごと　わ き

I think of it as part of the job and do things I don't want to do.
讨厌的事情也只好决意当成工作做下去。

148 下心
したごころ
名 ulterior motive
企图

彼の親切に下心はないと思う。
かれ　しんせつ　したごころ　　　　　おも

I don't think he has any ulterior motive when he's acting kind.
我觉得他的亲切里没有什么企图。

149 素っ気ない
そ け
イ形 curt
无情，冷淡

あの人は私に素っ気ない。嫌われているらしい。
ひと　わたし　そ け　　　　　きら

That person is curt to me, probably because he doesn't like me.
那个人对我很冷淡，好像讨厌我。

150 相づちを打つ
あい う
慣 nod in acknowledgement
互相附和

相づちを打たない会話は違和感がある。
あい　う　　　　　かいわ　いわかん

A conversation without any nod of acknowledgement is awkward.
不相互符合的对话听着很别扭。

151 赤の他人
あか たにん
名 complete stranger
陌生人

彼と私は会ったこともなく、赤の他人だ。
かれ　わたし　あ　　　　　　　　あか　たにん

He is a complete stranger; I've never met him before.
我和他面都没有见过，完全是陌生人。

➕ 真っ赤なうそ complete lie / 弥天大谎
まか

👉 red has a meaning that it can be seen clearly by anybody / "赤"有"谁看都是显而易见"的意思。

152 煩わしい
わずら
イ形 troublesome
麻烦，繁琐

近所付き合いは大切だが煩わしい。
きんじょづ あ　　　たいせつ　　わずら

Maintaining good relationships with one's neighbors is important but troublesome.
和邻居相处虽然很重要，但真是麻烦。

153 構う
かま
動 care
有关，介意

他人がどうなっても構わないという人が増えている。
たにん　　　　　　　　かま　　　　　　ひと　ふ

The number of people who don't care about strangers is growing.
现在有越来越多的人只所谓别人怎么样。

➕ お構いなく no need to bother / 您别张罗
かま

154 ☐	きっぱり[と]〈する〉	曖昧にせずに、嫌なことは<u>きっぱりと</u>断るべきだ。 あいまい　　　　　いや　　　　　　　　　　　　ことわ
副	**firmly** 干脆，果断	Don't be vague; say no clearly to something you don't like. 不含糊暧昧，讨厌的事情就果断地拒绝。
155 ☐	くれぐれも	今後とも、<u>くれぐれも</u>よろしくお願いします。 こんご　　　　　　　　　　　　　　　　　ねが
副	**sincerely** 反复，周到	I'm sincerely looking forward to working with you. 今后也请多多关照。

N1
Chapter

2
暮らし
く

Livelihood
生活

お金
かね

Money / 金钱

---

156 家計
かけい

名 **household expense**
家计

今月も我が家の家計は赤字だ。困ったものだ。
こんげつ　わ　や　　かけい　　あかじ　　こま

Our household expenses are in the red this month. We're in a bit of a bind.
这个月家里也是赤字，真是头疼。

➕ 家計簿 household account book / 家庭账本・生計 livelihood / 生计
かけいぼ　　　　　　　　　　　　　　　　せいけい

---

157 差し引く
さ　ひ

動 **deduct**
扣除，抵扣

給料は税金などを差し引いて振り込まれる。
きゅうりょう　ぜいきん　　　　さ　ひ　　　ふ　こ

After deducting things like tax, the salary is deposited in the bank account.
工资是扣除了税金以后汇款支付的。

➕ 差し引き balancing / 扣除
さ　ひ

---

158 手取り
て　ど

名 **net income**
纯收入

一人暮らしなので、手取りで20万円は欲しい。
ひとりぐ　　　　　　　　　てど　　まんえん　ほ

I live alone, so I would want a net income of at least 200,000 yen.
我一个人生活，所以希望到手20万日元。

➕ 実入り income / 收入
み　い

---

159 倹約〈する〉
けんやく

名 **frugality**
节俭

今の生活で倹約できるのは外食代くらいだ。
いま　せいかつ　けんやく　　　　　　がいしょくだい

Under my current living conditions, the only thing I can cut back on is eating out.
现在生活上能节约的部分就是在饭店吃饭的开销了。

➕ 節約〈する〉 economizing / 节约
せつやく

---

160 出費
しゅっぴ

名 **expense**
支出

今月は友人の結婚式など出費が多い。
こんげつ　ゆうじん　けっこんしき　　しゅっぴ　おお

Expenses were high this month due to my friend's wedding among other things.
这个月有朋友的婚礼什么的，开销很大。

---

161 かさむ

動 **run up, mounting**
数额增加

しばらく出費がかさむ。もっと節約しないと。
しゅっぴ　　　　　　　　せつやく

Our expenses will be running up for a while. We have to save more.
最近开销增加了，要更节约才行。

---

162 内訳
うちわけ

名 **breakdown**
细目

毎月、給料の内訳をしっかりチェックする。
まいつき　きゅうりょう　うちわけ

I check the breakdown of my salary carefully every month.
每个月都会好好确认工资的细目。

➕ 明細 particulars / 明细
めいさい

163 共働き〈する〉
とも ばたら
名 both spouses working
夫妻双方都工作

しばらく共働きしないと、生活が苦しい。
とも ばたら せいかつ くる

We cannot make ends meet unless we both work.
最近如果不两个人都工作的话，生活会很艰苦。

＝ 共稼ぎ〈する〉
とも かせ

164 やり繰り〈する〉
名 manage
筹措

生活費のやり繰りは大変だが、工夫するのは楽しい。
せいかつ ひ く たいへん く ふう たの

Managing household expenses is difficult but being creative is fun.
筹措生活费很难，但为此努力是很开心的。

165 すずめの涙
なみだ
慣 a very small amount
微不足道

ボーナスが出たが、すずめの涙だった。
で なみだ

I was paid a bonus, but it was only a drop in the bucket.
发奖金了，但却少得可怜。

166 ギャラ
名 guarantee, payment
出演费

アルバイトのギャラが少しだけ入った。
すこ はい

I got a small payment from my part-time job.
兼职的出演费只有一点点。

＋ 報酬 pay / 报酬
ほうしゅう

167 極力
きょくりょく
副 as much as possible
尽力，尽量

節約のため、極力自炊をするようにしている。
せつやく きょくりょく じすい

I try to cook for myself as much as possible to save money.
为了省钱，尽量自己做饭。

＋ できる限り as much as possible / 尽可能
かぎ

168 セレブ
名 celebrity
名流

たまにはセレブのように贅沢したい。
ぜいたく

Sometimes I want to do something extravagant like a celebrity.
偶尔想像名流一般小小奢侈一下。

abbreviation of セレブリティ (celebrity) / "セレブリティ" 的省略说法

169 ゆとり
名 room
宽裕，余裕

お金がなくても、心にゆとりを持ちたい。
かね こころ も

I want to be someone with an open mind, even if I have no money.
即使没钱，还是希望心灵能有余裕。

＋ 余裕 leeway / 余地
よゆう

170 丸々 ［と］〈する〉
まるまる

副 whole/plump
全部，胖墩墩

①ボーナスは丸々貯金する。
②丸々とした元気な赤ちゃんが生まれた。

① I will deposit my entire bonus into my savings.
② A plump, healthy baby was born.
①奖金全都存起来。
②生了个胖墩墩的很健康的孩子。

👉 ① everything, ② being fat / ①全部，所有②胖

171 手元
てもと

名 at hand
手头

給料は貯金しているので、手元には少ししか残らない。

I put my salary into my savings, so I don't have much left to take home.
工资都存起来，手头上只留一点钱。

172 懐
ふところ

名 bosom
腰包

給料が入っても、すぐに懐が寂しくなる。

I'm strapped for cash even after I get paid my salary.
刚拿到工资，但马上腰包又空了。

➕ 懐具合 financial condition / 腰包情况
ふところ ぐ あい

173 利子
りし

名 interest
利息

銀行に貯金していても、利子は期待できない。

Even if you do deposit your money in a bank, you still won't get that much interest.
即使把钱存在银行也不期待能有多少利息。

➕ 利息 interest / 利息
りそく

174 桁
けた

名 digit
位数

部長と私ではボーナスの桁が違う。

My boss' bonus is greater than mine by several digits.
部长的奖金和我们的差几个零呢。

175 割合
わりあい

名 percentage, proportion
比例

最近では貯金がゼロの人の割合が予想以上に多いそうだ。

The percentage of people with no savings is probably larger than expected.
听说最近存款为零的人的比例比预想的更多。

176 きっかり

副 exactly
正好

父のおこづかいは毎月3万円きっかりだ。

My father's monthly allowance is exactly 30,000 yen.
父亲每个月的零花钱3万日元不多不少。

➕ きっちり precisely / 精确

177 株
かぶ

名 stocks
股票

初めて株を買ってみたが、やはり損をした。
はじ　　かぶ か　　　　　　　　　　　　　　そん

I tried buying stocks for the first time but I lost money, as expected.
第一次尝试炒股，果然亏了。

➕ 株価 stock price / 股价
かぶか

178 何でもかんでも
なん

副 anything and everything
一切

何でもかんでも買えるようなお金持ちになりたい。
なん　　　　　　か　　　　　　　　かね も

I want to be rich so I can buy anything.
想当一个想买什么就能买什么的有钱人。

179 何だかんだ［と］
なん

副 one thing or another, this or that
种种

年末は何だかんだと買う物が多い。
ねんまつ　なん　　　　　　か　もの　おお

I end up buying all kinds of things during the end-of-year season.
年末要买各种东西。

180 人並み〈な〉
ひと な

名
ナ形 average person/like an average person
普通

贅沢はできなくても、人並みに暮らせたら幸せだ。
ぜいたく　　　　　　　　　ひと な　　　 く　　　　　しあわ
（ナ形）

Even if I can't have certain luxuries, I'd be happy just living like an average person.
即便不能奢侈，能过普通的生活也很幸福。

➕ 十人並み ordinary, average / 普通
じゅうにんな

181 老後
ろうご

名 after retirement
晚年

若い頃から老後の生活のことを考えておく。
わか　ころ　　　ろうご　せいかつ　　　　　　かんが

I've been thinking about life after retirement ever since I was young.
年轻时要考虑好晚年的生活。

182 尽きる
つ

動 run out
到头

貯金が尽きないようにやり繰りする。
ちょきん　つ

I try to make ends meet to make sure my savings don't run out.
想方设法不花光存款。

183 滞納〈する〉
たいのう

名 default, non-payment
拖欠

税金を滞納して、区役所から通知が来た。
ぜいきん　たいのう　　　　く やくしょ　　　つう ち　き

I defaulted on my tax payments and the ward office sent me a notice.
拖欠了税金，区政府发来了通知。

➕ 未納 unpaid / 未缴纳
み のう

184 首が回らない
くび まわ

慣 up to one's neck (in debt)
债台高筑

このままでは借金で首が回らなくなりそうだ。
しゃっきん　くび まわ

I will be deep in debt if things remain the way they are.
这么下去就要债台高筑了。

185 買い込む
かこ

動 stock up
大量买入

台風に備えて食料を買い込んだ。
たいふう そな しょくりょう か こ

I stocked up food in preparation for the typhoon.
为防备台风买了好多食物。

186 先着 〈する〉
せんちゃく

名 first-come-first-served
先到

先着100名の方に限り、卵1パック100円！
せんちゃく めい かた かぎ たまご えん

The first 100 customers can purchase a pack of eggs for 100 yen!
鸡蛋100日元一盒！仅限先到的前100位！

➕先着順 first-come-first-served basis / 先到先得
せんちゃくじゅん

187 キャンペーン

名 campaign
促销活动

ただ今、人気ブランド割引キャンペーン実施中！
いま にんき わりびき じっしちゅう

A discount campaign for brand-name items is currently going on!
目前人气品牌打折促销中！

188 一律 〈な〉
いちりつ

名
ナ形 across the board
一律

この店の家電の下取り料金は一律五千円だ。（名）
みせ かでん したど りょうきん いちりつ ごせんえん

The price of a trade-in of electrical appliances at this store is 5,000 yen across the board.
这家店的家用电器以旧换新的价格一律5000日元。

➕一律料金 flat rate / 均价・均一な uniform / 统一
いちりつりょうきん きんいつ

189 値打ち
ねう

名 value
价值

この絵は値打ちのある物らしい。
え ねう もの

This drawing is apparently valuable.
这幅画好像很值钱。

➕価値 value / 价值
かち

190 値する
あたい

動 be worth
值得

このバッグは高額な値段に値する。
こうがく ねだん あたい

This bag is worth its high price.
这个包值高价。

191 良心的な
りょうしんてき

ナ形 reasonable
合理的

あの店は、高級品が良心的な値段で買える。
みせ こうきゅうひん りょうしんてき ねだん か

You can buy expensive products at that shop at a reasonable price.
这家店能以很合理的价格购入高档商品。

192 正味
しょうみ

名 net content
净重，实质

このお菓子は箱が大きいが、正味200グラムだ。
かし はこ おお しょうみ

The box for these sweets is large but the content is only 200 grams.
这个点心看着盒子很大，净重只有200克。

---

193 国産
こくさん

名 home-grown, domestically produced
国产

国産かどうかに関わらず、良質な物が欲しい。
こくさん　　　　　　かか　　　　　　りょうしつ　もの　ほ

I want good quality products, regardless of whether they are home-grown or not.
是不是国产的无所谓，想要质量好的东西。

➕ 国産車 domestic car / 国产车・輸入品 imported goods / 进口商品
こくさんしゃ　　　　　　　　　　　　　　ゆにゅうひん

---

194 在庫
ざいこ

名 stock
库存

メーカーに問い合わせてもらったが、在庫がな
　　　　　　　と　あ　　　　　　　　　　　　　　ざいこ
かった。

He made an inquiry to the manufacturer but they were out of stock.
请厂商确认过了，没有库存了。

➕ 在庫切れ out of stock / 无库存
ざいこぎれ

---

195 有効 〈な〉
ゆうこう

名
ナ形 validity/valid
有效

このカードは有効期限が切れている。（名）
　　　　　　　　ゆうこうきげん　き

This card has passed its expiry date.
这张卡过了有效期了。

↔ 無効〈な〉
むこう

---

196 名義
めいぎ

名 name, nominal
名义

この銀行口座は妻の名義になっている。
　　ぎんこうこうざ　つま　めいぎ

This bank account is in my wife's name.
这个银行账户是妻子的名义。

---

197 一括 〈する〉
いっかつ

名 all at once
一笔

A「お支払いは一括でよろしいですか。」
　　　し はら　いっかつ
B「分割でお願いします。」
　　ぶんかつ　ねが

A: Will you make a single payment?
B: No, please make them in installments.
A："支付方式一次性付清吗？"
B："请分期。"

↔ 分割〈する〉
ぶんかつ

---

198 換算 〈する〉
かんさん

名 convert
换算

海外では、ドルを円に換算して買い物をする。
かいがい　　　　　　えん　かんさん　　か　もの

You convert dollars into yen when shopping overseas.
在外国把美元换算成日元购物。

---

199 ピンからキリまで

慣 from the superb to the appalling
最好的到最坏的

ダイヤモンドにも、値段はピンからキリまである。
　　　　　　　　ねだん

There is a whole range of prices for diamonds.
钻石的价格也分三六九等。

■ ピンキリ

200

切りがない
き

慣 no end
无止尽

欲しいものを全部買っていたら切りがない。
ほ　　　　　　　　ぜんぶか　　　　　　　　き

If you keep buying everything you want, you'll never stop.
想买的东西都买的话就没完没了了。

201

切りがいい
き

慣 good place to cut off
恰当

八百屋でいろいろ買ったら、切りがいい値段にし
や　お　や　　　　　　　　か　　　　き　　　　　ね　だん
てくれた。

The vegetable store rounded off my total because I bought a
lot from them.
在蔬菜店挑了很多东西，老板给了个合适的价格。

202

手近〈な〉
て ちか

名 close at hand
ナ形 手头，身边

今日は買い物に行けないので、手近な物で料理し
きょう　　か　もの　　い　　　　　　　　　て　ちか　もの　りょうり
た。(ナ形)

I wasn't able to go shopping today, so I cooked with what I
had on hand.
今天不能去买东西了，用手头的东西做了点吃的。

203

細やかな
こま

ナ形 thoughtful
细致

あの店は細やかなサービスで評判がいい。
みせ　こま　　　　　　　　　　ひょうばん

That shop is popular for its thoughtful services.
那家店因服务细致周到而广受好评。

204

緩む
ゆる

動 loosen
松弛，缓和

ボーナスをもらうと、つい財布のひもが緩む。
さい ふ　　　　　　ゆる

I tend to loosen the purse strings when I receive a bonus.
拿了奖金，手头稍微宽裕点了。

➕ (〜を) 緩める loosen (something) / 松开，放松
ゆる

205

すかさず

副 in a split second
立刻

商品が並ぶやいなや、すかさずかごに入れた。
しょうひん　なら　　　　　　　　　　　　　　い

The moment the product was put on the shelf, I put it in my
basket.
商品刚上架就马上放到购物篮里了。

206

仕入れる
し い

動 put in stock
进货

その商品は今は売り切れだが、明日仕入れるそう
しょうひん　いま　う　き　　　　　あす し　い
だ。

That product is currently sold out, but it will be in stock
tomorrow.
这个商品现在卖完了，明天好像会进货。

➕ 仕入れ purchase stock / 进货
し い

207

不良品
ふ りょうひん

名 defective product
瑕疵品

不良品は、すぐにお取り替えします。
ふ りょうひん　　　　　　　　と　か

Defective products will be exchanged immediately.
瑕疵品将立刻予以退换。

208 □	下取り〈する〉 <small>した ど</small>	洗濯機を買った店で、古い洗濯機を下取りしても <small>せんたくき か みせ ふる せんたくき した ど</small> らう。
名	**trade in** 贴钱以旧换新	I will trade in my old washing machine for a new one at the shop. 买洗衣机的店里把旧的洗衣机在折价处理了吧。
209 □	アフターサービス	あの店は商品のアフターサービスも万全だ。 <small>みせ しょうひん ばんぜん</small>
名	**after-sales service** 售后服务	That shop provides excellent after-sales service of its products. 那家店的售后服务没得说。

➕ アフターケア after-sales service / 售后保养

---

210 味覚
みかく

名 **taste**
味觉

季節の味覚を楽しむ。
きせつ　みかく　たの

Enjoy the seasonal tastes.
尽享季节时鲜。

---

211 甘口〈な〉
あまくち

名
ナ形 **sweetness/sweet**
甜

ワインはどちらかと言えば甘口の方が好きだ。(名)
い　あまくち　ほう　す

If I have to choose, prefer sweet wine.
红酒的话总的来说比较喜欢偏甜的。

---

212 辛口〈な〉
からくち

名
ナ形 **dryness/dry**
辣，刻薄

①今日の料理には辛口の酒の方が合う。(名)
きょう　りょうり　からくち　さけ　ほう　あ
②あの人のコメントはいつも辛口だ。(ナ形)
ひと　からくち

① Today's dishes go well with dry sake.
② That person's comments are always scathing.
①今天的料理适合配辣一点的酒。
②那个人的评论总是很刻薄。

👍 ① dishes that are not sweet ② direct criticism / ①甜度很低的东西②直接严苛的批评

---

213 辛党
からとう

名 **a drinker**
喜欢吃辣的人

父は辛党で、甘い物を一切食べない。
ちち　からとう　あま　もの　いっさいた

My father is a drinker and doesn't eat any sweets.
爸爸爱吃辣的，甜的东西碰也不碰。

↔ 甘党
あまとう

👍 these days it is also used to mean someone who likes spicy food / 最近常常用于表示"爱吃辣的人"。

---

214 食わず嫌い〈な〉
く　ぎら

名
ナ形 **disliking without trying/
dislike without trying**
挑食，没吃过却讨厌

食わず嫌いはよくない。一度食べてみよう。(名)
く　ぎら　いちど　た

Disliking something without even trying it is not good. You should try it once.
没吃过就挑食不好，尝一次吧。

= 食べず嫌い〈な〉
た　ぎら

---

215 たしなむ

動 **relish, have a taste for**
嗜好，熟悉

①お酒は特に好きではなく、たしなむ程度だ。
さけ　とく　す　ていど
②以前、茶道を少したしなんだ。
いぜん　さどう　すこ

① I don't particularly like to drink; I just have a little.
② I practiced tea ceremony a bit before.
①谈不上爱喝酒，就是小嗜好的程度吧。
②以前稍微懂一点茶道。

➕ たしなみ taste / 嗜好

👍 ① can enjoy a little bit of alcohol and cigarettes ② can perform a little bit of tea ceremony or flower arrangement / ①以烟酒为小乐趣②稍微懂一些茶道花道等

216

□

すくう

動 scoop
捞，舀

スープの具が大きくて、ちょっとすくいにくい。
（ぐ）（おお）

The ingredients in this soup is cut large and difficult to scoop.
汤里的菜切得太大了，不太好舀。

217

□

すする

動 slurp
吸，抽

そばはすすって食べなければ、おいしくない。
（た）

Eating noodles without slurping is not as tasty.
吃荞麦面时不嘘溜着吃不好吃。

218

□

つつく

動 poke
戳，挑刺

①箸で食べ物をつつくのはやめなさい。
（はし）（た）（もの）
②人の欠点をつついてはいけない。
（ひと）（けってん）

① Do not poke the food with your chopsticks.
② Do not pick on people's flaws.
①不要用筷子戳食物。
②不要对人的缺点吹毛求疵。

👉 ① use the finger or chopstick to poke lightly ② purposely point out someone's flaw / ①用手指或筷子轻戳 ②故意说人的缺点

219

□

かみきる

動 bite off
咬断

肉が固くて、なかなかかみきれない。
（にく）（かた）

The meat is tough and hard to bite off.
肉很硬咬不动。

220

□

飲み込む
（の）（こ）

動 swallow
吞咽，吸收理解

①肉は嫌いなので、かまずに飲み込んだ。
（にく）（きら）（の）（こ）
②妹は料理のコツを飲み込むのが早かった。
（いもうと）（りょうり）（の）（こ）（はや）

① I don't like meat so I swallowed it without chewing it.
② My younger sister was quick to get a knack for cooking.
①不喜欢吃肉，嚼都没嚼就吞下去了。
②妹妹马上就能理解做菜的精髓。

➕ 飲み込み swallow / 领会
（の）（こ）

👉 ① swallow and put in one's stomach ② understanding something / ①吞着吃下去②理解事物

221

□

ごくごく［と］

副 gulp down
咕嘟咕嘟

彼はビールを水のようにごくごく飲む。
（かれ）（みず）（の）

He gulped down beer like water.
他把啤酒当水一样咕嘟咕嘟地喝。

➕ がぶがぶ［と］ gulp down / 咕嘟咕嘟

222

□

残らず
（のこ）

副 without leaving anything
不剩，统统

妹はお菓子を一つ残らず食べてしまった。
（いもうと）（かし）（ひと）（のこ）（た）

My younger sister ate all the sweets without leaving anything.
妹妹把点心一个不剩都吃了。

➕ 一人残らず everyone without exception / 一人不剩
（ひとりのこ）

---

223 とりわけ

副 particularly
尤其

魚より肉、とりわけ牛肉が好きだ。
さかな　にく　　　　　　　　ぎゅうにく　す

I prefer meat to fish, particularly beef.
比起鱼更喜欢肉，特别是牛肉。

224 ひたすら

副 earnestly
一味，一个劲儿

父は食事中、一言もしゃべらずひたすら食べる。
ちち　しょくじちゅう　ひとこと　　　　　　　　　た

My father simply eats without speaking a word during meals.
爸爸吃饭时，一句话也不说，闷头吃。

225 しなびる

動 shrivel
蔫，干枯

サラダの野菜が少ししなびている。
やさい　すこ

The vegetables in this salad are a bit wilted.
色拉里的菜有点儿蔫了。

226 粘る
ねば

動 sticky/persevere
粘，坚持

①この納豆はよく粘る。
なっとう　　　　ねば

②最後まで粘れば、きっといい結果になる。
さいご　　　ねば　　　　　　　　けっか

① This natto is very sticky.
② If you persevere, you're bound to get good results.
①这个纳豆很粘。
②坚持到最后的话，一定会有好结果的。

➕ 粘り sticky / 黏性，韧性
　 ねば

👉 ① won't easily be cut even if stretched ② continue to make effort without giving up easily / ①拉长了也不断②不轻易放弃坚持努力

227 膨れる
ふく

動 expand/pout
胀，嘟嘴不高兴

①今日は食べ過ぎて、お腹が膨れた。
きょう　た　す　　　なか　ふく

②彼女は気に入らないことがあると、すぐに膨れる。
かのじょ　き　い　　　　　　　　　　　ふく

① I ate too much today, so I'm full.
② She pouts whenever something she doesn't like happens.
①今天吃太多了，肚子鼓鼓的。
②她一有不满意的就不高兴。

➕ ②むくれる become sullen / 赌气

👉 ① became larger from inside toward the outside ② make a pouting expression on the face in anger / ①由内向外鼓起来②生气露出不满的表情

228 偏る
かたよ

動 unbalanced
偏颇

最近、栄養が偏っているので、気をつけないと。
さいきん　えいよう　かたよ　　　　　　き

My diet is not balanced these days, so I need to be careful.
最近营养不均衡，要注意。

➕ 偏り bias / 偏颇・偏食〈する〉 picky eater / 偏食
　 かたよ　　　　　　　　　　　　へんしょく

229 添える
そ

動 come with
附加

ハンバーグに添えてあるにんじんが好きだ。
そ

I like the carrots that come with the hamburger steak.
喜欢汉堡肉的配菜胡萝卜。

230 ☐ **ナ形**	**まちまちな**	忙しいので、食事の時間は<u>まちまちだ</u>。 <small>いそが</small> <small>しょくじ じかん</small>
	vary 各样，不一	I'm busy, so the time when I eat vary. 因为很忙，吃饭的时间不定。
231 ☐ **名**	**三昧** <small>ざんまい</small>	今日の食事は秋の味覚<u>三昧</u>だ。 <small>きょう しょくじ あき みかくざんまい</small>
	full of 一心，专心	Today's meal is full of autumn delicacies. 今天的食物是秋季时鲜的饕餮盛宴。

➕ 読書三昧 being absorbed in reading / 一心读书・贅沢三昧 live in luxury / 穷奢极欲
<small>どくしょざんまい</small>　　　　　　　　　　　　　　　　　　<small>ぜいたくざんまい</small>

👉 used in the form 〜三昧 / 使用"〜三昧"的形式

これも覚えよう！ ❸
<small>おぼ</small>

➕ **接辞**❸　Affix ❸ / 词缀❸
<small>せつじ</small>

• **激〜**：非常に〜
<small>げき</small> <small>ひじょう</small>

激辛〈な〉 <small>げきから</small>	extremely hot / 重辣；严厉
激痛 <small>げきつう</small>	extremely painful / 剧痛
激務 <small>げきむ</small>	hard work / 重活
激安〈な〉 <small>げきやす</small>	extremely cheap / 超低价
激戦 <small>げきせん</small>	close game / 激战
激増〈する〉 <small>げきぞう</small>	rapid increase / 激增
激減〈する〉 <small>げきげん</small>	rapid decline / 骤减
激変〈する〉 <small>げきへん</small>	rapid change / 剧变
激怒〈する〉 <small>げきど</small>	furious / 暴怒
激論〈する〉 <small>げきろん</small>	hot argument / 激辩

日課
にっか

Daily Routine / 每日慣例

232

心掛ける
こころ が

動 bear in mind
留心

健康のため、早寝早起きを心掛けている。
けんこう　　　　はやねはやお　　　こころ が

I bear in mind to sleep early and wake up early for my health.
为了健康，时时提醒自己早睡早起。

➕ 留意〈する〉 take notice / 留意・心掛け keep in mind / 心地
りゅうい　　　　　　　　　　　　　　　　　　　　　　　　　　　　こころ が

233

めくる

動 flip, turn over
翻

朝起きると、すぐにカレンダーをめくる。
あさ お

I turn the page of my calendar when I wake up.
早上一起来就翻日历。

➕ 日めくり daily calendar / 日历
ひ

234

目覚める
め ざ

動 wake up/come to one's senses
醒，觉悟

①平日も休日も6時には目覚める。
へいじつ　きゅうじつ　じ　　　め ざ
②最近、政治に目覚めた。
さいきん　せいじ　め ざ

① I wake up at 6:00 a.m. whether it's a weekday or a day off.
② Recently, I have gotten into politics.
①平时和周末都是6点醒。
②最近对政治有了觉悟。

👉 ① awake from sleep ② realize the value of something that one has never felt before / ①从睡眠中醒过来②注意到以往没有感受过的事物的价值

235

ストレッチ

名 stretch
拉伸

ベッドでストレッチをして、すっきり目覚める。
め ざ

I stretch in bed and wake up refreshed.
在床上伸展后神清气爽。

➕ ストレッチ体操 stretching exercise / 拉伸操
たいそう

236

剥ぐ
は

動 tear away
抓下，掀开

毎朝、子どもの布団を剥いで起こす。
まいあさ　こ　　　　ふとん　は　　お

Every morning I tear away the kids' blankets to wake them.
每天早上掀开孩子的被子叫他起床。

237

愛犬
あいけん

名 pet dog
爱犬

朝食前に愛犬と散歩に出かける。
ちょうしょくまえ　あいけん　さんぽ　で

I take my dog for a walk before breakfast.
早餐前带爱犬一起出去散步。

➕ 愛猫 pet cat / 爱猫・愛犬家 dog lover / 爱狗人士
あいびょう　　　　　　　　　　　あいけん か

---

238 しっぽ
あいけん
名 tail
尾巴

愛犬がしっぽを振って付いてくる。
My dog wags his tail and follows me.
爱犬摇着尾巴跟过来。

＝ 尾
お

239 長続き〈する〉
ながつづ
名 lasting long
持续

ダイエットを始めても、なかなか長続きしない。
I would go on a diet but I rarely lasts long.
即使开始减肥了也很难坚持。

240 三日坊主
みっかぼうず
名 quit easily
三分钟热度

自分の三日坊主の性格を何とかしたい。
I want to do something with my habit of giving up easily.
真想改改自己三天打鱼两天晒网的性格。

241 持続〈する〉
じぞく
名 continue
持续

この薬は毎日飲まなければ効果が持続しない。
The effects of the medicine will not last if it is not taken daily.
这个药不每天吃的话没有效果。

➕ 継続〈する〉 continuity / 继续
けいぞく

242 当番
とうばん
名 in charge of
值日

今日のお風呂掃除の当番は妹だ。
Today, my little sister is in charge of washing the bathroom.
今天轮到妹妹洗浴室了。

243 拝む
おが
動 pray
叩拜

毎日必ず仏壇に手を合わせて拝んでいる。
I always pray in front of the Buddhist alter every day.
每天一定会对着佛龛双手合十叩拜。

➕ 仏壇 Buddhist alter / 佛龛・神棚 Shinto alter / 神龛
ぶつだん かみだな

244 ゴールデンタイム
名 prime time
黄金时段

ゴールデンタイムは大好きなドラマを見る。
I watch my favorite TV show during prime time.
黄金时段看最爱的电视剧。

245 怠る
おこた
動 neglect
偷懒

面倒くさくて、掃除を怠ってしまった。
I was lazy and neglected to clean up.
太麻烦了，偷懒没打扫。

➕ 怠ける be lazy / 懒惰
なま

246 浸かる
つ
動 soak
浸泡

お風呂では必ずお湯に15分浸かるようにしている。
I always soak in warm water for 15 minutes when taking a bath.
洗澡时总是泡15分钟热水澡。

247 逆立ち〈する〉
さかだ

名 stand upside down
倒立

日に1回逆立ちすると、頭がすっきりする。
ひ かい さかだ あたま

Doing handstands once a day makes me feel refreshed.
每天倒立一次，头脑很清醒

➕ 倒立〈する〉 standing upside down / 倒立
とうりつ

248 乱れる
みだ

動 be disturbed
紊乱

一日の生活のリズムが乱れないようにする。
いちにち せいかつ みだ

I try not to disturb my daily rhythm.
尽量不打乱每日的生活节奏。

➕ （～を）乱す disturb / 扰乱
みだ

249 ブログ

名 blog
博客

その日の出来事をブログにアップする。
ひ で き ごと

I upload my day's events to the blog.
把那天的事更新到博客上。

250 投稿〈する〉
とうこう

名 posting
投稿

毎日、新聞の投稿欄を読んでいる。
まいにち しんぶん とうこうらん よ

I read the reader's column of the newspaper every day.
每天看报纸上的读者来信栏。

➕ 投稿欄 contributor's column / 发言栏・投書〈する〉 contribution / 投函
とうこうらん とうしょ

251 取り立てる
と た

動 collect
特別提及

取り立てて言うほどの日課はない。
と た い にっか

I don't have any daily routine worth mentioning.
没有什么值得需要特别提及的每天必要要做的事情。

252 身の回り
み まわ

名 things around oneself
日常生活

忙しくても、自分の身の回りのことはきちんとやる。
いそが じぶん み まわ

I take care of myself even when I'm busy.
就算再忙，都要管理好自己的日常生活。

➕ 身辺 one's affairs / 身边琐事
しんぺん

253 実践〈する〉
じっせん

名 practice
实行，实践

一度決めたことは、必ず実践するタイプだ。
いちど き かなら じっせん

I'm the type of person that will always practice what I decide to do.
一旦决定的事情就一定会去实践。

➕ 実行〈する〉 execute / 实行
じっこう

Section 5

時を表す言葉
とき　あらわ　ことば

Words Expressing Time / 时间

156-273

---

254 終日（しゅうじつ）
名　all day
整天

昨日は終日出かけていた。
きのう　しゅうじつで

I was out all day yesterday.
昨天出去了一整天。

➕ 終日営業 operating all day / 终日营业
しゅうじつえいぎょう

---

255 四六時中（しろくじちゅう）
副　all the time
一天到晚

漫画が大好きで、四六時中読んでいる。
まんが　だいす　　　　しろくじちゅうよ

I love comics and am always reading them.
非常喜欢漫画，一天到晚都在读。

---

256 日夜（にちや）
副　day and night
日夜

彼は日夜働き、体を壊した。
かれ　にちやはたら　からだ　こわ

He became sick after working day and night.
他日夜工作把身体累垮了。

➕ 昼夜 day and night / 日夜・朝夕 morning and evening / 朝夕
ちゅうや　　　　　　　　　　あさゆう

---

257 日々（ひび）
名　daily
天天

平凡だが、日々の暮らしを楽しんでいる。
へいぼん　　　　ひび　く　　　たの

It's ordinary, but I'm enjoying my everyday life.
虽然平凡，但享受每天的生活。

---

258 夕闇（ゆうやみ）
名　dusk
暮色

新幹線の窓から外を見ると、都会のビルに夕闇が
しんかんせん　まど　そと　み　　　とかい　　　　ゆうやみ
迫っていた。
せま

The dusk of the evening was approaching the city buildings when I looked out the shinkansen window.
从新干线的窗户往外看，都市的高楼被暮色衬托着，天要黑了。

➕ 闇 darkness / 黑夜
やみ

---

259 暮れる（くれる）
動　set
入夜

毎日、日が暮れた頃、ジョギングに出かける。
まいにち　ひ　く　　　ころ　　　　　　　　で

Every day after the sun sets, I go jogging.
每天太阳下山的时候出去跑步。

---

260 日没（にちぼつ）
名　sunset
日落

夏が過ぎて、日没の時間が一気に早くなった。
なつ　す　　　にちぼつ　じかん　いっき　はや

The sun began to set early after summer ended.
夏天过去了，日落时间一下子提前了。

➕ 日の入り sunset / 黄昏
ひ　い

---

261 夜分（やぶん）
名　by night, late hour
夜间

こんな夜分にお邪魔して申し訳ありません。
やぶん　じゃま　もう　わけ

I'm sorry for intruding at such a late hour.
这么晚了还打扰您非常抱歉。

51

262 夜更け よふけ
名 late at night
深夜

夜更けまで、よくネットでゲームをしている。
よふ

I often play games on the Internet until late at night.
常常打网络游戏打到深夜。

➕ 夜半 late hour / 半夜
やはん

263 更ける ふける
動 get late
深

夜が更けると、この辺りはとても静かになる。
よる ふ あた しず

It's very quiet around here when it gets late.
夜深了，周围一片寂静。

264 未明 みめい
名 before dawn
黎明

その事件は今日の未明に起こったようだ。
じけん きょう みめい お

The incident seemed to have occurred before dawn today.
这个事件好像是今天黎明时发生的。

265 先頃 さきごろ
副 the other day
不久之前

先頃は大変お世話になりました。
さきごろ たいへん せわ

Thank you for your help the other day.
不久前承蒙您的关照了。

266 時折 ときおり
副 sometimes
偶尔

大学時代の友人が時折訪ねてくる。
だいがくじだい ゆうじん ときおりたず

My friend from college days sometimes visits me.
大学时代的朋友偶尔会来访。

267 矢先 やさき
名 just about to do
正当…之时

寝ようとした矢先、電話が鳴った。
ね やさき でんわ な

The phone rang when I was just about to go to sleep.
正要睡觉时电话响了。

➕ 間際 just about to / 正要…时
まぎわ

268 長々［と］ ながなが
副 at length
长时间

夜中に友達と長々と電話で話した。
よなか ともだち ながなが でんわ はな

I talked over the phone at length with a friend through the night.
半夜和朋友打了很长时间的电话。

269 隔月 かくげつ
名 every other month
隔月

この雑誌は隔月で発売されている。
ざっし かくげつ はつばい

This magazine is sold every other month.
这本杂志隔月发行。

🟰 一月おき
ひとつき

270 隔週 かくしゅう
名 every other week
隔周

土曜日は隔週で休みだ。
どようび かくしゅう やす

Saturdays are off every other week.
周六休息是隔周一次的。

🟰 一週おき
いっしゅう

52

271 隔日 かくじつ	この仕事は隔日勤務だ。 し ごと かくじつきん む
名 every other day 隔日	My work shift is alternate-days. 这个工作是做一休一的。

＝一日おき
いちにち

272 きたる	きたる5月10日に町内のイベントがある。 がつ か ちょうない
連体 coming 这次的，将至的	A neighborhood event will be held this coming May 10. 这个5月10号在城里有活动。

273 去る さ	去る3月最後の日曜日にマラソン大会が開かれた。 さ がつさい ご にちようび たいかい ひら
連体 past 前，刚过去的	The marathon was held on the last Sunday of this past March. 刚过去的3月最后一个周日举行了马拉松大会。

Section 5

これも覚えよう！ ④

＋ 接辞④ Affix ④ / 词缀④

● ～主義：特有の考え方

民主主義	democracy / 民主主义
社会主義	socialism / 社会主义
平和主義	pacifism / 和平主义
利己主義	egoism / 利己主义
個人主義	individualism / 个人主义
博愛主義	philanthropism / 博爱主义
放任主義	hands-off policy / 放任主义
ロマン主義	Romanticism / 浪漫主义
秘密主義	secretiveness / 秘密主义
菜食主義	vegetarian / 素食主义

N1
Chapter
3

家で
いえ
At Home
家庭

住まい
す

Residence / 居所

---

274 外観
がいかん

名 exterior
外观

我が家は<u>外観</u>は古いが、中はけっこうきれいだ。
わ や がいかん ふる なか

The exterior of our house is old, but the inside is pretty clean.
我家外观很旧，但里面很干净。

---

275 設計 〈する〉
せっけい

名 design
设计

知り合いの建築士に家の<u>設計</u>を依頼した。
し あ けんちくし いえ せっけい いらい

I asked an architect I knew to design the house.
请认识的设计师设计了房子。

➕ 設計図 plan / 设计图・人生設計 life plan / 人生规划
せっけい ず じんせいせっけい

---

276 図案
ずあん

名 design
图案

このじゅうたんの<u>図案</u>は妻が作った。
ずあん つま つく

My wife designed this carpet.
这张毛毯的图案是妻子设计的。

---

277 凝る
こ

動 sophisticated
讲究

新しい家は、家具にも<u>凝って</u>いる。
あたら いえ かぐ こ

The new house has sophisticated furniture too.
新家的家具也花了很多心思。

---

278 凝らす
こ

動 concentrate
一心钻研

工夫を<u>凝らして</u>、空間を広く見せた。
くふう こ くうかん ひろ み

I had to be creative to make it look spacious.
一心钻研让空间看起来更宽敞。

---

279 土台
どだい

名 foundation
根基

地震に備えて、<u>土台</u>をしっかり造る。
じしん そな どだい つく

The foundation is built firmly to protect against earthquakes.
为防备地震，把台基造得结结实实。

---

280 きしむ

動 creak
吱吱嘎嘎

家が古くなって、床が<u>きしみ</u>始めた。
いえ ふる ゆか はじ

The floorboards have started to creak as the house is old.
家具旧了，地板嘎吱作响起来了。

---

281 補強 〈する〉
ほきょう

名 reinforcement
加强

地震に耐えられるように、壁を<u>補強する</u>。
じしん た かべ ほきょう

I reinforced the walls to make the house quake-resistant.
为耐震加固了墙壁。

---

282 改装 〈する〉
かいそう

名 renovation
装修

うちは古いので、そろそろ<u>改装</u>を考えないといけ
ふる かいそう かんが
ない。

We must think about renovation as the house is getting old.
家里很旧了，该考虑装修了。

➕ 改築〈する〉 renovate / 改建
かいちく

283 据え付ける
すえ つ

動 **set up**
装配

キッチンに大きな食器棚を据え付けた。
おお しょっきだな す つ

A large shelf to store dishes was set up in the kitchen.
在厨房里安装了一个很大的碗橱。

➕ 備え付ける set up / 设置
そな つ

284 構える
かま

動 **set/assume**
修建，摆出（姿势）

①知事の家は大きな門を構えている。
ち じ いえ おお もん かま

②あの人は何があってものんびり構えている。
ひと なに かま

① The governor's house has a large gate.
② That person takes it easy no matter what happens.
①知事家修建了一扇很大的门。
②那个人不论发生什么都摆出一副悠哉的样子。

👉 ① make a building or house look grand ② taking up an attitude as viewed by others / ①家或建筑整修的很气派 ②在对方看来是故作的态度

285 がっちり[と]〈する〉

副 **firmly**
结实

災害に強いがっちりとした家が欲しい。
さいがい つよ いえ ほ

I want a house that is sturdy and resilient to disasters.
想要能抗衡灾害的牢固的房子。

286 細工〈する〉
さい く

名 **work**
工艺

あの家は玄関のガラス細工が人目を引く。
いえ げんかん さい く ひとめ ひ

The glasswork on the entrance of that house is very eye-catching.
那家的玄关上的玻璃工艺很吸引人的眼球。

287 調和〈する〉
ちょう わ

名 **harmony**
协调

母が部屋の雰囲気に調和する家具を選んだ。
はは へ や ふんい き ちょう わ か ぐ えら

My mother chose furniture that matches the atmosphere of the room.
妈妈选了与房间氛围协调的家具。

288 仕切る
し き

動 **separate, moderate**
隔开，主管

①必要に応じて、リビングとダイニングが仕切れるようにする。
ひつよう おう し き

②彼は会議を仕切るのが得意だ。
かれ かい ぎ し き とく い

① The living room and the dining room can be separated as needed.
② He is good at moderating meetings.
①根据要求，把客厅和餐厅隔开。
②他很擅长主导会议。

➕ 仕切り barrier / 分隔
し き

👉 ① separate something that is connected ② be in the center of pushing things forward / ①把连在一起的东西分开②作为主导推进事物

289 隔てる
へだ

動 **bar**
隔

廊下を隔てて、トイレとお風呂場がある。
ろう か へだ ふ ろ ば

The toilet and the bathroom are separated by a wall.
走廊隔开了厕所和浴室。

290 所有 〈する〉
しょゆう

名 own
所有

この家を<u>所有</u>しているのは有名作家だそうだ。
いえ　しょゆう　　　　　　　　　　　ゆうめいさっか

A famous author owns this house.

这所房子的所有人好像是个有名的作家。

➕ 所有者 owner / 所有人・所有物 owned goods / 私人物品
しょゆうしゃ　　　　　　　　　　　　しょゆうぶつ

---

291 豪邸
ごうてい

名 mansion
豪宅

近所にセレブの<u>豪邸</u>ができた。
きんじょ　　　　　ごうてい

A celebrity's mansion was built in the neighborhood.

附近建起了一座洋气的豪宅。

➕ 屋敷 mansion / 公馆・邸宅 mansion / 宅邸
やしき　　　　　　　　　　　ていたく

---

292 表札
ひょうさつ

名 name plate
门牌

最近、防犯のために<u>表札</u>のない家が増えている。
さいきん　ぼうはん　　　　　ひょうさつ　　　　いえ　ふ

Lately, more and more people have chosen not to hang nameplates outside their houses for security reasons.

最近为了防止犯罪，没有门牌的房子越来越多了。

---

293 バリアフリー

名 free of impediments
无障碍

祖父母のために家を<u>バリアフリー</u>にしたい。
そふぼ　　　　　　いえ

We renovated our house to be free of impediments for our grandparents.

为了祖父母生活方便，想把家弄成无障碍的。

---

294 扉
とびら

名 door
门

隣の家は玄関の<u>扉</u>が大きく、特徴的だ。
となり　いえ　げんかん　とびら　おお　　とくちょうてき

The entrance of our neighbor's house is large and very unique.

隔壁邻居家玄关的大门很大，非常有特色。

---

295 戸締まり 〈する〉
とじ

名 closing up
锁门

家を出るときも寝る前も、しっかりと<u>戸締まりする</u>。
いえ　で　　　　　ね　まえ　　　　　　　　とじ

Be sure to lock all doors before going to bed or leaving the house.

离开家的时候睡觉之前都会把门锁好。

---

296 セキュリティ

名 security
安保

都会では<u>セキュリティ</u>が不可欠だ。
とかい　　　　　　　　　　ふかけつ

Security is indispensable in the city.

在城市安保是不可缺少的。

🟰 防犯　➕ セキュリティシステム security system / 安保系统・
ぼうはん

ホームセキュリティ home security system / 家庭安全装置

---

297 物陰
ものかげ

名 shade, shadow
阴暗处

<u>物陰</u>に誰かがいるような気配がして怖い。
ものかげ　だれ　　　　　　　　　けはい　　　こわ

It's frightening as it feels like someone is standing in the shadows.

暗处好像有人，怪吓人的。

298 近隣（きんりん）
名 neighborhood
近邻

近隣の家に騒音で迷惑をかけてしまった。
きんりん　いえ　そうおん　めいわく

Our loud music was a nuisance to our neighbors.
因发出噪音给附近的房子添了麻烦。

➕ 隣近所（となりきんじょ） neighbors / 邻居

299 余地（よち）
名 room
空间

この設計図には改善の余地がある。
せっけいず　かいぜん　よち

There is room for improvement in this plan.
这个设计图里还有改善的空间。

300 立ち寄る（たちよる）
動 drop by
顺道落脚

この辺りは警察が立ち寄ってくれるから安心だ。
あた　けいさつ　たちよ　　　　あんしん

The police drop by around this area, so I feel secure.
这个附近警察会来巡逻，很另人安心。

301 かれこれ
副 about
大约

ここに住んで、かれこれ10年になる。
す　　　　　　　　ねん

It's been about ten years since I started living here.
在这里住了近10年了。

➕ おおよそ roughly / 大概

家事
かじ

House Chores / 家务

302
□
てきぱき[と]〈する〉
副 promptly
干脆利索

午前中にてきぱきと家事をこなす。
ごぜんちゅう　　　　　　　　　かじ

I promptly finished the household chores in the morning.
上午干脆利索地完成家务。

➕ ぐずぐず[と]〈する〉 dawdle / 慢吞吞

303
□
山積み
やまづ
名 mounting
堆积如山

毎日やらなければいけないことが山積みだ。
まいにち　　　　　　　　　　　　　　　　　やまづ

The amount of things I have to do daily mounts up.
每天必须要做的事情堆积如山。

➕ 山積〈する〉 piling / 堆积如山
さんせき

304
□
寄せ集める
よ　あつ
動 collect, gather
聚集

落ち葉を掃いて寄せ集めた。
お　ば　は　　　よ　あつ

I raked and collected the fallen leaves.
把落叶扫在一起。

305
□
放り込む
ほう　こ
動 throw in
扔进去

たまった洗濯物を洗濯機に放り込む。
せんたくもの　せんたくき　ほう　こ

I threw in the laundry that had piled up into the washing machine.
把积攒起来的脏衣服扔进洗衣机里。

306
□
放り出す
ほう　だ
動 throw out/abandon
抛出去，丢开

①不燃ごみをベランダに放り出した。
ふねん　　　　　　　　　ほう　だ
②疲れて家事を放り出したくなることがある。
つか　　かじ　ほう　だ

① I threw the incombustibles out on the veranda.
② I'm so tired that I sometimes want to abandon all of my household chores.
①把不可燃垃圾丢在阳台上。
②太累的时候就不想做家务了。

👉 ① throw out with force ② abandon / ①抛开，向外用力投掷②放弃

307
□
あたふた〈する〉
副 feverish, in a flurry
慌张，手忙脚乱

突然友達が訪ねてきて、あたふたした。
とつぜんともだち　たず

A friend suddenly came by, and things got a bit feverish.
突然朋友来访，弄得我手忙脚乱的。

308
□
不意〈な〉
ふい
名
ナ形 unexpected
冷不防

不意な客で、一日の予定が狂ってしまった。（ナ形）
ふい　きゃく　いちにち　よてい　くる

The day's schedule was ruined due to an unexpected guest.
让不请自来的客人搞得一整天的计划都乱了。

➕ 不意打ち hit unexpectedly / 突然袭击
ふいう

309 さらう

動 scoop
淘

庭の池のごみを<u>さらって</u>捨てる。
<small>にわ　いけ　　　　　　　　す</small>

Scoop out the garbage in the pond in the yard and throw it away.
把院子池子里的垃圾淘起来丢掉。

---

310 ごしごし［と］

副 scrub
使劲儿

お風呂の床を<u>ごしごしと</u>磨く。
<small>　ふろ　ゆか　　　　　　　　みが</small>

Scrub the bathroom floor.
使劲儿地擦浴室的地板。

---

311 跳ねる
<small>は</small>

動 splash/jump
飞溅，跳跃

①天ぷらを揚げていたら、油が<u>跳ねた</u>。
<small>　　　　　　あ　　　　　　　あぶら　は</small>
②釣ったばかりの魚が元気に<u>跳ねて</u>いる。
<small>つ　　　　　　　さかな　げんき　は</small>

① The oil splashed while frying tempura.
② The freshly caught fish was jumping around.
①炸天麸罗的时候，油溅出来了。
②刚钓上来的鱼一个劲儿地跳。

☞ ① splash to surrounding things ② vaulting / ①飞溅周围②跳跃

---

312 引きずる
<small>ひ</small>

動 drag
拖，拉

ソファーを<u>引きずって</u>どかし、掃除した。
<small>　　　　　ひ　　　　　　　　　　　そうじ</small>

I dragged the sofa away to clean it.
把沙发拖着移开打扫。

---

313 圧縮〈する〉
<small>あっしゅく</small>

名 compress
压缩

布団を干し終えたら、<u>圧縮して</u>押し入れに入れる。
<small>ふとん　ほ　お　　　　　あっしゅく　お　い　　　い</small>

I compressed the futon after drying it in the sun to put it away in the closet.
被子晒好了以后，压起来放在壁橱里。

➕ 圧縮袋 vacuum bag / 压缩袋
<small>あっしゅくぶくろ</small>

---

314 見当たる
<small>み　あ</small>

動 find
找到

圧縮袋が<u>見当たら</u>ない。どこに置いたのだろう。
<small>あっしゅくぶくろ　み　あ　　　　　　　　　お</small>

I can't find the vacuum bag. Where did I leave it?
找不到压缩袋了，放到哪里去了。

---

315 ぼやく

動 grumble
发牢骚

妻は育児が大変だと<u>ぼやく</u>。
<small>つま　いくじ　たいへん</small>

My wife grumbles that raising a child is a lot of work.
妻子一直唠叨说照看孩子很累。

➕ 愚痴る complain / 发牢骚・こぼす spill / 鸣不平
<small>ぐち</small>

---

316 しぶしぶ

副 grudgingly
勉勉强强

夫が<u>しぶしぶ</u>家事を手伝ってくれる。
<small>おっと　　　　　　かじ　てつだ</small>

My husband grudgingly helps around the house.
丈夫勉勉强强帮着做家务。

317 おっくうな	疲れていて、お湯を沸かすのもおっくうだ。
ナ形 **a hassle** 懒得动	I'm so tired it's a hassle just to boil water. 累死了，烧个水也懒得动。

318 フィルター	エアコンのフィルターを掃除しないといけない。
名 **filter** 过滤器	I have to clean the air conditioner filter. 空调的过滤网该洗一洗了。

319 丹念な	年末には時間をかけて丹念に掃除する。
ナ形 **careful** 精心	I take the time to clean the house at year's end. 年末花点时间好好打扫。

320 雑な	夫の掃除は雑で困る。
ナ形 **crude** 粗糙	My husband's way of cleaning is so crude. 丈夫打扫起来很潦草，真伤脑筋。

321 一苦労〈する〉	換気扇の掃除は一苦労だ。
名 **a pain** 费一番力气	It's a pain to clean the ventilating fan. 打扫排风扇得费一番功夫。

322 退治〈する〉	家が古いので、虫の退治も欠かせない。
名 **riddance** 消灭	The house is old, so getting rid of insects is imperative. 因为是老房子，免不了要杀虫。

323 始末〈する〉	①壊れた洗濯機を始末した。 ②最近忙しくて、うっかり夕食のご飯を炊き忘れる始末だ。
名 **get rid of/end up** 处理，后果	① I got rid of the broken washing machine. ② Recently, I've been so busy that one day I even forgot to cook rice for supper. ①处理坏的洗衣机。 ②最近太忙了，结果疏忽大意记忘煮晚饭了。

👉 ① process ② bad result / ①处理②不好的结果

324 びっしょり［と］	暑い日に掃除をしたら、びっしょりと汗をかいた。
副 **soaking wet** 湿透	I was covered in sweat when I did the cleaning on a hot day. 夏天一打扫就出一身汗。

Section 3

料理
りょうり

Cooking / 料理

325
手順
てじゅん
名 procedure
順序，步驟

手順よく料理を5品作った。
てじゅん　りょうり　　しなつく
I cooked efficiently five dishes.
依次順利地做了5道菜。

326
香辛料
こうしんりょう
名 spices
香料

最近は海外の香辛料もよく使っている。
さいきん　かいがい　こうしんりょう　　つか
Recently, I have been using a lot of spices from other countries.
最近也常使用国外的香料。

➕ スパイス spice / 香料

327
シール
名 seal
貼紙

調味料に賞味期限を書いたシールを貼っておく。
ちょうみりょう　しょうみきげん　か　　　　は
Place a sticker indicating the expiration date on the seasoning.
在调味料上贴上写着保质期的贴纸。

➕ ラベル label / 标签

328
吟味〈する〉
ぎんみ
名 carefully select
閲酌，挑选

材料を吟味した料理は、やはりおいしい。
ざいりょう　ぎんみ　　りょうり
Dishes made from carefully selected ingredients are tasty.
拣选过食材的料理到底是好吃啊。

329
不可欠な
ふかけつ
ナ形 essential
必不可缺

おいしい料理を作るには、愛情が不可欠だ。
　　　　りょうり　つく　　　　あいじょう　ふかけつ
Love is essential when cooking good food.
做好吃的料理时，爱是不可少的。

330
代用〈する〉
だいよう
名 substitute
代替

にんじんがなかったので、かぼちゃを代用した。
　　　　　　　　　　　　　　　　　　だいよう
I didn't have carrots, so I substituted with pumpkin.
没有胡萝卜了，就用南瓜代替了。

➕ 代用品 replacement / 代用品
だいようひん

331
加工〈する〉
かこう
名 processed
加工

生野菜が手に入らなければ、加工した物でもいい。
なまやさい　て　はい　　　　　かこう　　もの
If you can't get hold of fresh produce, then processed food is fine.
没有新鲜蔬菜的话，加工过的也可以。

➕ 加工食品 processed food / 加工食品
かこうしょくひん

332
浸す
ひた
動 soak
浸泡

切った玉ねぎを水に浸しておく。
き　たま　　　みず　ひた
Soak the sliced onions in water.
切好的洋葱放在水里泡着。

333 むしる

動 pull, nip, pluck
撕下

とうもろこしの皮をむしる。
かわ

Shuck the corn.
撕掉玉米的皮。

334 しんなり［と］〈する〉

副 become tender
蔫，变软

ゆでた野菜がしんなりとした。
やさい

The boiled vegetables became tender.
水煮过的蔬菜变软了。

335 ねた

名 material, ingredient, story
食材，素材

①この寿司屋はねたがいい。
すしや

②この芸人のねたはつまらない。
げいにん

① This sushi shop serves fresh sushi.
② This comedian's performance is boring.
①这家寿司店的食材很好。
②这个艺人的话题太无聊了。

👉 ① ingredient in a dish ② topic of conversation / ①食物的材料②话题素材

336 練る
ね

動 knead
搅拌，推敲

①細かく切った野菜とひき肉を混ぜて、よく練る。
こま き やさい にく ま ね

②料理のアイディアを十分に練る。
りょうり じゅうぶん ね

① Mix the diced vegetable with minced meat and knead well.
② Thoroughly work out recipe ideas.
①把切好的蔬菜和肉末混在一起，好好搅和。
②反复推敲料理的构思。

➕ ①こねる kneed / 捏，和

👉 ① mix well ② think hard and be creative to come up with something good / ①好好搅拌②好好思考下工夫做好东西

337 丸める
まる

動 roll into a ball
揉成团

ひき肉を少しずつ手に取って丸める。
にく すこ て と まる

Take small portions of the minced meat and roll it into balls.
把肉末一点一点拿到手里揉成丸子。

338 丸ごと
まる

副 whole
整个

じゃがいもを丸ごとゆでる。
まる

Boil the whole potato.
把土豆整个水煮一下。

339 とろける

動 melt
溶化

チーズがとろけるまで熱を加える。
ねつ くわ

Heat the cheese until it melts.
加热到奶酪溶化。

➕ 溶ける melt / 溶化
と

340 沸騰〈する〉
ふっとう

名 boil
沸腾

お湯が沸騰する直前で火を止める。
ゆ ふっとう ちょくぜん ひ と

Turn off the stove just before the water boils.
沸水刚沸腾时关火。

341 かき回す
まわ
動 stir
搅拌

焦げないように時々静かにかき回す。
こ　　　　　ときどきしず　　　　　まわ

Stir quietly to prevent it from burning.
为了不煮糊了，时不时轻轻搅拌一下。

342 腕前
うでまえ
名 skill
手艺

家に友達を呼んで、料理の腕前を披露する。
いえ　ともだち　よ　　　　りょうり　うでまえ　ひろう

I will invite my friends to my house and show off my culinary skills.
叫朋友来家里，做菜露了一手。

➕ 腕 skills / 能力
うで

343 口ずさむ
くち
動 hum
哼

夫は歌を口ずさみながら料理を作る。
おっと　うた　くち　　　　　　りょうり　つく

My husband cooks while humming songs.
老公哼着小曲儿做菜。

➕ 鼻歌まじり humming / 哼着小曲儿
はなうた

344 手際
てぎわ
名 dexterity
本领，手艺

夫の母親から料理の手際がいいと褒められた。
おっと　ははおや　　りょうり　てぎわ　　　　　ほ

My husband's mother complimented my cooking, saying it was efficient.
丈夫的母亲表扬我说做菜手艺好。

345 漂う
ただよ
動 float
飘散

キッチンからいいにおいが漂ってきた。
ただよ

The smell of something good came wafting from the kitchen.
厨房里飘散出很香的味道。

346 焦げ臭い
こ　　くさ
イ形 burnt
焦味

キッチンから焦げ臭いにおいがする。
こ　くさ

The smell of something burning is coming from the kitchen.
厨房里有焦味。

347 うんと
副 a lot
大量

子「お母さん、これ、おいしい！」
こ　かあ
母「たくさん作ったから、うんと食べてね。」
はは　　　　　つく　　　　　　　　た

Child: Mom! This tastes great!
Mother: I made a lot so eat as much as you like.
孩子："妈妈，这个好吃！"
母亲："做了很多，多吃点儿啊。"

348 濃厚な
のうこう
ナ形 thick
浓厚

濃厚な味がこの料理の特徴だ。
のうこう　あじ　　　　りょうり　とくちょう

The rich taste is one characteristic of this dish.
味道浓厚是这道菜的特点。

↔ 淡泊な
たんぱく

349 つまむ

①盛り付けの前に、少しつまんで味見をする。
②変な臭いがして鼻をつまんだ。

動 grab/pinch
夹，捏

① Try some to check the taste before serving to others.
② There was a strange odor, so I held my nose.
①装盘前夹一点儿起来尝尝。
②有股很臭的怪味，把鼻子捏起来了。

☞ ① eat using fingers or chopsticks ② hold using fingertips / ①用手指或筷子拿起来尝②用手指捏

350 口が肥える

口が肥えていないと、料理上手にはなれない。

慣 have a refined palate
对吃的东西要求很高

You can't cook well unless you have a refined palate.
对吃的东西要求不高，料理手艺就无法长进。

＝ 舌が肥える

351 盛り付ける

料理は上手に盛り付けるだけで、おいしそうに見える。

動 assemble
装盘

Just presenting the food nicely makes it look tasty.
料理精心装盘的话，会看上去很美味。

✚ 盛り付け presentation (of food) / 装盘・盛る present / 盛，装

休日
きゅうじつ

Holiday / 休假

352

くつろぐ

動 **relax**
放松

リビングのソファーでゆったりとくつろぐ。

Relax on the sofa in the living room.
在客厅的沙发上悠闲地放松一下。

➕ くつろぎ relax / 舒适

353

安らぐ
やす

動 **relief**
安闲

家族と過ごす時間が、心の安らぐひとときだ。
か ぞく す じ かん こころ やす

Spending time with family is relaxing.
和家人在一起的时光，是身心安闲的时光。

➕ 安らぎ peaceful / 平静
やす

354

憩う
いこ

動 **relax and rest**
休息

天気がいい日は、公園で子どもたちと憩う。
てん き ひ こうえん こ いこ

Relax with the children in the park on a sunny day.
天气好的时候，和孩子们在公园休息。

➕ 憩い relaxation / 小憩
いこ

355

だらだら〈する〉

副 **lazily**
拖拖拉拉

一日中だらだら過ごすと、余計に疲れてしまう。
いちにちじゅう す よ けい つか

It's even more tiring when you spend the whole day doing nothing.
一整天拖拖拉拉过，反而很累。

➕ だらける be lazy / 散漫

356

横になる
よこ

慣 **lie down**
躺

横になったら、ついうとうとしてしまった。
よこ

I drifted off to sleep when I laid down.
一躺下就昏昏欲睡了。

357

一息入れる
ひといき い

慣 **take a break**
喘口气

コーヒーを飲みながら一息入れる。
の ひといき い

Take a break and have some coffee.
喝杯咖啡歇一会儿。

➕ 一息つく take a break / 歇一会儿
ひといき

358

ブレイク〈する〉

名 **break**
小憩，人气暴涨

①音楽を聴きながら、コーヒーでブレイクする。
おんがく き

②今、この歌手がブレイクしている。
いま かしゅ

① Take a coffee break while listening to music.
② This singer is breaking through as a star.
①听着音乐喝着咖啡小憩一会儿。②现在这个歌手人气直升。

👉 ① take a short break ② become very popular / ①稍微休息②变得很受欢迎

359 一眠り〈する〉
ひとねむ

名 **nap**
打盹睡

目的地に着くまで、一眠りしよう。
もくてきち つ ひとねむ

Let's take a quick nap before we reach our destination.
到目的地之前打个盹儿。

360 一段落〈する〉
いちだんらく

名 **settle down**
一个阶段

仕事が一段落したので、休みをとった。
しごと いちだんらく やす

I took a day off as work started to settle down.
工作告一段落了，所以请了个假。

➕ 一段落つく settle down / 告一段落
いちだんらく

361 一休み〈する〉
ひとやす

名 **break**
休息片刻

そこに座って、一休みしようか。
すわ ひとやす

Let's sit there and take a break.
坐那儿休息一下。

362 紛れる
まぎ

動 **get distracted/get lost in**
忘掉，混淆

①家でゆったり本を読むだけで気が紛れる。
いえ ほん よ き まぎ

②友人が、人ごみに紛れてしまった。
ゆうじん ひと まぎ

① Reading a book at home in a relaxing atmosphere is a good distraction.

② My friend got lost in the crowd.
①在家悠闲地看书也能忘掉烦恼。
②朋友混在人群里找不到了。

👍 ① be so engrossed in something that you forget unpleasant things ② not being able to distinguish one thing from another / ①被别的事情吸引忘掉不好的事情②和别的东西混杂无法分清

363 投げ出す
な だ

動 **throw out**
蹓出去，抛下

①飛行機のシートが広かったので、足を投げ出して座った。
ひこうき ひろ あし な だ すわ

②仕事を投げ出して旅に出たい。
しごと な だ たび で

① I threw my legs out because the plane seats were spacious.

② I want to abandon work and go on a trip.
①飞机的座位很大，能伸开脚坐。
②把工作放一边去旅行。

👍 ① throw something out in front of oneself ② stop or give up something that is dear to oneself / ①向前方投出去或伸出去②放下或放弃重要的事情

364 外出〈する〉
がいしゅつ

名 **go out**
外出

休みの日はいつも外出する。
やす ひ がいしゅつ

I always go out on my days off.
休息天总是外出。

365 帰宅〈する〉
きたく

名 **return home**
回家

休日は、出かけても早めに帰宅する。
きゅうじつ で はや きたく

I return home early on holidays, even if I go out.
休息天即使出门也提早回去。

366 引きこもる ひ	休日は外に出ず、引きこもっているような状態だ。 きゅうじつ そと で ひ じょうたい
動 stay inside 闭门不出	I don't go out on my days off, I just stay cooped up at home. 休息天不去外面，一直足不出户。

➕ 引きこもり social withdrawal / 家里蹲
ひ

367 慣らす な	土曜の夜はアメリカ映画を観て、耳を英語に慣ら どよう よる えいが み みみ えいご な している。
動 get used to 练习	On Saturday nights, I go see American movies to help me get used to hearing English. 周六的晚上看美国电影，练习听英语。

368 日なた ひ	猫が日なたでうとうとしている。 ねこ ひ
名 in the sun 朝阳的地方	The cat is dozing under the sun. 小猫晒着太阳昏昏欲睡。

↔ 日陰
ひかげ

369 精神的な せいしんてき	最近精神的に疲れているので、リラックスしたい。 さいきんせいしんてき つか
ナ形 psychological 精神上	I'm psychologically tired these days, so I want to relax. 最近精神上很疲惫，想放松一下。

↔ 肉体的な、物質的な ➕ 心理的な psychologically / 心理上
にくたいてき ぶっしつてき しんりてき

370 心底 しんそこ	家族と一緒にいると、心底幸せだと思う。 かぞく いっしょ しんそこしあわ おも
副 truly 心底	I truly feel happy when I am with family. 和家人在一起打从心底里觉得幸福。

➕ 心の底から from the bottom of one's heart / 从心底里
こころ そこ

371 もっぱら	天気のいい日は、もっぱらテニスをしている。 てんき ひ
副 usually 专注，光	I usually play tennis on sunny days. 天气好的时候，光打网球。

Section 5

引っ越し
ひっこし

Moving / 搬家

---

372 物件
ぶっけん

名 **article, property**
房子

駅前の不動産屋で物件を探す。
えきまえ ふどうさんや ぶっけん さが

I looked for property at the real estate agency in front of the station.
在车站前的不动产中介那儿找房子。

---

373 契機
けいき

名 **opportunity**
契机，起因

就職を契機に、引っ越しをすることになった。
しゅうしょく けいき ひっこ

I took the opportunity of finding a new job to move to a new location.
因为找到了工作，所以要搬家。

---

374 助言〈する〉
じょげん

名 **advice**
建议

親切な不動産屋が、いろいろ助言をくれた。
しんせつ ふどうさんや じょげん

I kind real estate agent gave me various advice.
很热心的不动产中介给了我很多建议。

■ アドバイス〈する〉

---

375 手はず
て

名 **arrangement**
顺序，程序

引っ越しの手はずを整える。
ひっこ て ととの

I prepared for the move.
搬家过程井井有条。

＋ 段取り plan, course of action / 步骤
だんど

---

376 見積もる
みつ

動 **estimate**
估价

引っ越し業者に費用を見積もってもらう。
ひっこ ぎょうしゃ ひよう みつ

I asked for an estimate from the mover.
请搬家公司报个价。

＋ 見積もり estimate / 报价
みつ

---

377 手分け〈する〉
てわ

名 **split up**
分工

友達と手分けして荷物をまとめる。
ともだち てわ にもつ

My friend and I split up the job of packing our luggage.
和朋友分工把东西汇总起来。

---

378 荷造り〈する〉
にづく

名 **packing**
打包

引っ越しの1週間前から荷造りを始めた。
ひっこ しゅうかんまえ にづく はじ

I started packing a week before the move.
搬家前一周就开始打包了。

---

379 ガムテープ

名 **packing tape**
胶带

段ボールのふたをガムテープで留める。
だん と

I sealed the top of the cardboard box with packing tape.
把纸板箱的开口用胶带封起来。

274-394

---

380 ロープ

〈名〉 rope
绳子

荷造りのために<u>ロープ</u>を買ってきた。
にづく　　　　　　　　　　　　か

I bought rope for packing.
为了打包东西买来了绳子。

---

381 くるむ

〈動〉 wrap
裹

食器は新聞紙で<u>くるんだ</u>方がいい。
しょっき　しんぶんし　　　　　　　　ほう

It's better to wrap the dishes with newspaper.
餐具用报纸包起来比较好。

---

382 かさ張る
　　　　　ば

〈動〉 take up space
容积大

<u>かさ張る</u>のは布団とソファーくらいだ。
　　　　ば　　　　ふとん

The futon and sofa are the only things that take up space.
大件就只是被褥和沙发。

---

383 持ち運ぶ
　　　も　はこ

〈動〉 carry
搬运

荷物を<u>持ち運び</u>やすい大きさにまとめる。
にもつ　も　はこ　　　　　おお

I bundled my luggage into an easy-to-carry size.
把东西汇总成方便搬运的尺寸。

➕ 持ち運び carry / 搬运
　　も　はこ

---

384 逆さま〈な〉
　　　さか

〈名〉
〈ナ形〉 upside down/opposite
倒

この箱は<u>逆さま</u>にしないでください。(ナ形)
　　はこ　さか

Don't turn this box upside down.
这个箱子不要倒置。

🟰 逆さ〈な〉　➕ 逆〈な〉 opposite / 反
　　さか　　　　　ぎゃく

---

385 擦る
　　　す

〈動〉 scrape
摩擦

家具が床を<u>擦ら</u>ないように注意する。
かぐ　ゆか　す　　　　　　ちゅうい

I was careful not to scrape the floor with the furniture.
小心不要让家具蹭到地板了。

---

386 ばらす

〈動〉 dismantle/reveal
拆开，泄露

①この家具は<u>ばらさ</u>ないと運べない。
　　　かぐ　　　　　　　はこ
②人の秘密を<u>ばらす</u>なんて最低だ。
　ひと　ひみつ　　　　　　　さいてい

① We can't carry this furniture without dismantling it.
② You're terrible for revealing someone else's secret.
①这个家具不拆开不能搬。
②把人家的秘密说出去最无耻了。

👉 ① break apart something that was in one piece ② leak secrets and information about someone to other people / ①把整体拆开②把别人的秘密告诉别人

---

387 埋まる
　　　う

〈動〉 buried
填满

段ボールで部屋が<u>埋まって</u>歩けない。
だん　　　へや　う　　　ある

My room is so full of cardboard boxes that I can hardly walk around in it.
房间里堆满了箱子都走不了了。

➕ 埋もれる buried in / 埋没・(〜を)埋める bury / 填
　　う　　　　　　　　　　　　　　　　う

388 □	一新 〈する〉 いっしん	この機会にカーテンを一新しよう。 き かい いっしん
名	**complete change** 焕然一新	Let's take this opportunity to replace the curtains. 趁这个机会把窗帘都换上新的了。

389 □	転々 [と] 〈する〉 てんてん	子どもの頃は父の仕事の関係で地方を転々として こ ころ ちち し ごと かんけい ち ほう てんてん いた。
副	**move around** 不停移转	I used to move around a lot when I was a child because of my father's job. 孩提时由于父亲工作的关系，移居过很多地方城市。

390 □	耐久性 たいきゅうせい	長く使えるように耐久性の高い家具を買った。 なが つか たいきゅうせい たか か ぐ か
名	**durability** 耐用性	I bought durable furniture that can be used for many years. 买了能长时间使用的耐用性很高的家具。

391 □	板 いた	木の板で本棚を作った。 き いた ほんだな つく
名	**plate** 板	I made a bookshelf out of wood. 用木板制作书架。

392 □	端 はし	そのテーブルの端を持ってくれる？ はし も
名	**edge** 边缘	Can you hold the edge of that table? 能帮我把我桌边抬一下吗？

393 □	面する めん	新しい部屋は、公園に面していて環境がいい。 あたら へ や こうえん めん かんきょう
動	**face** 面对	The new room faces the park, and its in a nice environment. 新的房间面对着一个公园，环境很好。

394 □	単身 たんしん	単身なので、引っ越しの荷物はそれほど多くない。 たんしん ひ こ に もつ おお
名	**single** 单身	I'm single, so there is not much luggage to move. 因为是单身，搬家的东西不太多。

学校で
がっこう

At School
学校

---

395 創立〈する〉
そうりつ

名 **establishment**
创立

この学校はおよそ 100 年前に創立された。
がっこう　　　　　　ねんまえ　そうりつ

This school was established about 100 years ago.
这所学校大约是 100 年前创立的。

➕設立〈する〉establishment / 设立・創立記念日 establishment anniversary / 创立纪念日
せつりつ　　　　　　　　　　　　　　そうりつきねんび

---

396 ～周年
しゅうねん

接辞 **anniversary**
周年

母校が来年創立 100 周年を迎える。
ぼこう　らいねんそうりつ　しゅうねん　むか

My alma mater will celebrate the 100th anniversary of its foundation next year.
母校明年将迎来创立 100 周年。

---

397 重んじる
おも

動 **value**
重视

この学校では人と人のつながりを重んじている。
がっこう　　ひと　ひと　　　　　　　おも

This school values the ties between people.
这所学校很重视人与人之间的联系。

↔軽んじる　➕重視〈する〉value / 重视・尊ぶ(かたい表現)
かろ　　　　じゅうし　　　　　　　　　とうと/たっと

respect (formal expression) / 敬重(生硬的说法)

---

398 掲げる
かか

動 **set up/raise**
提倡，悬挂

①A 大学は学生が求める教育方針や目標を掲げている。
だいがく　がくせい　もと　きょういくほうしん　もくひょう　かか

②国旗を掲げて祝日を祝う。
こっき　かか　しゅくじつ　いわ

① University A sets up educational policies and goals that the students seek.
② Hoist the national flag to celebrate the holiday.
①A 大学提倡学生们追求的教育方针和目标。②高挂国旗欢庆节日。

👉 ① present one's thoughts and beliefs ② hold high so other people can see / ①表示主义或者想法②为使人看得见高举

---

399 禁じる
きん

動 **prohibit**
禁止

校長は安全のため、自転車通学を禁じた。
こうちょう　あんぜん　　　じてんしゃつうがく　きん

The principal prohibited commuting by bicycle for safety reasons.
校长为了安全，禁止骑自行车来上学。

＝禁ずる　➕禁止〈する〉prohibition / 禁止
きん　　　　きんし

---

400 見なす
み

動 **consider**
看作

理由なく 30 分以上遅刻した場合は欠席と見なす。
りゆう　　　ぶんいじょうちこく　ばあい　けっせき　み

Any tardiness that exceeds 30 minutes will be considered an absence.
无故迟到 30 分钟以上的视为缺席。

➕判断〈する〉judgement / 判断
はんだん

401 募る
つの

動 solicit/build up
招募，越发强烈

①日本の多くの大学は世界中から学生を募っている。
にほん おお だいがく せかいじゅう がくせい つの
②留学したいという思いが日に日に募る。
りゅうがく おも ひ ひ つの

① Many universities in Japan are soliciting students from around the world.
② The wish to study abroad builds up day by day.
①日本很多大学向全世界招收学生。
②想要留学的心情与日俱增。

👉 ① solicit widely ② a situation becomes intense / ①广泛募集②状态更激烈

402 共学
きょうがく

名 co-education
一起学习

私の高校は以前は女子校だったが、今は共学に
わたし こうこう いぜん じょしこう いま きょうがく
なった。

My high school used to be an all-girl's school, but now it's co-education.
我以前的高中是女子学校，现在男生女生一起学习。

🟰 男女共学
だんじょきょうがく

403 在籍 〈する〉
ざいせき

名 enrollment
在籍

本校には約500人の学生が在籍している。
ほんこう やく にん がくせい ざいせき

There are about 500 students enrolled in our school.
本校约有500人的学生在籍。

➕ 在籍者 the enrolled person / 在籍者
ざいせきしゃ

404 総数
そうすう

名 total number
总数

A大学は学生総数のうち、女子が3分の2を占め
だいがく がくせいそうすう じょし ぶん し
ている。

Of the total number of students in University A, about two-thirds are female.
A大学的学生总数中，女学生占三分之二。

405 見込み
みこ

名 expectation
预计

来年3月に学校を卒業する見込みだ。
らいねん がつ がっこう そつぎょう みこ

I am set to graduate school in March of next year.
明年3月预计毕业。

406 課程
かてい

名 curriculum
课程

一般的には、高校は3年で全ての課程を修了する。
いっぱんてき こうこう ねん すべ かてい しゅうりょう

Generally speaking, high school curriculum is over in three years.
一般情况下高中是3年完成所有课程的。

➕ カリキュラム curriculum / 课程计划

407 レッスン

名 lesson
课

学校帰りに、ダンス教室のレッスンに通っている。
がっこうがえ きょうしつ かよ

I commute to dance lessons after school.
放学回家之前去上舞蹈课。

408 ひとえに
そつぎょう
卒業できたのは、ひとえに山田先生のおかげです。
やまだ せんせい

副 **thanks to**
完全
Thanks to our teacher Mr. Yamada, I was able to graduate.
我能毕业完全是山田先生的功劳。

409 多数決
た すうけつ
クラスのリーダーを多数決で決めた。
た すうけつ き

名 **majority**
多数表决
We decided on the class leader by a majority vote.
班长由多数表决决定。

➕ くじ引き lottery / 抽签
び

410 指名 〈する〉
し めい
担任の先生からリーダーに指名された。
たんにん せんせい し めい

名 **designate**
指名
The homeroom teacher designated me as the leader.
被班主任指定为班长。

411 承認 〈する〉
しょうにん
ダンス部の設立が学校に承認された。
ぶ せつりつ がっこう しょうにん

名 **approval**
批准
The establishment of the dance club was approved by the school.
舞蹈部的设立被学校批准了。

➕ 承諾 〈する〉 acknowledgement / 承诺
しょうだく

412 漫然と 〈する〉
まんぜん
学生時代はただ漫然と過ごした。(副)
がくせい じ だい まんぜん す

副 **aimlessly**
漫不经心
連体
I spend the school days aimlessly.
漫不经心地过了学生时代。

➕ ぼんやり[と]〈する〉 vaguely / 心不在焉

413 率先 〈する〉
そっせん
私はボランティア活動を率先して行っている。
わたし かつどう そっせん おこな

名 **initiative**
率先
I always take the initiative in volunteer activities.
我带头开展了志愿者活动。

414 指摘 〈する〉
し てき
生活態度の問題点を先生に指摘された。
せいかつたい ど もんだいてん せんせい し てき

名 **point out**
指摘
The teacher pointed out the problems with my attitude towards life.
生活态度上的问题点被老师指出来了。

415 名称
めいしょう
数年前にA大学の名称が変更された。
すうねんまえ だいがく めいしょう へんこう

名 **name**
名称
The name of University A changed several years ago.
几年前 A 大学的名称被改了。

➕ 呼び名 the name one is called by / 通称
よ な

416 恩師
おん し
お世話になった恩師に心から感謝している。
せ わ おん し こころ かんしゃ

名 **one's former teacher**
恩师
I am grateful to my former teacher from the bottom of my heart.
由衷感谢照顾过我的恩师。

Section 2

勉強
べんきょう

Studying / 学习

417 勤勉 〈な〉
きんべん

学生にとって最も大切なのは、勤勉に学ぶことだ。
がくせい　　　　もっと　たいせつ　　　　きんべん　まな

(ナ形)

名　diligence/diligent
ナ形　勤奋

What is most important to a student is to study diligently.
对学生来说，最重要的是勤学苦练。

↔ 怠慢〈な〉
たいまん

418 おろそかな

バイトが忙しく、勉強がおろそかになっている。
　　　　いそが　　　べんきょう

ナ形　neglected
疏忽

I was so busy with my part-time job that I my studies were going neglected.
打工很忙，疏忽了学习。

➕ なおざりな neglected / 马虎

419 自主的な
じしゅてき

大学は興味があることを自主的に学ぶ場だ。
だいがく　きょうみ　　　　　　じしゅてき　まな　ば

ナ形　on one's own will
自主的

A university is a place to study voluntarily what you are interested in.
大学是自主学习自己感兴趣的事物的地方。

➕ 自発的な on one's own volition / 自发的・自主性 autonomy / 自主性
じはつてき　　　　　　　　　　　　　　　　　　じしゅせい

420 自ら
みずか

彼女は子どもの頃から自ら進んで勉強する。
かのじょ　こ　　　　ころ　　みずか　すす　　べんきょう

副　on one's own accord
自己

She always studied on her own accord from when she was a child.
她从小就自觉学习。

421 自ずから
おの

言葉は努力すれば自ずから理解できるようになる。
ことば　どりょく　　　おの　　　りかい

副　per se, intrinsically
自然而然

You will be able to understand the language intrinsically if you keep making an effort.
语言是只要努力就能自然而然理解的。

➕ 自ずと intrinsically / 自然
おの

422 気が散る
き　ち

気が散るから、テレビの音を小さくしてもらえる？
き　ち　　　　　　　　　おと　ちい

慣　distracted
走神

Will you lower the volume of the television? It's distracting.
会分散注意力的，你能不能把电视机的音量调小一点儿？

395~519

77

423 □
ぶうぶう言<u>う</u>
い

慣 complain
怨声载道

学生は毎日宿題が多いと<u>ぶうぶう言っ</u>ている。
がくせい　まいにち　しゅくだい　おお　　　　　　　　　い

The students complain that there is a lot of homework every day.
学生们每天都怨声载道说作业多。

➕文句を言う complain / 发牢骚
もんく　　い

424 □
鈍<u>る</u>
にぶ

動 become dull
迟钝

お酒を飲むと、記憶力が<u>鈍る</u>。
さけ　の　　　　きおくりょく　にぶ

Your memory weakens when you drink alcohol.
喝了酒记忆力就差了。

425 □
一心
いっしん

名 engrossment, absorption
一心一意

希望の大学に入りたい<u>一心</u>で、毎日頑張っている。
きぼう　だいがく　はい　　　　いっしん　　まいにちがんば

I work hard every day out of sheer desire to enter the university of my choice.
一心一意想进志愿大学，每天都在努力。

➕一心不乱 single-mindedness / 专心致志
いっしんふらん

426 □
がぜん

副 all of a sudden
突然

テストで満点を取ってから、<u>がぜん</u>やる気が出た。
まんてん　と　　　　　　　　　　　　き　で

I became motivated suddenly after getting perfect grades on the test.
考试考了满分，突然有了干劲。

427 □
暗唱〈する〉
あんしょう

名 recitation
背诵

お気に入りの詩を<u>暗唱する</u>。
き　い　　　し　あんしょう

Recite your favorite poem.
背诵喜欢的诗。

➕暗記〈する〉 memorize / 背
あんき

428 □
参照〈する〉
さんしょう

名 reference
参阅

辞書の例文を<u>参照し</u>ながら、言葉の使い方を覚える。
じしょ　れいぶん　さんしょう　　　　　ことば　つか　かた　おぼ

Learn how to use the words by referring to the sample sentences in the dictionary.
一边参看词典上的例句一边记使用方法。

429 □
堪能〈な / する〉
たんのう

名
ナ形
talented/enjoy
精通，尽享

①彼は語学が<u>堪能</u>だ。（ナ形）
かれ　ごがく　たんのう

②留学生活を<u>堪能する</u>。（名）
りゅうがくせいかつ　たんのう

① He is gifted when it comes to languages.
② I enjoy my life studying overseas.
①他精通外语。
②尽享留学生活。

👆 ① be good at language and other things ② enjoy fully and be satisfied / ①语言等很擅长②充分享受

430 すらすら［と］
すらすら
難しい文も、今ではすらすら読めるようになった。
むずか ぶん いま よ

副 easily
流利

I can easily read even difficult sentences now.
很难的文章现在也能很流利地读了。

➕ りゅうちょうな fluent / 流利

431 後回し
あとまわ
食事は後回しにして、宿題をやってしまおう。
しょくじ あとまわ しゅくだい

名 later
推迟

I will eat later and finish my homework first.
吃饭等一下再说，先把作业做完。

432 突き詰める
つ つ
論文の主旨は突き詰めて考えて書く必要がある。
ろんぶん しゅし つ つ かんが か ひつよう

動 investigate thoroughly
刨根问底

The purpose of the paper needs to be written after thorough thought.
论文的主旨需要思考得很深入再写。

433 要点
ようてん
彼のスピーチはまとまりがなく、要点が分からない。
かれ ようてん わ

名 main points
要点

His speech is not organized, and it's difficult to pick out the main points.
他的演讲没头绪没重点。

434 主旨
しゅし
教科書の文章の主旨を400字でまとめる。
きょうかしょ ぶんしょう しゅし じ

名 aim, purpose
主旨

Summarize the aim of the text in the textbook using 400 words.
把教科书的文章汇总成400字。

➕ 要旨 summary / 要旨
ようし

435 つづり
英語のつづりを間違えて、5点も引かれた。
えいご まちが てん ひ

名 spelling
拼写

I lost five points for a misspelling in English.
英语拼写拼错了，被扣了5分。

➕ スペル spelling / 拼写

436 ドリル
学校で配付されたドリルで毎日復習している。
がっこう はいふ まいにちふくしゅう

名 worksheet
练习

I review every day using the worksheets handed out at school.
每天用学校发的练习题复习。

437 詩
し
日本語の勉強を通して、素晴らしい詩に出合った。
にほんご べんきょう とお すば し であ

名 poem
诗

I encountered a wonderful poem through my studies of Japanese.
通过日语学习，偶遇了一首很棒的诗。

➕ 詞 lyrics / 词
し

438 ことわざ

名 proverb
谚语

ことわざには教育的な意味が込められている。
きょういくてき　いみ　こ

Proverbs contain educational messages.
谚语中蕴含着教育意味。

---

439 結び付く
むす　つ

動 tie together, relate
有关联

努力が結果に結び付かない。勉強方法を変えてみ
どりょく　けっか　むす　つ　　べんきょうほうほう　か
よう。

My efforts are not leading to results. I should try and change
my study methods.
努力却达不到效果，改变一下学习方法吧。

➕ (～を)結び付ける tie together / 系上
　　　むす　つ

---

440 進度
しんど

名 progress
进度

このカリキュラムの進度は私には少し速すぎる。
しんど　わたし　すこ　はや

The speed of the curriculum is a little too fast for me.
这个课程计划的进度对我来说太快了。

---

441 びり

名 lowest, last
末尾

先週のテストの点数はクラスでびりだった。
せんしゅう　てんすう

I had the lowest score on last week's test.
上周考试的分数是班上倒数。

🟰 最下位
　　さいかい

---

442 文房具
ぶんぼうぐ

名 stationery
文具

楽しく勉強したくて、文房具にこだわっている。
たの　べんきょう　ぶんぼうぐ

I am particular about stationary because I want to study
happily.
想开心地学习，所以买文具时很讲究。

🟰 文具・ステーショナリー
　　ぶんぐ

---

443 個別
こべつ

名 individual
个别

成績が上がらない学生には個別に対応している。
せいせき　あ　　がくせい　こべつ　たいおう

We offer individual support to students whose grades do not
improve.
对成绩老上不去的学生会个别对应。

➕ 個々 individually / 各个
　　ここ

Section 3

試験
しけん

444

出題 〈する〉
しゅつだい

名 set questions
出题

試験に過去の問題がそのまま<u>出題される</u>ことはない。
しけん　かこ　もんだい　　　　　　　しゅつだい

Problems from the past will not appear in the exam as they were.
考试时不会出现原封不动的历年的考题。

445

口頭
こうとう

名 oral
口头

私は<u>口頭</u>での試験が苦手なので心配だ。
わたし　こうとう　　　しけん　にがて　　　　しんぱい

I am worried because I am not good at oral exams.
我不擅长口试，所以很担心。

➕ 口頭試問 oral exam / 口头提问
こうとうしもん

446

記述 〈する〉
きじゅつ

名 writing
记述

この試験は始めに<u>記述</u>の問題が行われる。
　　しけん　はじ　　きじゅつ　もんだい　おこな

This exam will start with a written test.
这个考试一开始有描述问题。

447

万全 〈な〉
ばんぜん

名
ナ形 perfection
万全

<u>万全</u>の体調で試験の日を迎える。（名）
ばんぜん　たいちょう　しけん　ひ　むか

Prepare for the exam day in the best of health.
以万全的健康状态迎接考试。

➕ 完璧〈な〉 perfection, perfect / 完美
かんぺき

448

難易度
なんいど

名 difficulty
难易度

この言葉の<u>難易度</u>は、日本語能力試験の N1 レベルだ。
　　ことば　なんいど　　　にほんごのうりょくしけん

The level of difficulty of this word is level N1 in the Japanese-Language Proficiency Test.
这个词的难易度是日语能力考试 N1 的程度。

449

基準
きじゅん

名 standard
基准

合格の<u>基準</u>は平均点によって多少変化する。
ごうかく　きじゅん　へいきんてん　　　たしょうへんか

The passing standard will depend on the average score.
及格线会因平均分多少有所浮动。

450

湧く
わ

動 gush out, flow out
涌现出

A大学の入試に合格したので、希望が<u>湧いて</u>きた。
だいがく　にゅうし　ごうかく　　　　　きぼう　わ

I passed the entrance exam for University A, so I feel more hopeful.
通过了 A 大学的入学考试，希望满满。

451 さえる

① 十分に睡眠を取ったので、頭もさえている。
② さえた青色のシャツが欲しい。

動 be clear/bright
清醒，清澈

① I had plenty of sleep, so my head is clear.
② I want a bright blue shirt.
① 睡眠充足，所以头脑清醒。
② 我想要亮蓝色的衬衫。

👉 ① clear, works smoothly ② the color or sound is clear / ① 清爽，清醒 ② 颜色或声音很清澈

452 度忘れ〈する〉
　　どわす

昨日勉強したばかりなのに、度忘れしてしまった。

名 lapse in memory
突然记不起来

I just studied it yesterday but it slipped my mind.
明明昨天才刚学的，突然想不起来了。

453 ところどころ

ところどころ答えに自信がない問題がある。

名 here and there
有些地方

There were questions that I was not sure of the answer here and there.
有些问题没有把握。

454 あべこべな

解答用紙に答えをあべこべに記入してしまった。

ナ形 opposite, back to front
颠倒

I wrote the answers in the wrong place on the answer sheet.
答题纸上的答案写反了。

455 見落とす
　　みお

キーワードを見落として、答えを間違えた。

動 overlook
漏看

I overlooked the keyword and gave the wrong answer.
漏看了关键词，答错了。

➕ 見落とし overlook / 漏看
　　みお

456 持参〈する〉
　　じさん

試験会場には鉛筆と消しゴムを持参すること。

名 bringing
自备

Bring your pencil and eraser to the exam venue.
去考试会场要自备铅笔和橡皮。

457 案の定
　　あん じょう

案の定、難しい問題が出題された。

副 as expected
果然

As expected, the problems were difficult.
不出所料，有很难的题。

458 不正〈な〉
　　ふせい

受験者に不正行為があった場合、試験は無効になる。(名)

名 fraud/fraudulent
ナ形 不正当

If the examinee conducts fraudulent activity, the exam will be nullified.
参加考试者若有不正当行为，考试成绩视为无效处理。

↔ 公正〈な〉　　➕ カンニング〈する〉 cheating / 作弊
　　こうせい

459 即刻
そっこく

副 immediately
立刻

カンニングが発覚した場合、即刻失格になる。
はっかく　ばあい　そっこくしっかく

You will be immediately disqualified from taking the exam if any cheating is discovered.
一旦被发现作弊，立刻取消考试资格。

➕ 即座に immediately / 即刻

460 失格〈する〉
しっかく

名 disqualification
失去资格

携帯電話が鳴って、失格になるなんて情けない。
けいたいでんわ　な　しっかく　なさ

It is pitiful to be disqualified just because your cell phone rang.
电话铃响了被取消资格，真是太惨了。

461 誤り
あやま

名 mistake
错误

試験後、出題文の誤りが訂正された。
しけんご　しゅつだいぶん　あやま　ていせい

A mistake in the exam problem was corrected after the exam.
考试以后，题目的错误被订正了。

➕ ミス〈する〉mistake / 失误・ケアレスミス careless mistake / 粗心的错误

462 内心
ないしん

名 in one's mind
内心

親には自信がないと言っていたが、内心合格すると思っていた。
おや　じしん　い　ないしんごうかく
おも

I told my parents that I wasn't confident, but in my mind I believed I would pass the test.
父母嘴上说没有信心，但内心却知道会合格的。

463 念じる
ねん

動 pray, wish
祈祷

試験後、毎日合格を念じている。
しけんご　まいにちごうかく　ねん

Since taking the test, I pray everyday that I pass it.
考试结束后每天祈祷能合格。

➕ 願う pray, wish / 祈望
ねが

464 歴然と〈する〉
れきぜん

副
連体 apparently
明显

A大学とB大学の試験の難易度の差は歴然としている。（副）
だいがく　だいがく　しけん　なんいど　さ　れきぜん

The difference in the difficulty of University A and B exams is apparent.
A 大学和 B 大学考试的难易度差异很明显。

465 落胆〈する〉
らくたん

名 discouragement
气馁

思った以上に点数が悪く、すっかり落胆した。
おも　いじょう　てんすう　わる　らくたん

The grades were lower than expected, and I'm completely discouraged.
比预想的成绩差，完全灰心了。

466 □ がっくり［と］〈する〉 | 合格すると思っていた大学に入れず、<u>がっくりし</u>た。
ごうかく　　おも　　　　　　だいがく　　はい

副 **disappointed**
頽喪 | I'm disappointed that I was unable to get into the university I thought I would.
觉得能考上的大学没考进，很颓丧。

➕ がっかり〈する〉 crestfallen / 失望

467 □ 辛うじて | 基準点ぎりぎりで、<u>辛うじて</u>合格できた。
からうじて | きじゅんてん　　　　　　　からうじて　　　ごうかく

副 **barely**
好容易才 | I barely managed to pass with a grade very near the reference point.
刚好上了合格线，勉勉强强及格了。

➕ 辛くも barely / 总算才
からくも

**これも
覚えよう！❺**
おぼ

➕ **接辞⑤** Affix ⑤ / 词缀⑤
せつじ

● **真っ～：** 名詞や形容詞を強調。本当に～
ま　　　めいし　　けいようし　　きょうちょう　　ほんとう

真っ赤な ま　　か	bright red / 通红
真っ白な ま　しろ	all white / 雪白
真っ黒な ま　くろ	all black / 漆黑
真っ青な ま　さお	all blue / 湛蓝
真っ暗な ま　くら	pitch dark / 黑暗
真っ正面 ま　しょうめん	right in front / 正对面
真っ昼間 ま　ひるま	broad daylight / 白昼
真っ二つ ま　ふた	split in two / 分成两半
真っ逆さまな ま　さか	directly opposite / 完全相反
真っ盛り ま　さか	peak, heyday / 全盛时期

Going on to Higher Education / 升学

---

468 志す
こころざ

動 aspire
立志

学者を志して、大学院進学を目指している。
がくしゃ　こころざ　　だいがくいんしんがく　　めざ

I aspire to be a scholar, so I am working to get into graduate school.
立志当学者，所以以上研究生院为目标。

➕ 志 ambition / 志愿
こころざし

---

469 満たす
み

動 fill
填满

受験の資格を満たしているかどうか確認する。
じゅけん　しかく　み　　　　　　　　　　かくにん

I'm confirming whether I meet the requirements to apply.
确认一下是否符合考试资格。

---

470 枠
わく

名 capacity/framework
范围，框

①入試の留学生枠について問い合わせた。
にゅうし　りゅうがくせいわく　　　と　あ

②願書の太い枠の中だけ記入してください。
がんしょ　ふと　わく　なか　　　きにゅう

① I inquired about the capacity of overseas student applications.
② Please fill in the box with thick lines on the application form.
①咨询了可参加入学考试的留学生范围。
②请在申请书加粗的框中填写。

➕ ①別枠 separate framework / 另行标准・②フレーム frame / 框
べつわく

👆 ① restrictions or range ② the framework or something that surrounds an item / ①制约和范围②东西的轮廓或框架

---

471 偏差値
へんさち

名 standard score
偏差值

第一志望の大学は偏差値が高すぎてあきらめた。
だいいちしぼう　だいがく　へんさち　たか

The standard score of the university of my first choice is too high, so I gave up.
第一志愿的大学偏差值太高，所以放弃了。

---

472 善し悪し
よ　あ

名 good or bad
好坏

大学の善し悪しは、偏差値だけでは分からない。
だいがく　よ　あ　　　へんさち　　　わ

Whether a university is good or bad cannot be determined by standard scores alone.
大学的好坏，光看偏差值是判断不了的。

---

473 見極める
みきわ

動 ascertain
看清

自分が本当に何を学びたいのかを見極める。
じぶん　ほんとう　なに　まな　　　　　みきわ

Ascertain what you really want to study.
看清楚自己究竟想学什么。

➕ 見定める discern / 看准
みさだ

474 独自〈な〉
どくじ

名 ナ形 **originality/original**
独特

A大学の独自なカリキュラムに興味がある。(ナ形)
だいがく どくじ きょうみ

I am interested in the original program of University A.
对 A 大学独特的课程设置很感兴趣。

➕ 独特な original / 独特・ユニークな unique / 独一无二
どくとく

475 見当
けんとう

名 **taking aim**
方向

そろそろ受験校の見当をつけなければならない。
じゅけんこう けんとう

You have to start taking aim at the schools you want to apply to.
差不多该定下报考学校的方向了。

➕ 見当違い〈な〉 irrelevance, irrelevant / 判断失误
けんとうちがい

476 貫く
つらぬ

動 **go through/pass through**
达到目的，贯穿

①医者になるという 志 を貫くために大学で学ぶ。
いしゃ こころざし つらぬ だいがく まな
②町を貫く新しい道路ができた。
まち つらぬ あたら どうろ

① I study at the university to go through with my intention to become a doctor.
② A new road that will pass through the town was completed.
①为了贯彻成为医生的理想，在大学学习。
②修建了一条贯穿全城的道路。

👉 ① continue unchanged a policy from beginning to end ② to go through something from one end to the opposite end / ①自始至终都不改变方针②贯穿物体的两头

477 くぐる

動 **pass through**
穿过

希望に胸を膨らませて、大学の門をくぐった。
きぼう むね ふく だいがく もん

I passed through the gate of the university full of hope.
满怀期望，踏入了大学的校门。

478 かなう

動 **be realized**
实现

願いがかなって、憧れの大学に通える。
ねが あこが だいがく かよ

My wish came true, and I was able to attend the university I admired.
实现了愿望，能上憧憬已久的大学了。

➕ (〜を)かなえる fulfill / 实现

479 手中
しゅちゅう

名 **in someone's hands**
手中

成功を手中に収めるために、この大学に進学した。
せいこう しゅちゅう おさ だいがく しんがく

I entered this university to become successful.
为了获得成功，上了这所大学。

480 すんなり[と]〈する〉

副 **easily**
轻易

親が一人暮らしをすんなり許してくれるとは思えない。
おや ひとりぐ ゆる おも

I don't think my parents will easily allow me to live alone.
我不认为父母会轻易地允许我一个人生活。

➕ あっさり[と]〈する〉 easily / 轻易

481 取得〈する〉
しゅとく

大学に通いながら、いくつか資格を<u>取得する</u>つもりだ。
だいがく　かよ　　　　　　　　しかく　しゅとく

名 obtain
取得

I plan to obtain some qualifications while commuting to the university.
想边上大学边考取资格证书。

482 申し分［が］ない
もう　ぶん

今の成績は<u>申し分ない</u>と先生に言われた。
いま　せいせき　もう　ぶん　　　せんせい　い

慣 satisfactory
无可挑剔

My teacher told me my current grades are satisfactory.
老师说我现在的成绩无可挑剔。

483 免除〈する〉
めんじょ

入試の成績によっては学費が<u>免除される</u>。
にゅうし　せいせき　　　　　　がくひ　めんじょ

名 exempt
减免

Tuition may be exempted depending on the grades of the entrance exams.
根据入学考试成绩学费可以减免。

484 不備〈な〉
ふび

願書の書類に<u>不備</u>はないか確認しよう。（名）
がんしょ　しょるい　ふび　　　　　かくにん

名 fault/faulty
ナ形 不齐备

Let's make sure there are no faults in the application form.
确认一下报考申请资料是否齐全。

485 貴校
きこう

<u>貴校</u>のユニークな教育方針に引かれました。
きこう　　　　　　きょういくほうしん　ひ

名 esteemed school
贵校

I was attracted to the unique educational policy of your esteemed school.
为贵校独特的教育方针所吸引。

486 不利〈な〉
ふり

大学院に進学すると、就職に<u>不利だ</u>と父に言われた。（ナ形）
だいがくいん　しんがく　　　　しゅうしょく　ふり　　ちち　い

名 disadvantage/
ナ形 disadvantageous
不利

My father told me that it would be disadvantageous to attend graduate school when looking for a job.
父亲说上研究生院对就职不利。

↔ 有利〈な〉
ゆうり

487 いずれ

できれば、<u>いずれ</u>博士課程まで進みたい。
はくしかてい　　すす

副 eventually
将来的哪一天

If possible, I eventually want to go for a doctorate degree.
可以的话，将来想上博士课程。

488 仮に
かり

<u>仮に</u>不合格でも、また来年挑戦したい。
かり　ふごうかく　　　　らいねんちょうせん

副 provisionally
假使

Even if I d fail, I want to try again next year.
假使不及格，明年打算再挑战。

489 立ち直る
た なお

動 recover
振作

兄は第一志望校に入れなかったが、すぐに立ち直った。
あに だいいち し ぼうこう はい
た なお

My elder brother could not get into the school he wanted to go to the most, but he recovered quickly.
哥哥没考上第一志愿的学校，不过马上振作起来了。

➕ 持ち直す recover / 好转
も なお

490 首席
しゅせき

名 top seat, top in class
第一名

頑張って勉強して、首席で卒業したい。
がん ば べんきょう しゅせき そつぎょう

I want to study hard and graduate at the top of my class.
努力学习，以第一名的成绩毕业了。

491 雲をつかむような
くも

慣 elusive
虚幻不实

超一流大学で首席になるなんて、雲をつかむような話だ。
ちょういちりゅうだいがく しゅせき くも
はなし

Graduating at the top of the class from a top-notch university is a hopeless dream.
在超一流的大学当第一名真是天方夜谭。

492 勧誘〈する〉
かんゆう

名 recruit
劝诱

入学式でテニスサークルに勧誘された。
にゅうがくしき かんゆう

I was recruited to join the tennis club on the day of the entrance ceremony.
入学典礼上被叫去了网球部。

493 機種
きしゅ
名 model
机种

スマホを最新の機種に変えた。
さいしん　きしゅ　か

I changed my smartphone to the most recent model.
手机换成了最新的机种。

494 端末
たんまつ
名 terminal
终端

家の防犯システムが、簡単な端末で操作できる。
いえ　ぼうはん　　　　　　　かんたん　たんまつ　そうさ

I can control the house's security system with a simple
operation of the terminal.
家里的防盗系统，能简单地用终端操作。

495 最先端
さいせんたん
名 cutting-edge
最尖端

このパソコンは、最先端の技術で作られている。
　　　　　　　　　さいせんたん　ぎじゅつ　つく

This personal computer is made from cutting-edge
technology.
这台电脑是用最尖端的技术制造的。

496 性能
せいのう
名 function
性能

スマホは性能も大事だが、使いやすいものがいい。
　　　　せいのう　だいじ　　　　つか

Functions are important for smartphones, but so is being easy
to handle.
智能手机的性能也很重要，但好用的为好。

497 アップ〈する〉
名 upload
更新

スマホで毎日ブログをアップしている。
　　　　まいにち

I upload information to my blog every day using my
smartphone.
用智能手机每天更新博客。

498 バージョンアップ
〈する〉
名 updating the version
版本更新

この OS はよくバージョンアップされる。

This operating system publishes version updates frequently.
这个操作系统经常版本更新。

499 使いこなす
つか
動 manage
用熟

スマホを買ったが、なかなか使いこなせない。
　　　　　か　　　　　　　　　　つか

I bought a smartphone, but I have trouble managing it.
买了智能手机，但用不熟练。

500 使い分ける
つか　わ
動 use properly
分用途使用

弟は2つのスマホを使い分けている。
おとうと　　　　　　　　つか　わ

My brother manages to use two smartphones.
弟弟有两个智能手机分用途使用。

501 手引き〈する〉
てび
名 manual
入门指南

新しいスマホの手引きをじっくり読む。
あたら　　　　　　　てび　　　　　　よ

I read the manual of the new smartphone carefully.
认真地看新智能手机的入门指南。

502 把握 〈する〉
はあく
名 grasp
把握

説明書を読んでも、パソコンの操作を<u>把握</u>できない。
せつめいしょ よ　　　　　　　　　　そうさ　はあく

I can't grasp how to operate the PC even after reading the manual.
即使看说明书，也把握不好电脑的操作。

503 加入 〈する〉
かにゅう
名 subscribe
加入

念のためスマホの保険に<u>加入する</u>。
ねん　　　　　　　　　　ほけん　かにゅう

I subscribed to the smartphone insurance just in case.
为以防万一加入了智能手机的保险。

504 規約
きやく
名 terms
条约

<u>規約</u>をよく読んでから契約する。
きやく　　　　よ　　　　　けいやく

I signed the contract after reading the terms carefully.
仔细看条约后签约。

505 進化 〈する〉
しんか
名 progress
进化

情報処理の技術は日々<u>進化して</u>いる。
じょうほうしょり　ぎじゅつ　ひびしんか

Information technology is progressing daily.
信息处理技术日新月异。

506 変遷 〈する〉
へんせん
名 transition
变迁

通信環境は時代とともに<u>変遷する</u>。
つうしんかんきょう　じだい　　　　へんせん

The communication environment changes with the passing of time.
通信环境随着时代而变迁。

507 配信 〈する〉
はいしん
名 distribute
发布

ささいな日常の出来事を<u>配信する</u>。
にちじょう　できごと　はいしん

I distribute comments about simple daily occurrences.
发布日常的点滴生活。

508 むやみな
ナ形 without discretion
胡乱

SNSで<u>むやみに</u>知り合いを作るのは危険だ。
し　あ　　　つく　　　　きけん

It is dangerous to make friends without discretion on social media.
在社交网络上随便交友很危险。

509 もってのほか
慣 impermissible
岂有此理

人のスマホをのぞくなんて、<u>もってのほか</u>だ。
ひと

Looking into someone else's smartphone is impermissible.
偷看别人的手机，真是岂有此理。

➕ とんでもない no way / 骇人听闻

510 複数
ふくすう
名 several
复数

メールは<u>複数</u>の人に連絡するときに便利だ。
ふくすう　ひと　れんらく　　　　　　べんり

Email is convenient when contacting several people at once.
邮件用来同时联络复数的人很方便。

 単数
たんすう

511 最低限
さいていげん

名 **minimum**
最低限度

スマホは便利だが、最低限のマナーは必要だ。
べんり　　　　　　さいていげん　　　　　　　　　ひつよう

Smartphones are convenient but you need to practice basic manners.
虽说智能手机很方便，但也需要最低限度的礼貌。

512 入手〈する〉
にゅうしゅ

名 **obtain**
获取

現代は簡単に情報が入手できて便利だ。
げんだい　かんたん　じょうほう　にゅうしゅ　　　べんり

It's convenient to be able to obtain information easily today.
现代社会能简单地获取信息，很方便。

513 ぶれる

動 **blur/not waver**
抖动，善变

①この機種は手が震えると、写真がぶれる。
　　　きしゅ　て　ふる　　　しゃしん
②あの人は考えのぶれない人だ。
　　　ひと　かんが　　　　　　ひと

① When taking photos using this model, the photos get blurry if your hands shake when you take it.
② His beliefs do not waver.
①这款手机手抖的话，照片会模糊掉。
②那个人是个不太改变想法的人。

➕①手ぶれ shaking hands / 手抖让照片模糊
　　て

👆 ① the image blurs because the camera moved when taking the picture ② continues to change and nothing stays the same / ①拍照时相机晃动造成相片模糊②容易改变不贯彻到底

514 匿名
とくめい

名 **anonymity**
匿名

ネットは匿名性があるだけに危険な点も多い。
　　　　とくめいせい　　　　　　　きけん　てん　おお

There are many dangerous aspects to the Internet because of its anonymity.
正因为网上是匿名的，所以有诸多危险的地方。

➕匿名希望 request anonymity / 希望匿名・仮名 a false name / 假名
　とくめい きぼう　　　　　　　　　　　　　　かめい

515 中傷〈する〉
ちゅうしょう

名 **criticism**
中伤

人を中傷することは許されない。
ひと　ちゅうしょう　　　　　ゆる

It is impermissible to criticize people.
不能容忍中伤别人。

516 費やす
つい

動 **spend**
使用，浪费

①5年の開発期間を費やして、新機種が誕生した。
　　ねん　かいはつきかん　つい　　　　しんきしゅ　たんじょう
②一日の大半をゲームで費やすなんてもったいない。
　いちにち　たいはん　　　　　　つい

① The new model was born after spending five years in development.
② It's wasteful to spend most of the day playing games.
①花了 5 年的时间开发了新机种。
②一天大半的时间都浪费在了游戏上，太不值得了。

👆 ① use time and money ② use something wastefully and lose it / ①使用钱或时间②浪费后没有了

517 ほどほど

名 **moderation**
适当

ネット利用もほどほどにするべきだ。
　　　りよう

You should use the internet in moderation.
应当适当使用网络。

518 □	一概に [〜ない] いちがい	便利な時代がいい時代とは一概には言えない。 べんり　じだい　　　じだい　　いちがい　　い
副	**unanimously (not)** 笼统地	Convenient times do not necessarily mean good times. 便捷的时代不能笼统地理解为好时代。
519 □	しげしげ [と]	電車で多くの人がしげしげとスマホを見つめる。 でんしゃ　おお　ひと　　　　　　　　　　　み
副	**frequently, fixedly** 屡次	Many people stare fixedly at their smartphones on the trains. 电车上很多人频繁地看手机。

これも 覚えよう！ ❻
おぼ

➕ **接辞❻** 接辞　Affix ⑥ / 词缀⑥
せつじ

● **ぶち〜：強い力で〜**　※動詞によって「ぶっ〜」「ぶん〜」に変わる。
つよ ちから　　　　どうし　　　　　　　　　　　　　か

ぶち当たる あ	collide with / 正中
ぶちのめす	slam / 击溃
ぶちまける	take out on / 倾倒
ぶっ叩く たた	thump / 重击
ぶっ壊す こわ	destroy / 砸坏
ぶっ倒れる たお	collapse / 猛然倒下
ぶっ潰す つぶ	smash / 粉碎
ぶっ飛ばす と	strike hard / 吹跑，飞驰，狠揍
ぶん殴る なぐ	knock out hard / 殴打
ぶん投げる な	throw hard / 乱扔

N1

Chapter

5

会社で
かいしゃ

At the Office
公司

就職
しゅうしょく

Finding Employment / 就职

520
有望な
ゆうぼう

ナ形 **promising**
有潜力

将来が<u>有望な</u>企業に就職したい。
しょうらい　　ゆうぼう　　きぎょう　しゅうしょく

I want to join a company whose future is promising.
将来想在有潜力的企业工作。

➕ 前途有望な promising future / 前程似锦
ぜんとゆうぼう

521
弊社
へいしゃ

名 **our company (humble honorific)**
我公司

なぜ<u>弊社</u>への入社を希望しているのですか。
へいしゃ　　　にゅうしゃ　きぼう

Why do you want to join our company?
为什么想来我们公司呢。

＝ 小社
しょうしゃ

522
新卒
しんそつ

名 **new graduate**
应届毕业生

日本では<u>新卒</u>向けの求人が多い。
にほん　　　しんそつむ　　きゅうじん　おお

There are many job applications for fresh graduates in Japan.
在日本针对应届毕业生的招聘很多。

➕ 中途(採用) midcareer hire / 有经验者(招聘)
ちゅうと さいよう

523
概要
がいよう

名 **outline**
概要

企業の<u>概要</u>をサイトで確認する。
きぎょう　がいよう　　　　　かくにん

I checked out the company's outline on the Internet site.
在网站上确认公司概况。

➕ アウトライン outline / 纲要

524
情熱
じょうねつ

名 **passion**
热情

面接では仕事への<u>情熱</u>をアピールしたい。
めんせつ　　しごと　　じょうねつ

I want to show my passion for work at the interview.
在面试时表达自己对工作的热情。

➕ 意欲 willingness / 积极性
いよく

525
身だしなみ
み

名 **personal appearance**
修饰边幅

就職活動では<u>身だしなみ</u>も重要な要素だ。
しゅうしょくかつどう　　み　　　　じゅうよう　ようそ

Personal appearance is also an important aspect when seeking for a job.
在求职活动中注重仪容是很重要的要素。

526
気合
きあい

名 **energy, enthusiasm**
精力

就職活動に向けて<u>気合</u>を入れる。
しゅうしょくかつどう　む　　　きあい　い

I put everything I have into looking for a job.
集中精神投入就职活动。

527 臨む
のぞ

①十分に準備をして面接に臨む。
じゅうぶん じゅん び めんせつ のぞ
②海を臨むホテルに泊まりたい。
うみ のぞ と

動 engage/view
参加，面対

① I want to prepare carefully for the interview.
② I want to stay in a hotel with a view of the sea.
①充分准备后参加面试。
②想住在海景酒店。

👉 ① participate ② face / ①出席，出场②面对

528 簡潔〈な〉
かんけつ

簡潔に自己ピーアールをどうぞ。（ナ形）
かんけつ じ こ

名 ナ形 brief/briefly
简洁

Please tell us about yourself briefly.
请简单地自我宣传一下。

529 欄
らん

毎日のように求人の欄に目を通している。
まいにち きゅうじん らん め とお

名 column
栏

I look through the classified ads almost every day.
每天都扫一下招聘栏。

530 同上
どうじょう

現在の住所と連絡先が同じ場合、連絡先は「同
げんざい じゅうしょ れんらくさき おな ば あい れんらくさき どう
上」で結構です。
じょう けっこう

名 same as above
同上

If your current address is the same as the contact information,
then just write "same as above" for your contact information.
现住址和联系方式相同的情况下，请在联系方式上写"同上"即可。

531 プロフィール

プロフィールに資格などを書き込む。
し かく か こ

名 profile
人物简介

I write my qualifications in my profile.
人物简介里写上资格证书等。

532 プラスアルファ

学歴に加え、プラスアルファの能力をアピールする。
がくれき くわ のうりょく

名 extra, additional
追加项

I tell them about my additional abilities along with my
educational background.
除学历以外也宣传自己的一些别的能力。

👉 also written プラスα / 也写成"プラスα"

533 駆使〈する〉
く し

語学力を駆使して、外資系の企業で働きたい。
ご がくりょく く し がい し けい き ぎょう はたら

名 full use
运用

I want to work at a foreign company where I can make full
use of my language skills.
想运用语言能力在外资企业工作。

534 考慮〈する〉
こうりょ

A社はこちらの事情を考慮して、面接日を変更し
しゃ じ じょう こうりょ めんせつ び へんこう
てくれた。

名 consider
考虑

Company A considered my situation and changed the
interview date.
A公司考虑到我的情况，帮我调整了面试日程。

535 携わる
たずさ

動 involved in
相关

福祉に携わる仕事がしたい。
ふくし たずさ しごと

I want to work in welfare.
想做和福祉有关的工作。

536 心構え
こころがま

名 frame of mind
思想准备

入社と同時に社会人としての心構えが不可欠だ。
にゅうしゃ どうじ しゃかいじん こころがま ふかけつ

You need a frame of mind as a working adult the moment you enter the company.
入社时做好身为一个社会人的心理准备很重要。

537 はきはき[と]〈する〉

副 clearly
干脆

難しい質問にもはきはきと答えられた。
むずか しつもん こた

I was able to answer difficult questions clearly.
很难的问题也回答得很干脆。

538 振る舞う
ふ ま

動 act
行动

たぶん面接中は自然に振る舞えたと思う。
めんせつちゅう しぜん ふ ま おも

I think I was able to act naturally during the interview.
大概面试时自然表现了自己的本来的样子。

➕ 行動〈する〉action / 行动
こうどう

539 誇張〈する〉
こ ちょう

名 exaggeration
夸大

面接では誇張せず、事実をそのまま述べた。
めんせつ こちょう じじつ の

I don't exaggerate during the interview and just say the facts.
面试时没夸大，把事实情况直白地说了。

540 代わる代わる
か が

副 one after another
交替

5人の面接官から代わる代わる質問を受けた。
にん めんせつかん か が しつもん う

The five interviewers asked questions one after another.
5个面试官轮流着提问。

➕ 順々に one by one / 順次
じゅんじゅん

541 雑談〈する〉
ざつだん

名 small talk
闲谈

まず雑談のようなスタイルで面接が始まった。
ざつだん めんせつ はじ

The interview started with small talk.
面试先是从闲谈开始的。

542 洞察力
どうさつりょく

名 observation skill
洞察力

ある質問で洞察力をチェックされた。
しつもん どうさつりょく

One question checked my observation skills.
有个问题考察了洞察力。

543 露骨な
ろこつ

ナ形 obvious
露骨

皮肉を言われて、露骨に嫌な顔をしてしまった。
ひにく い ろこつ いや かお

I made a face after being spoken to sarcastically.
被讽刺所以毫无掩饰地露出了讨厌的表情。

544 開封〈する〉
かいふう

名 open
开封

どきどきしながら、会社からの通知を開封する。
かいしゃ つうち かいふう

My heart pounded as I opened the notice from the company.
心跳加速着打开公司寄来的通知。

545 あっせん〈する〉
いっせん
名 placement
帮助介绍

就職をあっせんしてくれる業者に問い合わせた。
しゅうしょく　　　　　　　　　　ぎょうしゃ　と　あ
I made an inquiry to the job placement company.
向帮助介绍工作的公司咨询。

➕ 仲介〈する〉 agent / 中介
ちゅうかい

546 逸材
いつざい
名 outstanding talent
英才

弊社では、国籍を問わず逸材を求めている。
へいしゃ　　　こくせき　と　　いつざい　もと
Our company seeks people with outstanding talent regardless of nationality.
我社不论国籍诚聘英才。

547 新人
しんじん
名 newcomer
新人

3月に入ると、新人の研修が始まる。
がつ　はい　　　しんじん　けんしゅう　はじ
Training for newcomers start in March.
进入 3 月后开始新人培训。

548 正規
せいき
名 full-time
正式

志望者の多くは正規社員として採用されることを
しぼうしゃ　おお　　せいきしゃいん　　　さいよう
希望している。
きぼう
Many of the applicants wish to work as a full-time employee.
很多意向者都希望被当作正式职员录用。

549 原則
げんそく
名 principle
原则

原則として3か月間は試用期間だ。
げんそく　　　　げつかん　しようきかん
As per our principles, the first three months will be the probation period.
原则上试用期为 3 个月。

550 おおむね
副 on the whole, substantially
大体上

就職率はおおむね回復してきたと言えるだろう。
しゅうしょくりつ　　　　かいふく　　　　い
The employment rate has substantially improved.
就业率算是大体上开始恢复了。

551 売り手
う て
名 seller
求职者，卖家

①今年の新卒採用は売り手市場だ。
ことし　しんそつさいよう　う て しじょう
②ネットオークションの売り手について調べる。
う て　　　　しら
① The job market for new graduates is said to be a seller's market this year.
② I research the seller of the Internet auction.
①今年的应届毕业生就职情况供大于求。
②查询有关网上拍卖的卖家相关信息。

↔ 買い手
か て

👉 ① someone who is looking for a job ② someone who sells items / ①就职活动的应聘者②卖东西的人

552 つきましては

採用が決定しました。<u>つきましては</u>、弊社においでください。
<small>さいよう　けってい</small>　　　　　　　　　　　<small>へいしゃ</small>

| 接続 | therefore 因此 | You have been accepted. Therefore please come to our company. 您已被录用，故请至我司。 |

➕ ついては therefore / 因此

👉 "tsukimashite-wa" is more formal than "tsuite-wa" / 与"ついては"相比，"つきましては"更礼貌。

これも 覚えよう！❼
<small>おぼ</small>

➕ 接辞⑦　Affix ⑦ / 词缀⑦
<small>せつじ</small>

● 〜っぽい：〜の性質がある。よく〜する
<small>　　　　　　せいしつ</small>

女っぽい <small>おんな</small>	feminine / 像女人
男っぽい <small>おとこ</small>	masculine / 像男人
子どもっぽい <small>こ</small>	childish / 孩子气
大人っぽい <small>おとな</small>	adult / 成熟
色っぽい <small>いろ</small>	sexy / 性感
安っぽい <small>やす</small>	cheap / 不值钱的
忘れっぽい <small>わす</small>	forgettable / 健忘
怒りっぽい <small>おこ</small>	easily get angry / 易怒
飽きっぽい <small>あ</small>	easily get bored / 不耐烦
愚痴っぽい <small>ぐち</small>	always complaining / 爱发牢骚
黒っぽい <small>くろ</small>	blackish / 发黑
白っぽい <small>しろ</small>	whitish / 发白
熱っぽい <small>ねつ</small>	feverish / 感觉有点发烧
湿っぽい <small>しめ</small>	damp / 湿乎乎

Section **2**

企業
きぎょう

Corporation / 企业

---

553 日系企業
にっけい きぎょう

名 **Japanese-affiliated company**
日企

彼は祖国の日系企業で働いている。
かれ　そこく　にっけい きぎょう　はたら

He works at a Japanese-affiliated company in his home country.
他在祖国的日企工作。

➕ 合弁企業 joint venture / 合并企业
ごうべん きぎょう

---

554 外資系企業
がい し けい きぎょう

名 **foreign-affiliated company**
外企

外資系企業は実力主義だと言われている。
がい し けい きぎょう　じつりょくしゅ ぎ　い

Foreign companies are said to be based on meritocracy.
很多人说外企是实力主义。

---

555 利益
り えき

名 **profit**
利益

A社は一つの商品で莫大な利益を得た。
しゃ ひと　しょうひん　ばくだい　りえき　え

Company A profited greatly from just one product.
A 公司因一个产品获得了巨大的利润。

---

556 経費
けい ひ

名 **cost**
经费

景気の悪化で、企業の多くは経費の削減を検討している。
けい き　あっか　きぎょう　おお　けい ひ　さくげん　けんとう

Many companies are considering cutting back costs due to the worsening economy.
因景气恶化很多企业都在商讨削减经费。

---

557 バンク

名 **bank**
银行，储存体

①A社はメインバンクを変えた。
しゃ　か
②流行を知るためにデータバンクを利用する。
りゅうこう　し　りよう

① Company A changed its main bank.
② I used the data bank to learn about the trend.
① A 公司更改了往来银行。②为了解流行现状使用数据库。

➕ ①メガバンク mega-bank / 合并大银行

👉 ① bank ② a place to store something valuable in great amounts / ①bank②储存重要东西的地方

---

558 負債
ふ さい

名 **debt**
负债

うちの会社は大きな負債を抱えたため、倒産した。
かいしゃ　おお　ふ さい　かか　とうさん

Our company went bankrupt for carrying a massive debt.
我们公司由于巨额负债倒闭了。

➕ 負債額 amount of debt / 负债额
ふ さいがく

---

559 派遣〈する〉
は けん

名 **dispatch**
派遣

この会社には派遣社員が多い。
かいしゃ　は けんしゃいん　おお

This company has many temporary workers.
这个公司的派遣社员很多。

➕ 人材派遣 temp staffing / 人才派遣
じんざい は けん

Section 2

560

エリート
（名）elite
精英

彼は会社の将来を担うエリートとして採用された。
かれ　かいしゃ　しょうらい　にな　　　　　　　　　　　　さいよう

He has been hired as an elite who will eventually lead the company's future.
他作为担负公司未来的精英被录用了。

➕エリート社員 elite employee / 精英社员・エリート意識 elitism / 精英意识
　　　　しゃいん　　　　　　　　　　　　　　　　　　　　　　　いしき

561

確保 〈する〉
かくほ
（名）secure
确保

災害発生時に企業が生産性を確保するのは難しい。
さいがいはっせいじ　きぎょう　せいさんせい　かくほ　　　　　むずか

It is difficult for a company to secure its productivity when a disaster strikes.
灾害发生时企业很难确保生产。

562

営む
いとな
（動）conduct
从事

当社は長年貿易業を営んでいる。
とうしゃ　ながねんぼうえきぎょう　いとな

Our company has been conducting trading business for a long time.
我社长年从事贸易行业。

563

売買 〈する〉
ばいばい
（名）buy and sell
买卖

小社は主に農産物の売買を行っている。
しょうしゃ　おも　のうさんぶつ　ばいばい　おこな

We mainly sell agricultural products.
我社主营农产品买卖。

564

規定
きてい
（名）terms
规定

会社の規定に従って働く。
かいしゃ　きてい　したが　はたら

We work according to the terms of the company.
根据公司规定进行工作。

➕規格 terms / 规格
　　きかく

565

好調 〈な〉
こうちょう
（名）good condition/doing good
（ナ形）形势良好

新しい商品の売れ行きは好調だ。（ナ形）
あたら　しょうひん　う　ゆ　　こうちょう

The new product is selling well.
新产品的销路很好。

↔不調〈な〉　➕快調〈な〉 excellent condition / 顺利
　ふちょう　　　　かいちょう

566

築く
きず
（動）build
建立

ビジネスはまず信用を築くことが大切だ。
しんよう　きず　　　　たいせつ

It is important to build trust first in business.
做生意先建立信赖关系很重要。

567

セクション
（名）section
部门，领域

①中国語が生かせるセクションで働いている。
ちゅうごくご　い　　　　　　　　　はたら
②セクションを問わず、部長はいろいろなことを
と　　　ぶちょう
知っている。
し

① I work in a section where I can use my Chinese language skills.
② Regardless of the section, the manager knows about many things.
①在能活用汉语的部门工作。
②部长知道各个部门的各种事。

👉 ① section of a company ② area / ①公司的部门②领域

---

568 上向く
うわ む

動 face upward, improve
好转

景気が回復し、会社の実績も上向いている。
けい き　かいふく　　かいしゃ　じっせき　うわ む

The economy is recovering and the company earnings are improving.
景气恢复，公司的业绩也好转起来了。

➡️ 下向く
　　　した む

➕ 上向き improving / 趋涨
　　うわ む

569 仕える
つか

動 work for
侍奉

尊敬する社長にずっと仕えたい。
そんけい　　しゃちょう　　　　つか

I want to continue working for the president whom I respect.
想为令人尊敬的社长一直效力。

570 削減 〈する〉
さくげん

名 reduce
削减

来年度の予算は大幅に削減された。
らいねん ど　よ さん　おおはば　さくげん

Next fiscal year's budget underwent a large reduction.
下一年度的预算被大幅削减了。

➕ 削る shave, grate / 削去
　　けず

571 切り抜ける
き ぬ

動 get through
闯过

何とか会社の危機を切り抜けた。
なん　　かいしゃ　き き　き ぬ

We barely managed to avoid the company's crisis.
公司设法渡过了难关。

➕ 乗り越える overcome / 越过
　　の こ

572 特許
とっきょ

名 invention
专利

画期的な発明で特許を取得した。
かっ き てき　はつめい　とっきょ　しゅとく

We obtained a patent for an innovative invention.
因划时代的发明获得了专利。

➕ 特許申請〈する〉 patent application / 专利申请
　　とっきょしんせい

573 転じる
てん

動 turn
改变

会社の利益がようやくプラスに転じた。
かいしゃ　り えき　　　　　　　　てん

Our company's profit finally turned in black.
公司的利润总算变正数了。

574 公私
こう し

名 public and private
公私

日本企業では公私をしっかり分ける。
に ほん き ぎょう　こう し　　　　わ

Japanese companies are careful to separate public and private.
日本企业公私分明。

575 混同 〈する〉
こんどう

名 mix
混为一谈

職場では公私混同を避けるべきだ。
しょく ば　　こう しこんどう　さ

You should avoid mixing public and private affairs at work.
在职场上应该避免公私不分明的情况。

➕ プライベート〈な〉 private, privately / 私人，私人的

576 あながち ［〜ない］

副 necessarily
未必

この会社の将来はあながち悪くはない。
かいしゃ　しょうらい　　　　　　　　わる

The future of this company is not necessarily so bad.
这个社会的未来未必不好。

577 いざ知らず
し

慣 I don't know about...but
姑且不说

他社のことはいざ知らず、当社の経営は安定して
たしゃ　　　　し　　　　　　とうしゃ　けいえい　あんてい
いる。

I don't know about other companies, but our company's
management is stable.
别的公司不得而知，我司经营情况很稳定。

578 多かれ少なかれ
おお　　すく

副 to a greater or lesser
extant
或多或少

どの企業も多かれ少なかれ問題を抱えている。
きぎょう　おお　　すく　もんだい　かか

All companies have problems to some degree.
每个公司或多或少都会有问题。

➕ どっちにしても in either case / 无论怎样

579 遅かれ早かれ
おそ　　はや

副 sooner or later
早晚

遅かれ早かれ、A社は倒産するだろう。
おそ　　はや　　　　しゃ　とうさん

Sooner or later, Company A will go bankrupt.
A 公司早晚会倒闭的吧。

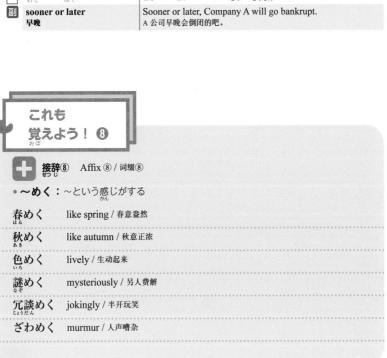

これも
覚えよう！ ⑧
おぼ

➕ 接辞⑧　Affix ⑧ / 词缀⑧
せつじ

● 〜めく：〜という感じがする
かん

春めく　　like spring / 春意盎然
はる

秋めく　　like autumn / 秋意正浓
あき

色めく　　lively / 生动起来
いろ

謎めく　　mysteriously / 另人费解
なぞ

冗談めく　jokingly / 半开玩笑
じょうだん

ざわめく　murmur / 人声嘈杂

Section 3

仕事
しごと

Work / 工作

---

580 適性
てきせい

名 adequacy, competence
适应性

仕事の適性を考慮して人事を行う。
しごと てきせい こうりょ じんじ おこな

Job assignments are based on competence.
考虑工作的适应性来做人事安排。

✚ 適性検査 aptitude test / 适应性测试
てきせいけんさ

---

581 はかどる

動 make good progress
进展

なかなか予定通りに仕事がはかどらない。
よていどお しごと

The job does not proceed as planned.
工作没法像预计的那样进展。

520-672

---

582 手掛ける
て が

動 handle
亲自做

新しく手掛けるプロジェクトが楽しみだ。
あたら て が たの

I am looking forward to the new project I am going to work on.
自己亲手做的新项目很令人期待。

---

583 打ち込む
う こ

動 concentrate
投入，打入

①時間を忘れて、仕事に打ち込む。
じかん わす しごと う こ
②相手のコートに思いきりボールを打ち込んだ。
あいて おも う こ

① I forgot the passing of time and got engrossed in work.
② I hit the ball with all my might toward the opposition's court.
①废寝忘食地投入工作。
②把球狠狠地打入了对方的球场。

☞ ① become engrossed in something ② strike an object in order to get it inside something / ①对某事拼命干 ②打进

---

584 負う
お

動 shoulder
担负

この仕事は大きな責任を負うが、やりがいがある。
しごと おお せきにん お

This job comes with great responsibility but it is rewarding.
这个工作虽说要担负重大的责任，但值得做。

---

585 先方
せんぽう

名 other party
对方

具体的に進める前に、先方の意見を聞く。
ぐたいてき すす まえ せんぽう いけん き

We ask for the opinion of the other party before proceeding further.
在具体推进之前，先听听对方的意见。

---

586 議題
ぎだい

名 agenda
议题

今日の会議は特に議題はなさそうだ。
きょう かいぎ とく ぎだい

There seems to be no agenda at today's meeting.
今天的会议好像没有特别的议题。

103

587 了承 〈する〉
りょうしょう

名 approval
了解

条件次第で先方も了承してくれるだろう。
じょうけん し だい せんぽう りょうしょう

The other party will likely approve depending on the conditions.
对方应该也会看条件同意的吧。

---

588 出向く
で む

動 meet in person
前往

本件は先方に出向いて交渉する必要がある。
ほんけん せんぽう で む こうしょう ひつよう

It is important to meet the other party in person and negotiate.
这件事需赴对方处进行交涉。

---

589 手数
て すう

名 trouble
麻烦

お手数をかけました。
て すう

I'm sorry for the trouble.
给您添麻烦了。

👉 also read てかず / 也读成"てかず"。

---

590 承る
うけたまわ

動 acknowledge
知晓

その件、承りました。
けん うけたまわ

I acknowledge that case.
此事宜已知晓。

---

591 例の
れい

連体 that
那件

例の件は、その後いかがでしょうか。
れい けん ご

How is that case proceeding?
那件事情，后来怎么样了。

➕ 例の話 that story / 那件事・例の件 that case / 那件事
れい はなし れい けん

---

592 取り急ぎ
と いそ

副 hastily
立即

・取り急ぎ、ご報告まで。
と いそ ほうこく
・取り急ぎ、お礼まで。
と いそ れい

I hasten to report you of the current situation.
I hasten to thank you.
速报之。
速表敬意。

👉 used mostly in letters and email / 主要用于书信及邮件中。

---

593 企画 〈する〉
き かく

名 plan
企划

新しいキャンペーンを企画する。
あたら き かく

I will plan a new campaign.
企划新的促销活动。

---

594 受け持つ
う も

動 be in charge
掌管

このプロジェクトを受け持つことになった。
う も

I am going to be in charge of this project.
我将负责这个项目。

---

595 分担 〈する〉
ぶんたん

名 sharing
分担

同じセクションで仕事を分担する。
おな し ごと ぶんたん

We will share this assignment within the same section.
同一部门分担工作。

➕ 分業 〈する〉 division of labor / 分工
ぶんぎょう

596 連携〈する〉
れんけい

名 coordination
合作

どんな仕事も連携することが重要だ。
しごと　　れんけい　　　　　　じゅうよう

It's important to coordinate with others in any kind of job.
不论是什么工作，合作都是很重要的。

➕ 連携プレー team play / 合作
れんけい

---

597 連帯〈する〉
れんたい

名 all together
连带

何かミスがあったら、連帯で責任を負う。
なに　　　　　　　　　　れんたい　せきにん　お

If something goes wrong, we all take responsibility.
出什么错的话，要负连带责任。

➕ 連帯感 sense of solidarity / 连带意识・連帯責任 joint responsibility / 连带责任
れんたいかん　　　　　　　　　　　　　　　　れんたいせきにん

---

598 組み込む
く　こ

動 include
编入

宣伝費を予算に組み込む。
せんでんひ　よさん　く　こ

I will include PR cost in the budget.
宣传费也纳入预算中。

---

599 根回し〈する〉
ねまわ

名 behind-the-scene negotiation
事前疏通

交渉する前に根回ししておこう。
こうしょう　　まえ　ねまわ

Conduct behind-the-scenes negotiation before the actual negotiation.
交涉前先要事前疏通。

---

600 出社〈する〉
しゅっしゃ

名 going to work
出勤

出社してすぐに打ち合わせが始まった。
しゅっしゃ　　　　　う　あ　　　　はじ

The meeting started as soon as I reached the office.
一上班就开会了。

---

601 代理〈する〉
だいり

名 proxy
代理

部長の代理で会議に出席することになった。
ぶちょう　だいり　かいぎ　しゅっせき

I was to participate in the meeting in place of the manager.
由我代理部长出席会议。

➕ 代行〈する〉 acting / 代理公司・ピンチヒッター pinch hitter / 关键时刻的代理人
だいこう

---

602 取り次ぐ
と　つ

動 pass on
通报

クライアントからの電話を部長に取り次いだ。
でんわ　ぶちょう　と　つ

I passed on the phone call from the client to the manager.
将顾客来电接给了部长。

---

603 バトンタッチ〈する〉

名 handover
交接

仕事の担当を新人にバトンタッチした。
しごと　たんとう　しんじん

I handed over the assignment I was in charge to my junior co-worker.
负责的工作交接给了新人。

➕ 交代〈する〉 exchange / 交替
こうたい

604 オファー〈する〉	有名なデザイナーに仕事を<u>オファーした</u>。
名 offer 提供	I offered a job to a famous designer. 把工作交给了一个有名的设计师。

605 立腹〈する〉 りっぷく	会社の利益が減り、社長が<u>立腹</u>している。
名 angry 生气	The president is angry that the company profit is dropping. 公司的利润减少，社长很生气。

👉 often used in an expression to calm the opposite party down, such as ご立腹はもっともですが (I understand your anger but...) / 常用 "ご立腹はもっともですが" 来劝解对方。

606 軽減〈する〉 けいげん	忙しすぎる。社員の負担を<u>軽減</u>するべきだ。
名 lessen 减轻	We're too busy. The workload of the employees should be lessened. 太忙了，应减轻社员的负担。

607 労力 ろうりょく	予定よりプロジェクトが大きくなり、<u>労力</u>が足りない。
名 effort 劳动力	The project grew larger than initially planned, so we need to put in more effort. 原计划的项目越来越大，劳动力不足。

➕ 労働力 labor force / 劳动力

608 ノルマ	仕事の<u>ノルマ</u>がきつくて、退職する人もいる。
名 quota 业绩指标	People are quitting because of the strict quota. 工作的业绩指标太高了，也有人因此离职。

609 新入り しんいり	<u>新入り</u>に仕事を教える。
名 newcomer 新手	I will teach the newcomer about work. 教新手工作。

610 弱音 よわね	彼はどんなに難しい仕事でも、一切<u>弱音</u>を吐かない。
名 whine 泄气话	No matter how hard the job is, he does not whine. 他不论多难的工作都不说一句泄气话。

➕ 泣き言 complaint / 怨声

611 マンネリ	部長のアイディアは<u>マンネリ</u>に陥っていると思う。
名 rut 固步自封	The manager's ideas are in a rut. 我觉得部长的主意简直是固步自封。

➕ マンネリ化〈する〉 stuck in a rut / 墨守成规

612 □ 名	上の空 _{うわ そら} absent-minded 心不在焉	朝から上の空で、部長に注意された。 _{あさ　　うわ そら　　　ぶちょう　ちゅうい} The manager reprimanded me for being absent-minded from the morning. 早上开始心不在焉被部长提醒了。
613 □ 副	いやいや unwilling 不情愿的	いやいやする仕事なら、辞めた方がいい。 _{しごと　　　　や　　ほう} You might as well quit if you're working unwillingly. 不情愿做的工作还是辞了的好。
614 □ 名	打ち上げ _{う　あ} job-well-done party 庆功	プロジェクトが無事に終わり、打ち上げをした。 _{ぶじ　お　　　　う　あ} The project ended successfully and we had a job-well-done party. 项目顺利完成，一起庆功了。

👉 used also when shooting up something in the sky such as rockets or fireworks / 火箭或烟花等发射上空时也使用。

615 □ 動	兼ねる _か double as 兼备	明日の飲み会は送別会も兼ねている。 _{あした　の　かい　そうべつかい　か} Tomorrow's drinking party will double as a farewell party. 明天的聚餐也是送别会。
616 □ 動	差し支える _{さ　つか} interfere 影响	お酒を飲みすぎると、翌日の仕事に差し支える。 _{さけ　の　　　　　よくじつ　しごと　さ　つか} Drinking too much will interfere with your work tomorrow. 喝太多酒会影响第二天的工作。
617 □ 名	教訓 _{きょうくん} lesson 教训	今回の反省を教訓に、次も頑張ろう。 _{こんかい　はんせい　きょうくん　　つぎ　がんば} Lets learn from our mistakes this time around and do our best next time. 把这次的反省作为教训，下次再接再厉。

➕ 教え_{おし} teachings / 教导

上下関係
じょうげ かんけい

Hierarchical Relationship / 上下级关系

---

618 慎む
つつし

動 **hold back**
謹慎，节制

①上司に対しては、言葉を慎まないといけない。
じょうし　たい　　　　ことば　つつし

②健康のために、酒を慎んでいる。
けんこう　　　　　　さけ　つつし

① You must watch your words toward your boss.
② I'm holding back on alcohol for health reasons.
①对上司措辞要谨慎。
②为了健康喝酒要节制。

➕ 慎み modesty / 谨言慎行
つつし

👉 ① stay within social norms and common sense ② trying to keep it moderate / ①不超过社会规定及常识②不过度

---

619 わきまえる

動 **discern**
识别

日本人は身分をわきまえて敬語を使う。
にほんじん　みぶん　　　　　　けいご　つか

Japanese use honorifics after discerning his or her position in society or a group.
日本人根据对方的身份使用敬语。

---

620 一から十まで
いち　　じゅう

慣 **from A to Z**
全部

新人の時は、一から十まで先輩に教わった。
しんじん　とき　　いち　じゅう　　せんぱい　おそ

An older co-worker taught me everything from A to Z when I was a newcomer.
新人的时候，向前辈讨教了所有。

---

621 気兼ね〈する〉
き　が

名 **feeling hesitant**
顾虑

田中さんは気兼ねせずに話せる上司だ。
たなか　　　　き　が　　　　はな　じょうし

Tanaka-san is a boss that I can talk to without hesitation.
田中是个毫无顾虑什么都能和他说的上司。

---

622 気が引ける
き　ひ

慣 **feel shy, feel awkward**
难为情

先輩に仕事を頼むのは気が引ける。
せんぱい　しごと　たの　　　　き　ひ

I feel awkward about asking my elder co-worker to do something at work.
不好意思向前辈拜托工作的事。

---

623 年配
ねんぱい

名 **elderly**
上年纪的

A社には年配の社員が多い。
しゃ　　　ねんぱい　しゃいん　おお

Company A has many elderly employees.
A公司有很多上了年纪的社员。

➕ 中年 middle-aged / 中年
ちゅうねん

---

624 一目置く
いちもく　お

慣 **give due respect, acknowledge someone's superiority**
甘拜下风，佩服

社長も佐々木部長には一目置いている。
しゃちょう　ささき　ぶちょう　　いちもく　お

Even the president respects Manager Sasaki.
连社长也佩服佐佐木部长。

---

625 名	拝借〈する〉 はいしゃく **borrow** 借	部長、会議の資料を拝借します。 ぶちょう　かいぎ　しりょう　はいしゃく Manager, allow me to borrow the meeting's reference material. 部长，我借用一下会议的资料。

626 ナ形	寛大な かんだい **forgiving** 宽容	寛大な上司に恵まれて幸せだ。 かんだい　じょうし　めぐ　しあわ I am blessed to have a forgiving boss. 有个宽宏大量的上司真幸福。

➕ 寛容な forgiving / 宽容
かんよう

627 慣	大目に見る おおめ　み **overlook one's fault** 不加追究	ミスをしても、上司が大目に見てくれた。 じょうし　おおめ　み The boss was willing to overlook my fault at work. 即使犯错了上司也不加追究。

628 慣	長い目で見る なが　め　み **give something/someone time** 长远来看	彼女はまだ入社1年目だから長い目で見よう。 かのじょ　にゅうしゃ　ねんめ　なが　め　み She's just in her first year in the company so we will give her some time. 她进公司才头一年眼光要放长远。

629 動	促す うなが **urge** 催促	残業していたら、早く帰るよう促された。 ざんぎょう　はや　かえ　うなが I was working overtime when I was urged to go home. 一加班就被催着快回家。

➕ 催促〈する〉 reminder / 催促
さいそく

630 名	却下〈する〉 きゃっか **reject** 驳回	初めて提出した企画は、すぐに却下された。 はじ　ていしゅつ　きかく　きゃっか My first proposal was immediately rejected. 第一次提出的企划，不久就被驳回了。

➕ 受理〈する〉 accept / 受理
じゅり

631 動	慕う した **love** 敬仰	社員はみんな社長を慕っている。 しゃいん　しゃちょう　した The employees all love the president. 社员们都很敬仰社长。

632 動	恐れ入る おそ　い **be grateful** 诚惶诚恐	ご心配をおかけし、恐れ入ります。 しんぱい　おそ　い I'm grateful that you worried about me. 让您担心了，真是不好意思。

Section 4

633 仰ぐ（あお）
動 seek/gaze up
请示，仰望

①尊敬する先輩に指導を仰ぐ。
②青空に感動して、天を仰いだ。

① I sought guidance from a senior co-worker I respect.
② The blue sky was so impressive I gazed up to the heavens.
①请我尊敬的前辈指导我。
②被湛蓝的天空感动，抬头仰望天空。

👉 ① ask an important favor ② look up in the sky by facing upward / ①拜托重要的事②脸朝上看天

634 とがめる
動 criticize
责备

上司から怠慢な態度をとがめられた。

My boss criticized me for my lazy attitude.
玩忽职守的态度被上司批评了。

➕ 非難〈する〉 criticize / 责难

635 準じる（じゅん）
動 confirm to
依照

4月から課長に準じる立場になる。

I will be the acting section chief from April.
4月开始就任相当于科长的职位。

636 対等〈な〉（たいとう）
名 ナ形 equal/equally
对等

能力を認められ、課長と対等に話せるようになった。（ナ形）

My ability was acknowledged, and now I'm able to speak to the section chief as an equal.
能力被认可，有了和科长平等对话的权利。

637 ため口（ぐち）
名 casual language used with one's peers
不礼貌的随口话

先輩にため口をきくなんて信じられない。

I can't believe you're speaking casually to your senior co-worker.
对前辈讲不礼貌的随口话真是不能相信。

➕ ため same age / 同岁

638 ぞんざいな
ナ形 rude
没礼貌

仕事でぞんざいな言葉を使うものではない。

You should not use such rude words at work.
工作上不能措辞粗鲁。

639 煙たい（けむ）
イ形 uncomfortable/smoky
令人拘束，呛人

①社長は社員にとって、煙たい存在だ。
②たばこを吸っている人が近くにいて煙たい。

① A president is an uncomfortable existence to the employees.
② Someone is smoking near me and it's smoky.
①社长对社员来说是令人发怵的存在。
②有人在附近抽烟呛死人了。

👉 ① become breathless, feeling uncomfortable ② be annoyed at smoke in one's face / ①窒息②烟雾扑面不舒服

640 前置き
まえお

名 introduction, preliminary remarks
开场白

部長の話は前置きが長すぎる。
ぶちょう　はなし　まえお　　なが

The introduction of the manager's speech is always too long.
部长讲话的开场白太长了。

641 くどい

イ形 lengthy, tedious
冗长

課長はいちいち説明がくどくて困る。
か ちょう　　　　せつめい　　　　　　こま

The section chief's explanation is always lengthy and annoying.
科长一一的说明太长了，真伤脑筋。

642 息苦しい
いきぐる

イ形 stressful/breathless
痛苦，呼吸困难

①上司との出張は息苦しい。
じょうし　しゅっちょう　いきぐる

②ストレスのせいか、急に息苦しくなることがある。
きゅう　いきぐる

① Traveling with the boss is stressful.
② I sometimes have trouble breathing. It may be because of stress.
①和上司一起出差真是痛苦。
②不知是不是压力的关系，有时突然呼吸困难。

👉 ① become breathless due to some form of pressure ② have difficulty breathing / ①有压迫感喘不过气②呼吸困难

643 理屈
りくつ

名 reason
道理

課長の話は理屈が多い。
か ちょう　はなし　り くつ　　おお

The chief's talk is filled with reasoning.
科长讲话道理很多。

➕ 理屈っぽい argumentative / 好讲道理・へ理屈 quibble / 歪理，诡辩
り くつ　　　　　　　　　　　　　　　　　　り くつ

644 へりくだる

動 act modestly, humbly
谦逊

彼のへりくだった態度は不愉快だ。
かれ　　　　　　　　たい ど　ふ ゆ かい

His modest attitude is annoying.
他过于卑躬屈膝的态度令人不快。

645 おだてる

動 cajole, smooth-talk
戴高帽

先輩におだてられて、大変な仕事を引き受けてしまった。
せんぱい　　　　　　　　たいへん　し ごと　ひ　う

My older co-worker smooth-talked me into taking up a very difficult assignment.
被前辈戴了高帽，接了个很辛苦的工作。

➕ ごまをする suck up / 拍马屁・持ち上げる raise / 抬高
も　あ

646 引き下がる
ひ　さ

動 back down
作罢

先輩と意見が対立しても、簡単には引き下がれない。
せんぱい　いけん　たいりつ　　　　かんたん　　ひ　さ

I can't back down easily even if I don't agree with my elder co-worker.
即使和前辈的意见不合，也不会轻易作罢。

➕ 手を引く pull by hand / 收手
て　ひ

647	パワハラ	社内でパワハラ問題が起きた。 しゃない　　　　　もんだい　お
名	**power harassment** 职权骚扰	An incident involving power harassment occurred at the company. 公司有职权骚扰的问题。

➕ セクハラ sexual harassment / 性骚扰・アカハラ academic harassment / 教员骚扰

これも覚えよう！⑨
おぼ

➕ 接辞⑨　Affix ⑨ / 词缀⑨
せつじ

● ～げ：見るからに～そうだ
み

寂しげ さび	lonely / 孤单的样子
悲しげ かな	mournful / 悲伤的样子
うれしげ	joyful / 欣喜的样子
楽しげ たの	merry / 高兴的样子
危なげ あぶ	dangerousness / 危险的样子，不牢靠的样子
自慢げ じ まん	boastful / 自夸的样子
得意げ とく い	proud / 得意的样子
親しげ した	friendly / 亲密的样子
言いたげ い	seeming to want to say something / 欲言又止的样子
意味ありげ い み	meaningful / 意味深长的样子
満足げ まんぞく	looking satisfied / 满意的样子
不満げ ふ まん	looking unsatisfied / 不满的样子
自信ありげ じ しん	looking confident / 自信十足的样子
自信なさげ じ しん	looking unconfident / 没有自信的样子

退職・転職
たいしょく　てんしょく

Quitting Jobs, Changing Jobs / 辞职・转职

648
経歴
けいれき

名 **resume**
经历

転職のために、これまでの経歴をまとめておく。
てんしょく　　　　　　　　　　けいれき

I summarize my resume in preparation for changing jobs.
为了换工作，总结现今为止的经历。

➕ 学歴 educational history / 学历・職歴 career history / 工作经历
がくれき　　　　　　　　　　　　　しょくれき

649
キャリア

名 **career**
履历

彼女は申し分ないキャリアを武器に大企業に転職
かのじょ　もう　ぶん　　　　　　　　　　ぶ き　だいきぎょう　てんしょく
した。

She used her impressive career as a weapon to enter a large corporation.
她以无可挑剔的履历作为武器跳槽去了大公司。

650
生かす
い

動 **take advantage of**
活用

A社なら、これまでのキャリアを十分に生かせる
　しゃ　　　　　　　　　　　　　　じゅうぶん　　い
だろう。

You will be able to take full advantage of your past career at Company A.
在 A 公司的话，能好好活用迄今为止的工作经验吧。

➕ 活用〈する〉 take advantage of / 活用
かつよう

651
図る
はか

動 **plan**
谋划

課長は外資系企業への転職を図っているそうだ。
か ちょう　がい し けい き ぎょう　　てんしょく　はか

The section chief seems to be planning to change jobs to a foreign corporation.
科长好像在考虑跳槽去外资企业。

652
事業
じぎょう

名 **business**
事业

自分で新しい事業を始めるのも選択肢の一つだ。
じ ぶん　あたら　じぎょう　はじ　　　　せんたく し　ひと

Starting your own business is one option.
自己开创新的事业也是一个选择。

653
起業〈する〉
き ぎょう

名 **new business**
创业

友人と一緒に起業するつもりだ。
ゆうじん　いっしょ　き ぎょう

I plan to start a new business with a friend.
想和朋友一起创业。

➕ 起業家 entrepreneur / 创业者
き ぎょう か

654
資金
し きん

名 **fund**
资金

新しいビジネスのための資金を集める。
あたら　　　　　　　　　　し きん　あつ

I will gather funds for my new business.
为新生意筹集资金。

➕ 留学資金 funds to study overseas / 留学资金・旅行資金 funds for travel / 旅游资金
りゅうがく し きん　　　　　　　　　　　　　　　　　　りょこう し きん

655 実業家
じつぎょうか

名 **businessman**
实业家

実業家として活躍するのが私の夢だ。
じつぎょうか　　かつやく　　わたし　ゆめ

My dream is to become a successful businessman.
我的梦想是成为一名实业家。

➕ 事業家 entrepreneur, businessman / 企业家
じぎょうか

---

656 共同
きょうどう

名 **joint**
共同

前の会社の同僚と共同で会社を設立した。
まえ　かいしゃ　どうりょう　きょうどう　かいしゃ　せつりつ

I started a new company jointly with a colleague from my previous company.
和老公司的同事合伙开了家公司。

➕ 単独 alone / 单独・共同経営〈する〉 joint management / 共同经营
たんどく　　　　　　　　　　きょうどうけいえい

---

657 野心
やしん

名 **ambition**
野心

成功するためには野心も必要だ。
せいこう　　　　　　やしん　ひつよう

Ambition is also necessary for success.
想要成功，野心也是很必要的。

➕ 野心家 ambitious person / 野心家
やしんか

---

658 コネ

名 **connection**
关系

コネを使って、根回しをしておこう。
つか　　　ねまわ

Let's use our connections to lay the groundwork.
通过人脉关系先事前疏通一下。

🟰 縁故
えんこ

👉 abbreviation of コネクション / "コネクション" 的缩略说法。

---

659 一か八か
いち　　ばち

慣 **take a risk**
碰运气

一度決めたからには、一か八かでやってみよう。
いちどき　　　　　　　　いち　ばち

Let's give it a try since we've decided to do it.
既然决定了，就碰碰运气吧。

---

660 承知〈する〉
しょうち

名 **consent**
允许

上司は事情を察して、退職を承知してくれた。
じょうし　じじょう　さっ　　　たいしょく　しょうち

My boss understood my circumstances and allowed me to quit the job.
上司体谅了实情，同意了我的辞职。

---

661 提示〈する〉
ていじ

名 **present**
提出

転職先の会社に条件を提示した。
てんしょくさき　かいしゃ　じょうけん　ていじ

I presented my conditions to the company that plans to hire me.
向转职公司提出了条件。

---

662 サイドビジネス

名 **side job**
第二职业

この会社ではサイドビジネスが認められている。
かいしゃ　　　　　　　　　　　みと

This company allows employees to have side jobs.
这个公司允许有第二职业。

663
家業
（かぎょう）

名 family business
家业

退職して家業を継ぐことになった。
（たいしょく　かぎょう　つ）

I am quitting the company to take over the family business.
辞职后继承了家业。

664
やり遂げる
（と）

動 complete
完成

今のプロジェクトをやり遂げてから辞めるつもりだ。
（いま　と　や）

I will quit after completing the current project.
现在的项目完成后想辞职了。

➕ 遂行〈する〉 carry out / 完成
（すいこう）

665
宛てる
（あ）

動 address
至

社長に宛てて退職願いを書いた。
（しゃちょう　あ　たいしょくねが　か）

I wrote a letter of resignation addressed to the company president.
写了封致社长的辞职信。

➕ ～宛ての addressed to / 致～的
（あ）

666
見計らう
（みはか）

動 chose something at one's own discretion
斟酌

部長に退職の話をするタイミングを見計らっている。
（ぶちょう　たいしょく　はなし　みはか）

I am looking for a good time to tell my manager about my intent to quit.
正在斟酌该在什么时候跟部长说辞职的事。

667
円満な
（えんまん）

ナ形 amicably
圆满

何とか円満に退社できそうだ。
（なん　えんまん　たいしゃ）

I think I will somehow manage to quit my job amicably.
好像可以顺利退职。

➕ 円満退社 quit the job amicably / 顺利退职
（えんまんたいしゃ）

668
後押し〈する〉
（あとお）

名 encouragement
助推

先輩が転職を後押ししてくれた。
（せんぱい　てんしょく　あとお）

My senior co-worker encouraged me to change jobs.
前辈在我换工作时推了我一把。

669
引き継ぐ
（ひ　つ）

動 transfer
交接

退職するまでに後輩に仕事を引き継ぐ。
（たいしょく　こうはい　しごと　ひ　つ）

I will transfer my projects to my junior co-worker before quitting.
退职前把工作交接给后辈。

➕ 引き継ぎ〈する〉 transfer / 交接
（ひ　つ）

670
しくじる

動 screw up
搞砸

お酒でしくじって、首になった。
（さけ　くび）

I screwed up after drinking and was fired.
因醉酒闹事，被开除了。

671
解雇〈する〉
（かいこ）

会社の売り上げが落ち込み、突然解雇された。
（かいしゃ　う　あ　お　こ　とつぜんかいこ）

名 **layoff** 解雇	I was suddenly sacked after company sales dropped. 公司的销售额一落千丈，突然被解雇了。

 リストラ〈する〉 restructuring / 裁员

672 ニート	しばらく<u>ニート</u>だったが、再び就活を始めた。 <small>ふたた しゅうかつ はじ</small>
名 **NEET (young people not in education, employment or training)** 啃老族	I was a "NEET" for a while but started looking for a job again. 家里蹲了一阵子，现在又开始找工作了。

👉 "NEET" in alphabet / 英文字母是"ＮＥＥＴ"

これも 覚えよう！⑩

➕ **接辞**⑩ Affix ⑩ / 词缀⑩

• ～くさい：そういう感じがする（いいことには使わない）

けちくさい	stingy / 吝啬
うそくさい	looking like a lie / 难以相信，像是在撒谎
面倒くさい	troublesome / 麻烦
田舎くさい	rustic, unsophisticated / 土气，老土
古くさい	looking old / 陈旧
貧乏くさい	looking poor / 寒酸

N1

Chapter

6

私の町
わたし　　　まち

My Town
我的城市

街
まち

Town / 城市

---

673 街並み
まちなみ

名 townscape
街道

この通りには古い<u>街並み</u>が残っている。
とお　　ふる　まちな　　　のこ

The old townscape still remains along this street.
这条路留着古代街道的样子。

➕ 町並み townscape / 街景・家並み row of houses / 房屋成排
まちな　　　　　　　　　　いえな

---

674 住人
じゅうにん

名 resident
居民

うちのマンションでは<u>住人</u>同士があいさつすることが少ない。
じゅうにんどうし
すく

Residents of our apartment building rarely greet each other.
我们的公寓居民之间很少互相打招呼。

➕ 住民 resident / 居民
じゅうみん

---

675 コミュニティー

名 community
社区团体

地域の<u>コミュニティー</u>の人間関係を大切にしている。
ちいき　　　　　　　　　　にんげんかんけい　たいせつ

I treasure the human relationship of our local community.
很重视地方社区共同体的人际关系。

➕ 共同体 community / 共同体
きょうどうたい

---

676 人波
ひとなみ

名 crowd
人潮

商店街のセールで<u>人波</u>にもまれて疲れた。
しょうてんがい　　　　ひとなみ　　　　　つか

I was exhausted after being rustled in the crowd during the bargain sale at the shopping street.
商店街在打折，人潮不止累坏了。

---

677 地下街
ちかがい

名 underground shopping center
地下商店街

駅周辺の<u>地下街</u>に人気のカフェがある。
えきしゅうへん　ちかがい　にんき

There is a popular café at the underground shopping center near the train station.
车站周边的地下商店街有很受欢迎的咖啡店。

---

678 明かり
あかり

名 lights
灯光

この辺りの道には<u>明かり</u>が少ない。
あた　　みち　　　あ　　　すく

There aren't many lights along this road.
这里附近的街道灯光很少。

➕ 街灯 street lights / 街灯
がいとう

---

679 人気
ひとけ

名 crowd of people
人影

大きな通りから一本入ると<u>人気</u>がない。
おお　　とお　　　いっぽんはい　ひとけ

The alley around the corner of the big street is deserted.
从大路拐到小路不见什么人影。

---

680 こうこうと

副 brightly
亮堂堂

深夜コンビニの辺りだけがこうこうと明るい。
しんや　　　　　　あた　　　　　　　　　　　　　　あか

The lights are very bright only around convenience stores in midnight.
深夜只有便利店周围是亮堂堂的。

681 整備〈する〉
せい　び

名 maintenance
整修

でこぼこだった道が最近整備された。
みち　さいきんせい び

The bumpy road has been paved recently.
凹凸不平的道路最近被整修了。

682 インフラ

名 infrastructure
基础设施

都市ではインフラがほぼ整備されている。
と　し　　　　　　　　　　　　　　せい び

Infrastructure is mostly developed in the cities.
城市的基础设施基本上都齐备了。

683 埋め立てる
う　た

動 reclaim
填埋

海を埋め立てて工場を作る計画がある。
うみ　う　た　　　こうじょう　つく　けいかく

There is a plan to reclaim the sea and build a factory.
有个填海建工厂的计划。

➕ 埋め立て地 reclaimed land / 填筑地
　　う　た　ち

684 着手〈する〉
ちゃくしゅ

名 start
着手

工事がいつ着手されるかは、まだ決まっていない。
こうじ　　　　ちゃくしゅ　　　　　　　　　　き

It's still not been decided when the construction will start.
什么时候着手施工，还没有决定。

685 着工〈する〉
ちゃっこう

名 construction work start
动工

埋め立て工事の着工が、来年春に決定した。
う　た　こうじ　ちゃっこう　らいねんはる　けってい

It was decided that the reclamation construction will start next spring.
填埋施工的动工决定在明年春天。

686 溶け込む
と　こ

動 blend in
融洽

新しい駅は古い街並みの風景にうまく溶け込んでいる。
あたら　えき　ふる　まちな　　ふうけい　　　　　と　こ

The new station blends in well with the scenery of the old townscape.
新车站和复古的街景十分融洽。

687 趣
おもむき

名 taste, charm
情趣

この街は、歴史的な趣を残している。
まち　れきしてき　おもむき　のこ

This town still has a historical charm.
这个街道留着历史的风韵。

➕ 風情 charm / 风情
　　ふ ぜい

688 斜面
しゃめん

名 slope
鼓道

山が整備され、斜面に住居が建てられた。
やま　せい び　　しゃめん　じゅうきょ　た

The mountain was prepared to allow houses to be built on its slopes.
山被整修了，坡道上建了居所。

673-797

---

689 角度
かくど

名 angle
角度

この街には角度が急な坂がいくつかある。
まち　　　かくど　きゅう　さか

This town has several steep hills.
这条街上有几个陡坡。

---

690 よそ

名 other
别处

よそと比べると、ここは自然が残っている。
くら　　　　　　　しぜん　のこ

Compared to other places, there is nature around here.
和别的地方相比，这里仍保留着自然。

↔ うち

---

691 遅らせる
おく

動 delay
延期

悪天候が道路工事を遅らせた。
あくてんこう　どうろこうじ　おく

Bad weather caused a delay in road construction.
因恶劣天气，延迟了道路施工。

= 遅らす
おく

---

692 規模
きぼ

名 scale
规模

この地域の開発の規模は予定より大きくなりそうだ。
ちいき　かいはつ　きぼ　よてい　おお

The scale of development around this region will probably be larger than planned.
听说这个地区开发规模将比预计的更大。

＋ 小規模〈な〉 small scale / 小规模・ 大規模〈な〉 large scale / 大规模
しょうきぼ　　　　　　　　　　　　　　　　だいきぼ

---

693 もってこい

連語 ideal
正适合

この辺は交通量が少ないので、散歩にもってこいだ。
へん　こうつうりょう　すく　　　　　　さんぽ

There is not much traffic around here so it is ideal for taking a walk.
这一带交通量很少，正适合散步。

＋ 最適〈な〉 best / 最合适
さいてき

---

694 点々と
てんてん

副 here and there
散落在

駅から家までの道にはコンビニが点々とある。
えき　いえ　　　みち　　　　　　　　てんてん

There are convenient stores here and there along the road from the house to the station.
从车站到家的路上有几处便利店。

＋ 点在〈する〉 dotted, scattered / 零星散在
てんざい

---

695 待ち望む
ま　のぞ

動 look forward to
翘首以盼

住民はスーパーのオープンを待ち望んでいる。
じゅうみん　　　　　　　　　　　　ま　のぞ

Residents are looking forward to the opening of the supermarket.
居民们翘首以盼超市开张。

696 存続 〈する〉 そんぞく	あの図書館は閉館が心配されていたが、存続が決まった。 <small>としょかん　へいかん　しんぱい　　　　　　　　　そんぞく　き</small>
名 **continue to exist** 继续存在	People worried that the library may close down, but it will stay open. 担心那个图书馆会闭馆，但后来决定继续留着。

697 若干 じゃっかん	この地域の人口は去年に比べて若干減少した。(副) <small>ち いき　じんこう　きょねん　くら　　　じゃっかんげんしょう</small>
名 **副**	**a little bit** **slightly** 若干	The population in this area has declined slightly compared to last year. 这个地区的人口与去年相比稍有减少。

➕若干名 small number of people / 若干名
<small>じゃっかんめい</small>

698 追放 〈する〉 ついほう	街から暴力を追放するキャンペーンが行われている。 <small>まち　ぼうりょく　ついほう　　　　　　　　　おこな</small>
名 **expulsion** 驱除	There is a campaign going on to drive out violence from the streets. 街上在进行扫除暴力的活动。

➕永久追放〈する〉 permanent expulsion / 永久驱逐
<small>えいきゅうついほう</small>

これも
覚えよう！⑪
<small>おぼ</small>

➕ 接辞⑪　Affix ⑪ / 词缀⑪
<small>せつじ</small>

• ～ずくめ：ほとんど～だ、～が続く
<small>つづ</small>

黒ずくめ <small>くろ</small>	all black / 全黑
いいことずくめ	everything is good / 净是好事
めでたいことずくめ	everything is filled with happiness / 全都可喜可贺
ごちそうずくめ	everything is gorgeous food / 尽是丰盛佳肴
異例ずくめ <small>いれい</small>	everything is unprecedented / 尽是破例
記録ずくめ <small>きろく</small>	everything is record-breaking / 尽是新记录

---

699 ナ形

公的な
こうてき

public
公共的

公的な立場として市役所の役割は大きい。
こうてき　たちば　　　しやくしょ　やくわり　おお

The role of a city hall in its public capacity is important.
作为公共立场市役所发挥着很重要的作用。

↔ 私的な
してき

---

700 名

公用
こうよう

official
公务

公用の出張経費を見直すべきだ。
こうよう　しゅっちょうけいひ　み　なお

Travel expense on official business should be reviewed.
应该重新考虑公务出差的经费。

↔ 私用 ➕ 公用車 official car / 公务车・公務 official business / 公务
しよう　　　　こうようしゃ　　　　　　　　　こうむ

---

701 名

条例
じょうれい

ordinance
条例

新しい条例がもうすぐ実施される。
あたら　　じょうれい　　　　　じっし

The new ordinance will come in effect soon.
新条例马上就要实施了。

---

702 名

現行
げんこう

current
现行

現行の条例は時代に合っていない。
げんこう　じょうれい　じだい　あ

The current ordinance does not fit the times.
现行条例不符合时代要求。

---

703 名

事例
じれい

example
事例

一つひとつの事例について市民への説明が必要だ。
ひと　　　　　じれい　　　　　しみん　せつめい　ひつよう

It is necessary to explain each example to the citizens.
有必要向市民们逐一说明事例。

＝ ケース

---

704 名

実情
じつじょう

actual situation
实情

自治体はごみ問題の実情を国に訴えた。
じちたい　　　もんだい　じつじょう　くに　うった

The municipality explained the garbage problem to the
central government.
自治体将垃圾问题的实情上报给了国家。

➕ 実態 actual circumstances / 实际情况
じったい

---

705 名

立候補〈する〉
りっこうほ

candidacy
参加竞选

若干25歳の若者が選挙に立候補した。
じゃっかん　さい　わかもの　せんきょ　りっこうほ

A young man of 25 years old ran for the seat.
有个差不多25岁的年轻人参加了竞选。

---

706 名

申請〈する〉
しんせい

application
申请

パスポートの更新を申請する。
こうしん　しんせい

I applied for the renewal of my passport.
申请更新护照。

707 該当〈する〉
がいとう
名 applicable
符合

自治体が地震対策工事に該当する建物を調査した。
じちたい　じしんたいさくこうじ　がいとう　たてもの　ちょうさ

The municipality investigated the buildings that was to go through anti-quake construction.
自治体调查了符合地震对策施工条件的建筑。

➕ 該当者 person concerned / 符合条件者
がいとうしゃ

708 視察〈する〉
しさつ
名 inspection
视察

区長による各施設の視察が始まった。
くちょう　かくしせつ　しさつ　はじ

The inspection of the various facilities by the head of the ward started.
区长开始视察各个设施。

709 回収〈する〉
かいしゅう
名 collection
回收

この地域のごみの回収時間が変更された。
ちいき　かいしゅうじかん　へんこう

The time to collect garbage in this area was changed.
这个地区垃圾的回收时间变动了。

710 廃止〈する〉
はいし
名 abolition
废止

区は条例の廃止に関するアンケートを実施した。
く　じょうれい　はいし　かん　じっし

The ward conducted a survey about the abolition of the ordinance.
区里实施了有关条例废止的问卷调查。

711 回答〈する〉
かいとう
名 response
回答

約80パーセントの市民がアンケートに回答した。
やく　しみん　かいとう

About 80% of the citizens responded to the survey.
约80%的市民回答了问卷调查。

712 設置〈する〉
せっち
名 installation
设置

市役所に住民からの意見箱が設置された。
しやくしょ　じゅうみん　いけんばこ　せっち

An opinion box to leave voices from the residents was installed at the town hall.
市役所内设置了居民的意见箱。

713 対処〈する〉
たいしょ
名 dealing
对应

役所の担当者が親切に対処してくれた。
やくしょ　たんとうしゃ　しんせつ　たいしょ

The official in charge at the town office dealt with me kindly.
役所的工作人员很亲切地接待了我。

➕ 対応〈する〉 deal / 对应
たいおう

714 設ける
もう
動 set up, build
设立

新しい市役所に市民ホールが設けられた。
あたら　しやくしょ　しみん　もう

A new citizens' auditorium was built in the new town hall.
新的市役所内设立了市民会馆。

715 是非
ぜひ
名 right or wrong
好与坏

議会が決定した条例の是非を住民に問う。
ぎかい　けってい　じょうれい　ぜひ　じゅうみん　と

Ask citizens about the pros and cons of the ordinance that was decided by the assembly.
询问居民们议会所决定的条例的好与坏。

➕ 可否 rights and wrongs / 可否
かひ

716 見解
けんかい

名 view
见解

様々な課題について市長が見解を述べた。
さまざま　かだい　　　しちょう　けんかい　の

The mayor voiced his views on various issues.
市场有关各种课题发表了见解。

717 融通
ゆうずう

名 flexibility
通融

役所はルールを優先しすぎて、融通がきかないこ
やくしょ　　　　　ゆうせん　　　　　　ゆうずう
とが多い。
おお

Public offices may lack flexibility with its insistence on
adhering to rules.
役所都是优先规定办事的，不太能通融。

718 身近〈な〉
みぢか

名
ナ形 close
切身

環境問題を身近なこととして考える。（ナ形）
かんきょうもんだい　みぢか　　　　　　　かんが

Think about environmental issues as something close to you.
环境问题应作为切身问题来考虑。

719 大幅な
おおはば

ナ形 drastic
大幅度

役所に出す書類申請のルールが大幅に変わった。
やくしょ　だ　しょるいしんせい　　　　おおはば　か

Rules on submitting documents to the town office changed
drastically.
向役所提交文件申请的规定大幅度改动了。

720 革新的な
かくしんてき

ナ形 radical
革新的

この町には革新的なアイディアを持つ町長が必要だ。
まち　　かくしんてき　　　　　　　も　ちょうちょう　ひつよう

A town mayor with radical ideas is necessary for this town.
这个城镇需要一个有着革新思想的镇长。

721 おおかた

名
副 most part
mostly
大致

・おおかたの図書館は月曜日が休みだ。（名）
としょかん　げつようび　やす
・選挙の結果はおおかたそんなものだろう。（副）
せんきょ　けっか

Most libraries are closed on Mondays.
For the most part, the results of the elections were as
expected.
大部分的图书馆都是周一休馆。
选举结果大概就是这样了吧。

722 大まかな
おお

ナ形 rough
粗略

職員は知事に大まかな予算を報告した。
しょくいん　ちじ　おお　　　　よさん　ほうこく

The official reported a rough outline of the budget to the
governor.
职员向知事报告了粗略的预算。

交通
こうつう

Transportation / 交通

---

723 路線
ろせん

名 **route**
线路

都市は電車もバスも路線がとても充実している。
とし　でんしゃ　ろせん　じゅうじつ

The routes of trains and buses in cities are extensive.
城市里电车和公交线路都很完备。

➕ 路線図 route map / 路线图・バス路線 bus route / 巴士线路
ろ せん ず　　　　　　　　　　　　　　　　　　　　　ろ せん

---

724 沿線
えんせん

名 **route**
沿线

この沿線の街は若者に人気があるようだ。
えんせん　まち　わかもの　にんき

The towns along this train route are popular among young
people.
这条沿线的街道很受年轻人喜爱。

---

725 最寄り
もより

名 **nearby**
最近

家から最寄りの駅まで徒歩10分だ。
いえ　　もよ　　　えき　　とほ　ぶん

It is about a ten minute walk from the house to the nearest
station.
从家里到最近的车站步行10分钟。

---

726 先頭
せんとう

名 **forefront, head, top**
最前头

渋滞は先頭まで数キロにわたって続いている。
じゅうたい　せんとう　すう　　　　　　　つづ

The traffic congestion was several kilometers from the
forefront.
堵车长龙从头到尾有数公里。

---

727 駆け込む
か　こ

動 **rush in**
闯入

発車ぎりぎりで電車に駆け込んだ。
はっしゃ　　　　　でんしゃ　か　こ

I managed to rush into the train that was about to leave.
车快开的时候跑着进了车厢。

➕ 駆け込み乗車 rushing on to the train / 急着闯入车厢
か　こ　じょうしゃ

---

728 乗り込む
の　こ

動 **board**
乗上

ぎゅうぎゅうの満員電車に乗り込んだ。
まんいんでんしゃ　の　こ

I boarded a fully packed train.
乘上了挤满了人的电车。

---

729 ぎゅうぎゅう
[な／と]

ナ形 **packed/packed**
副 挤挤不堪

ラッシュアワーの電車はぎゅうぎゅうだ。(ナ形)
でんしゃ

Trains during rush hour are extremely packed.
高峰时期电车拥挤不堪。

---

730 身動き〈する〉
みうご

名 **movement**
动弹

満員電車では身動きできない。
まんいんでんしゃ　　みうご

I cannot move at all in a packed train.
挤满人的电车上完全不能动弹。

731 回送 〈する〉
かいそう

名 out-of-service
回送

このバスは回送だから乗車できない。
かいそう　　　　じょうしゃ

This bus is out-of-service, so you can't board it.
这辆车是回送的，所以不能乘坐。

➕ 回送車 out-of-service vehicle / 回送车
かいそうしゃ

---

732 改定 〈する〉
かいてい

名 revision
改定

4月からバス料金が改定される。
がつ　　　　　りょうきん　　かいてい

The bus fare will change from April.
4 月起公共汽车费用将有所改动。

➕ 改正〈する〉 revision / 改正
かいせい

---

733 まばらな

ナ形 sparse
零散

早朝のバスは乗客もまばらだ。
そうちょう　　　　じょうきゃく

There are only a sparse amount of passengers on early morning buses.
早上公共汽车的乘客很少。

---

734 引き締める
ひ　し

動 tighten
拉紧

車を運転するときは気を引き締めなければいけない。
くるま　うんてん　　　　　き　ひ　し

You have to be alert when driving a car.
开车时需要紧绷神经。

---

735 模範的な
も はんてき

ナ形 model
模范

今のところ私は無事故で、模範的なドライバーだ。
いま　　　　　わたし　むじこ　　　　もはんてき

I am a model driver, with no accidents up to now.
我迄今没有出过事故，是个模范司机。

---

736 経る
へ

動 via/go by
途经，经过

① 横浜を経て箱根に行く。
よこはま　へ　はこね　い

② 10年の時を経て、二つの路線がつながった。
ねん　とき　へ　　　ふた　　ろせん

① I go to Hakone via Yokohama.
② After ten years, the two routes have been connected.
①途经横滨去箱根。
②经过 10 年的时间，两条线路接通了。

➕ ①経由〈する〉 en route / 经由
けい ゆ

👉 ① go through ② time passes / ①途经②时间经过

---

737 遠ざかる
とお

動 go away, become more distant, fade away
远离

列車が発車し、故郷の風景が遠ざかっていった。
れっしゃ　はっしゃ　こきょう　ふうけい　とお

The train left and the scenery of my hometown faded away.
列车开动了，故乡的风景越来越远。

➕ （〜を） 遠ざける distance (something from) / 使远离
とお

738 たどり着く
（つ）

動 arrive
终于到达

渋滞に遭って、いつもより2時間も遅れて<u>たどり着いた</u>。
（じゅうたい）（あ）　　　　　　（じかん）（おく）　　（つ）

I was caught up in a traffic jam and arrived two hours later than usual.
遇上了堵车，比原先晚了两小时才到。

➕ たどる follow / 前進

739 差しかかる
（さ）

動 approach, come near
走到

交差点に<u>差しかかった</u>所で、信号が赤になった。
（こうさてん）（さ）（ところ）（しんごう）（あか）

The light turned red when I approached the intersection.
走到十字路口时，信号灯变红灯了。

740 サービスエリア

名 service area
路边休息站

この<u>サービスエリア</u>は施設が充実している。
（しせつ）（じゅうじつ）

The facilities at a service area of the expressway are impressive.
这个路边休息站的设施很完备。

➕ ドライブイン roadside restaurant complex / 路旁餐馆

741 沿う
（そ）

動 run parallel to
沿着

海に<u>沿った</u>道をドライブする。
（うみ）（そ）（みち）

I'm driving the road along the sea.
沿着海边的公路驾驶。

742 時速
（じそく）

名 speed per hour
时速

<u>時速</u>60キロで安全に運転する。
（じそく）（あんぜん）（うんてん）

I drive at a safe speed of 60 kilometers per hour.
以时速60公里安全驾驶。

➕ 分速 speed per minute / 分速・秒速 speed per second / 秒速
（ふんそく）　　　　　　　　　　　　　　　　（びょうそく）

743 寄せる
（よ）

動 pull over/roll in
靠，逼近

①車を道の端に<u>寄せた</u>。
（くるま）（みち）（はし）（よ）
②大波が<u>寄せて</u>くる。
（おおなみ）（よ）

① I pulled the car over to the side of the road.
② A large wave is rolling in.
①把车子靠到边上。
②波涛滚滚涌来。

👉 ① get close to something else ② something approaches from afar / ①靠近别的东西②有东西靠过来

744 延々［と］
（えんえん）

副 forever
延绵不断

渋滞の列が<u>延々と</u>続いている。
（じゅうたい）（れつ）（えんえん）（つづ）

A long line from the traffic jam continues forever.
堵车长龙延绵不绝。

745 出くわす
（で）

動 run into
偶遇

ドライブの途中でテレビの撮影に<u>出くわした</u>。
（とちゅう）（さつえい）（で）

I ran into people filming a TV program during the drive.
驾驶的半路上遇到了拍摄。

746 □	規制 〈する〉 きせい **名** regulate; restrict 限制	交通事故で高速道路が規制されている。 こうつう じ こ　こうそくどう ろ　　きせい The highway was restricted due to a traffic accident. 因交通事故高速公路被限行了。
747 □	不通 ふ つう **名** blocked 不通	強風で道路が不通になってしまった。 きょうふう どう ろ　　ふ つう The roads were blocked due to strong wind. 因强风道路不通。

➕ 音信不通 out of touch / 音信不通
　おんしん ふ つう

748 □	立ち往生 〈する〉 た　おうじょう **名** standstill 进退两难	大雪で立ち往生した。 おおゆき　た　おうじょう We were stalled due to heavy snow. 因大雪进退两难。
749 □	回り道 〈する〉 まわ　みち **名** detour 绕道	道路が規制されているので、回り道することにした。 どう ろ　き せい　　　　　　　　まわ　みち The roads were restricted so I decided to take a detour. 道路限行，所以决定了绕道。
750 □	よそ見 〈する〉 み **名** looking the other way 往旁边看	よそ見しながらの運転は危険だ。 み　　　　　　うんてん　き けん It's dangerous to drive while looking the other way. 一边东张西望一边开车很危险。

➕ わき見〈する〉 look sideways / 看别处
　み

751 □	老朽化 〈する〉 ろうきゅう か **名** aged 老朽	各地で道路の老朽化が進んでいる。 かく ち　どう ろ　ろうきゅう か The roads around the country are getting old. 各地的道路都开始老朽了。
752 □	修復 〈する〉 しゅうふく **名** repair 修复	このトンネルは早急な修復が必要だ。 さっきゅう　しゅうふく　ひつよう This tunnel needs to be repaired immediately. 这个隧道需要趁早修复。

➕ 修復工事 repair construction / 修复施工
　しゅうふくこう じ

産業
さんぎょう

Industry / 产业

---

753 産出 〈する〉
さんしゅつ

名 **production**
产出

近くの海で石油が産出されたらしい。
ちか　うみ　せきゆ　さんしゅつ

Petroleum is produced in the sea near here.
附近的海域生产石油。

---

754 製造 〈する〉
せいぞう

名 **manufacturing**
制造

この地方は有名メーカーの家電を製造する工場が
ちほう　ゆうめい　　　　　かでん　せいぞう　こうじょう
多い。
おお

There are many factories in this region that manufacture
household electrical appliances of famous brands.
这个地区有很多有名的家电制造工厂。

---

755 精巧 〈な〉
せいこう

名
ナ形 **elaboration/elaborate**
精巧

日本の精巧な商品が世界で評価されている。（ナ形）
にほん　せいこう　しょうひん　せかい　ひょうか

The elaborate products of Japan have won global acclaim.
日本精致的商品广受世界好评。

➕ 精密〈な〉 elaborate, detailed / 精密
せいみつ

---

756 巧みな
たく

ナ形 **skillful**
巧妙

私の祖父は巧みな技で美しい伝統品を作り出す。
わたし　そふ　たく　わざ　うつく　でんとうひん　つく　だ

My grandfather creates beautiful traditional products using
great skill.
我的祖父用精湛的技艺创作精美的传统工艺品。

---

757 品種
ひんしゅ

名 **variety**
品种

果物は品種によって味も値段も異なる。
くだもの　ひんしゅ　あじ　ねだん　こと

The taste and price of fruits vary according to the variety.
水果因品种不同，味道和价格也不同。

---

758 改良 〈する〉
かいりょう

名 **selective breed**
改良

品種が改良されたトマトが人気を呼んでいる。
ひんしゅ　かいりょう　　　　　　にんき　よ

Tomatoes that have been selectively breeded are popular.
品种改良后的西红柿很受欢迎。

➕ 品種改良〈する〉 selective breed / 品种改良
ひんしゅかいりょう

---

759 栄える
さか

動 **prosper**
繁荣

A 市は様々な産業で栄えている。
し　さまざま　さんぎょう　さか

Various industries are prospering in City A.
A 市因各种产业而繁荣。

➕ 繁栄〈する〉 prosperity / 繁荣
はんえい

760 よみがえる

動 revive
复苏

この町は昔の街並みが<u>よみがえり</u>、観光客が増えた。
まち　むかし　まちな　　　　　　　　　　　かんこうきゃく　ふ

The old townscape was revived in this town and the number of tourists increased.
这个城市复原了以前的街貌，游客络绎不绝。

761 乗り切る
の　き

動 overcome
挺过

A国は国民が団結して、不況を<u>乗り切った</u>。
こく　こくみん　だんけつ　　　　ふきょう　の　き

The citizens of Country A got together to overcome the bad economy.
A国的国民团结一致，挺过了不景气的状况。

762 上回る
うわまわ

動 be more than
超过

新しい産業によって、町の収入が前年を<u>上回り</u>そうだ。
あたら　さんぎょう　　　　　まち　しゅうにゅう　ぜんねん　うわまわ

The town's revenue increased from last year due to the new industry.
因新兴产业，城市的收入超过了去年。

⬌ 下回る
したまわ

763 もたらす

動 bring
带来

地域の産業の成功が住民に幸せを<u>もたらす</u>。
ちいき　さんぎょう　せいこう　じゅうみん　しあわ

The success of the regional industry brings happiness to the residents.
地域产业的成功给居民们带来了幸福。

764 割り当てる
わ　あ

動 assign, give out, allot
分派

自治体は企業に工場建設のための土地を<u>割り当てた</u>。
じちたい　きぎょう　こうじょうけんせつ　　　　とち　わ　あ

The municipality gave out the land for building a factory to the company.
自治体为企业建工厂分配了土地。

➕ 割り振る allocate / 分配
わ　ふ

765 急速な
きゅうそく

ナ形 rapid
急速

ここ数年は観光業が<u>急速</u>に伸びている。
すうねん　かんこうぎょう　きゅうそく　の

The tourism industry has been growing rapidly these past few years.
这几年观光业急速发展。

766 次ぐ
つ

動 second, rank next
次于

この地域では工業に<u>次いで</u>観光業が盛んだ。
ちいき　こうぎょう　つ　かんこうぎょう　さか

The tourism industry is thriving in this region, second only to the manufacturing industry.
这个地区观光业的兴盛仅次于工业。

767 欠陥
けっかん

名 flaw
缺陷

この製品に重大な<u>欠陥</u>が見つかった。
せいひん　じゅうだい　けっかん　み

A major flaw was found in this product.
这个产品被发现有重大缺陷。

768 ネック
ねっく
名 bottleneck
瓶颈

若者の人口減少が地域の発展の<u>ネック</u>になっている。
わかもの　じんこうげんしょう　ちいき　はってん

The decreasing young population prevents the development of this area.
年轻人的人口减少使得地区发展遇到了瓶颈。

➕ 障害 obstacle / 障碍
しょうがい

769 弊害
へいがい
名 adversity
弊病

産業が盛んになったことで<u>弊害</u>も起きている。
さんぎょう　さか　　　　　　へいがい　お

The prosperity of the industry is also causing adverse effects.
随着产业的兴盛，弊病也随之而来。

➕ 悪影響 bad influence / 坏影响
あくえいきょう

770 水をさす
みず
慣 discourage
泼冷水

A国では空気汚染が工業の発展に<u>水をさし</u>ている。
こく　　くうきおせん　こうぎょう　はってん　みず

Air pollution discourages the development of the manufacturing industry in Country A.
A国的空气污染给工业发展泼了盆冷水。

771 対比〈する〉
たいひ
名 comparison
对比

2つのエネルギー資源を<u>対比</u>して検討する。
しげん　　たいひ　けんとう

Compare and consider the two energy resources.
对比两种能源资源并商讨。

772 匹敵〈する〉
ひってき
名 equivalent
匹敌

中国の映画産業の収入は、今やアメリカに<u>匹敵</u>する。
ちゅうごく　えいがさんぎょう　しゅうにゅう　いま　　　　　　　ひってき

China's movie industry revenue today is now equivalent to that of the United States.
中国电影产业的收入现今与美国旗鼓相当。

773 電力
でんりょく
名 electricity
电力

多くの産業にとって、<u>電力</u>の確保は重要だ。
おお　　さんぎょう　　　　でんりょく　かくほ　じゅうよう

For many industries, securing electric power is important.
对很多产业来说，电力的确保很重要。

➕ 電力会社 power company / 电力公司
でんりょくがいしゃ

774 下地
したじ
名 foundation
底子

この地域の繁栄は、これまでの<u>下地</u>があってこそだ。
ちいき　はんえい　　　　　　　　したじ

The prosperity of this region is based on the foundation built to this day.
这个地区的繁荣正是因为迄今为止的底子好。

➕ ベース base / 基础

Section 5

故郷
こ きょう

Hometown / 故乡

---

775 郷土
きょう ど

名 hometown
乡土

自分の郷土を心から愛している。
じ ぶん きょう ど こころ あい

I love my hometown from the bottom of my heart.
我由衷地热爱自己的故乡。

➕ 郷土愛 love for hometown / 乡愁
きょう ど あい

---

776 同郷
どうきょう

名 same hometown
同乡

同郷の人に会うと、とても親しみを感じる。
どうきょう ひと あ した かん

I feel very close to someone from the same hometown as I.
遇到了老乡倍感亲切。

---

777 出生 〈する〉
しゅっしょう

名 birthplace
出生

私の出生地は東京だが、アメリカで育った。
わたし しゅっしょう ち とうきょう そだ

I was born in Tokyo but raised in the United States.
我出生在东京，但在美国长大的。

👆 also read しゅっせい / 也读作 "しゅっせい"　　➕ 出生届け birth registration / 出生登记
しゅっしょうとど

---

778 青春
せいしゅん

名 youth
青春

故郷に帰ると、青春の思い出がよみがえってくる。
こきょう かえ せいしゅん おも で

Memories of my youth come flooding back when I return to
my hometown.
回到故乡，青春的回忆再次浮现。

➕ 青春時代 years of youth / 青春时代
せいしゅん じ だい

---

779 母校
ぼ こう

名 alma mater
母校

母校で過ごした日々が懐かしい。
ぼ こう す ひ び なつ

I think fondly of the days at my alma mater.
在母校度过的时光令人怀念。

➕ 母港 mother port / 母港
ぼ こう

---

780 産地
さん ち

名 producer
产地

地元はりんごの産地として知られている。
じ もと さん ち し

The locality is known as a producer of apples.
老家以盛产苹果而闻名。

🟰 生産地
せいさん ち

---

781 特産
とくさん

名 specialty
特产

母から故郷の特産のりんごが毎年送られてくる。
はは こきょう とくさん まいとしおく

My mother sends me apples, which are a local specialty,
every year.
母亲每年从老家寄苹果来。

➕ 特産物 specialty / 特产品・名物 specialty / 特产・名産 specialty / 名产
とくさんぶつ　　　　　　　　めいぶつ　　　　　　　　　　めいさん

132

782 歳月 さいげつ	この土地に来て、10年の歳月が流れた。 とち き ねん さいげつ なが
名 **years** 岁月	Ten years have passed since I came to this place. 踏上这片土地已经有 10 个年头了。

783 風習 ふうしゅう	私の故郷では昔からの風習に従って結婚式が行わ わたし こきょう むかし ふうしゅう したが けっこんしき おこな れる。
名 **custom** 风俗习惯	Weddings in my hometown follow traditional customs. 我们故乡遵循自古以来的风俗习惯举行婚礼。

➕ 慣習 practice / 习惯
かんしゅう

784 しきたり	祖母は今でも地域のしきたりを守って暮らしている。 そぼ いま ち いき まも く
名 **custom, traditional rules** 成规	My grandmother still carries on local customs. 祖母现在也守着地区的老传统生活着。

➕ 習わし custom / 习气
なら

785 風土 ふうど	風土に育まれた美しい景色が自慢だ。 ふうど はぐく うつく けしき じまん
名 **natural features** 水土	I am proud of the beautiful scenery cultivated by natural features. 为这方水土所孕育的美丽风景而自豪。

これも
覚えよう！⑫
おぼ

➕ 接辞⑫　Affix ⑫ / 词缀⑫
せつじ

• 〜まみれ：全体によくないものが付いている。〜がいっぱいだ
　　　　　ぜんたい　　　　　　　　　　　つ

汗まみれ あせ	covered in sweat / 满身是汗
血まみれ ち	covered in blood / 满身是血
泥まみれ どろ	covered in dirt / 满身泥泞
ほこりまみれ	covered in dust / 满是灰尘
うそまみれ	covered in lies / 满是谎言
借金まみれ しゃっきん	full of debt / 债务缠身

673-797

786 由緒
ゆいしょ

名 pedigree
来历

故郷には由緒あるお寺が点在している。
こきょう　　ゆいしょ　　　　てら　てんざい

There are temples with long and distinguished history here and there in my hometown.
故乡零星散落着一些有来历的寺庙。

➕ 由緒正しい proper lineage / 正统
ゆいしょただ

---

787 格式
かくしき

名 status
礼法

私の実家は格式を重んじる家だ。
わたし　じっか　　かくしき　おも　　　　いえ

My family believes status to be important.
我老家很注重礼法。

---

788 歩み
あゆ

名 course/steps, walking
变迁，步伐

①故郷の戦後の歩みをたどり、本を書いた。
こきょう　せんご　　あゆ　　　　　　ほん　か

②祖母の歩みに合わせて、ゆっくり歩いた。
そぼ　　あゆ　　あ　　　　　　　　　　ある

① I wrote a book about my hometown and its history starting after the war.

② I walked slowly in line with my grandmother's steps.

①追溯故乡战后的变迁写了一本书。

②和着祖母的步伐慢慢走。

➕ 足取り gait / 步伐・歩む walk, move through / 迈步
あしど　　　　　　　　　　　　　　あゆ

👉 ① the passage and change of matters ② pace of walking / ①事物的变迁②步调

---

789 密度
みつど

名 density
密度

この辺りは、年々人口の密度が低くなっている。
あた　　　ねんねんじんこう　みつど　ひく

The population density around here decreases every year.
这一带每年人口密度都在降低。

➕ 人口密度 population density / 人口密度
じんこうみつど

---

790 過疎
かそ

名 underpopulated
人口稀疏

実家の辺りでは過疎の村が増えている。
じっか　あた　　　かそ　むら　ふ

There are a growing number of underpopulated villages around the house I was raised in.
老家附近人口稀疏的村子正在增加。

↔ 過密 ➕ 過疎化 depopulation / 人口稀疏化・過疎地域 depopulated region / 人口稀疏地区
かみつ　　　かそか　　　　　　　　　　　　　　　　かそちいき

---

791 拍車をかける
はくしゃ

慣 spur
加速

私の故郷で少子化が過疎化に拍車をかけている。
わたし　こきょう　しょうしか　かそか　はくしゃ

Falling birthrate is spurring depopulation in my hometown.
我的故乡少子化正在加速人口稀疏问题。

---

792 至って
いた

副 exceedingly
及其

おかげさまで、実家の両親は至って元気です。
じっか　りょうしん　いた　げんき

Thankfully, my parents back home are doing exceedingly well.
托您的福，老家父母都很好。

---

793 土手
どて

名 **bank**
堤坝

学校のクラブ活動で、よく土手を走ったものだ。
がっこう　　　かつどう　　　　　　どて　はし

We often ran along the bank during club activities in school.
以前学校俱乐部活动的时候，常常在堤坝上跑。

---

794 井戸
いど

名 **well**
井

町には古い井戸が残っている。
まち　　ふる　いど　のこ

There is still an old well in town.
城镇里有一口老井。

➕ 井戸端会議 idle gossip / 主妇们聊家常
いどばたかいぎ

---

795 澄む
す

動 **clear**
清澈

昔は川の水が澄んでいたが、今は汚れている。
むかし　かわ　みず　す　　　　　いま　よご

The river water used to be clear but now it's dirty.
以前河川的水很清澈，现在被污染了。

---

796 のどかな

ナ形 **idyllic, tranquil**
悠闲，和煦

①高校までは至ってのどかな環境で育った。
こうこう　　　いた　　　　　　かんきょう　そだ
②今日はのどかな一日だ。
きょう　　　　　　いちにち

① I was raised in an idyllic environment until high school.
② Today, we have mild weather.
①高中以前一直在一个非常悠闲的环境下长大。
②今天真是温暖和煦的一天。

👉 ① be relaxed ② neither hot nor cold. Mild. / ①悠闲②不热也不冷很舒适

---

797 ひっそり[と]〈する〉

副 **quiet**
寂静

村は人が少なくなって、ひっそりとしている。
むら　ひと　すく

The village is quiet with less people.
村里人很少，非常清静。

Section 5

これも
覚えよう！ ⑬

➕ 接辞⑬　Affix ⑬ / 词缀⑬

• ～だらけ：嫌になるほど多い

傷だらけ	full of scars / 伤痕累累	
間違いだらけ	wrong all over / 错误百出	
泥だらけ	all dirty / 到处是泥	
ごみだらけ	covered in garbage / 到处是垃圾	

N1
Chapter
7

健康
けんこう

Health
健康

---

798 体つき
からだ

名 **physical build**
体格

体つきでスポーツが得意かどうかわかる。
からだ　　　　　　　　　　とくい

You can tell by their physical build whether the person is good at sports or not.
从体格上看得出是不是擅长运动。

➕ 体格 physical build / 体格
たいかく

---

799 がっしり [と]〈する〉

副 **sturdy**
健壮

弟 は背は高くないが、がっしりとした体つきだ。
おとうと　せ　たか　　　　　　　　　　　　からだ

My younger brother is not tall but is sturdy.
弟弟个子不高，但体格健壮。

---

800 たくましい

イ形 **strong**
强壮

毎日トレーニングを重ねて、たくましい体を作る。
まいにち　　　　　　　かさ　　　　　　　　　からだ　つく

Build a strong body by training every day.
每天坚持锻炼，打造强壮的身体。

---

801 鍛える
きた

動 **train**
锻炼

健康のために体を鍛える。
けんこう　　　　からだ　きた

Train your body every day for your health.
为健康锻炼身体。

---

802 腹筋
ふっきん

名 **abdominal muscle**
腹肌

毎晩寝る前に運動して、腹筋を鍛える。
まいばんね　まえ　うんどう　　　ふっきん　きた

I work out my abdominal muscles by exercising every night before going to bed.
每晚睡前运动，锻炼腹肌。

➕ 腹筋運動 abdominal muscle exercise / 腹肌运动
ふっきんうんどう

---

803 スリーサイズ

名 **figure**
三围

10 年前とスリーサイズがほとんど変わらない。
ねんまえ　　　　　　　　　　　　　か

My figure hasn't changed much from ten years ago.
三围和十年前比几乎没有变化。

➕ バスト bust / 胸围・ウエスト waist / 腰围・ヒップ hip / 臀围

---

804 体重計
たいじゅうけい

名 **scale**
体重计

家族の健康管理のために体重計を買った。
かぞく　けんこうかんり　　　　　たいじゅうけい　か

I bought a scale to monitor the health of my family.
为了家人的健康管理买了体重计。

🟰 ヘルスメーター

---

805 体脂肪
たいしぼう

名 **body fat**
体脂

この体重計は簡単に体脂肪が測れるタイプだ。
たいじゅうけい　かんたん　たいしぼう　はか

This scale allows you to measure your body fat easily.
这个体重计是能简单测出体脂的款式。

806 指数
しすう

名 index
指数

私の体脂肪の指数は平均より少し高かった。
わたし たいしぼう しすう へいきん すこ たか

My body fat index was slightly above average.
我的体脂指数比平均值稍高一些。

➕ 数値 numerical value / 数值
すうち

807 脇
わき

名 side/by
腋下，旁边

①ストレッチで脇をしっかり伸ばす。
わき の

②コンビニの脇の道を入る。
わき みち はい

① Stretch your sides properly.
② I take the side road by the convenience store.
①彻底伸展腋下部分。
②从便利店旁边的路进去。

➕ 脇役 supporting actor, supporting actress / 配角
わきやく

👉 ① the area under the shoulder ② on the side / ①肩部下的部分②侧面

808 くすぐる

動 tickle
胳肢

脇の下をくすぐられても、何も感じない。
わき した なに かん

I won't feel anything, even if you tickle my armpit.
挠胳肢窝也没感觉。

➕ くすぐったい ticklish / 痒痒

809 もむ

動 massage
按摩

肩が凝ったので、弟にもんでもらった。
かた こ おとうと

I had stiff shoulders, so my brother gave me a massage.
肩膀很酸痛，让弟弟给按摩按摩。

810 脳
のう

名 brain
脑子

脳からの指令を受けて筋肉が動く。
のう しれい う きんにく うご

The muscles move in accordance with orders from the brain.
肌肉会接受大脑发出的指令活动。

811 左利き
ひだり き

名 left-handed
左撇子

左利きの人は右の脳をよく使っているらしい。
ひだり き ひと みぎ のう つか

Left-handed people apparently use the right side of their brains more frequently.
听说左撇子的人常用右脑。

↔ 右利き ＝ サウスポー
みぎ き

812 正常な
せいじょう

ナ形 normal
正常

健康診断の結果は全て正常だった。
けんこうしんだん けっか すべ せいじょう

The results of the health exam showed everything to be normal.
健康诊断的结果都正常。

↔ 異常な ➕ ノーマルな normal / 正常
いじょう

798-939

813 芳しくない
かんば

イ形 **not good**
不理想

最近、体調があまり芳しくない。
さいきん　たいちょう　　　　　　かんば

My health is not so good recently.
最近身体状况不太理想。

👉 芳しい means good aroma / "芳しい"是芳香的意思。

---

814 すこぶる

副 **extremely**
颇为

90歳の祖父は風邪もひかず、すこぶる元気だ。
さい　そふ　かぜ　　　　　　　　　　げんき

My 90-year-old grandfather is doing extremely well without even catching a cold.
90岁的祖父也不感冒，非常健康。

---

815 長寿
ちょうじゅ

名 **longevity**
长寿

私の家族は長寿の家系だ。
わたし　かぞく　ちょうじゅ　かけい

My family is from a lineage of longevity.
我们家族都是长寿的血统。

➕ 短命〈な〉 short-lived / 短命・長生き〈する〉 live long / 长寿
たんめい　　　　　　　　　　　　　ながい

---

816 自己
じこ

名 **self**
自我

健康のためには、日頃から自己管理が必要だ。
けんこう　　　　　　ひごろ　　じこかんり　ひつよう

It is necessary to control yourself in everyday life in order to stay healthy.
为了健康，日常的自我管理很重要。

➕ 自己嫌悪 hating oneself, self-loathe / 自我憎恶・自己流 own method / 自己的风格
じこけんお　　　　　　　　　　　　　　　　　　じこりゅう

---

817 依存〈する〉
いぞん

名 **dependent**
依赖

薬に依存しすぎるのはよくない。
くすり　いぞん

Depending on medicine too much is not good.
不能太依赖药物。

➕ 依存症 addiction / 依存症
いぞんしょう

---

818 蓄積〈する〉
ちくせき

名 **accumulation**
积蓄

疲労は蓄積させず、その日のうちに解消する。
ひろう　ちくせき　　　　　ひ　　　　かいしょう

You should not accumulate your fatigue but try to get rid of it by the end of the day.
不要积蓄疲劳，应当天排解掉。

---

819 定義〈する〉
ていぎ

名 **definition**
定义

健康の定義には精神的なものも含まれる。
けんこう　ていぎ　せいしんてき　　　　ふく

The definition of health includes psychological things too.
健康的定义中也包括精神方面。

---

820 頻度
ひんど

名 **frequency**
频率

週に2、3回の頻度でジョギングをしている。
しゅう　かい　ひんど

I jog two, three times a week.
以每周两三次的频率外出慢跑。

821 軽々 [と]
かるがる

副 **easily**
軽易

体力があるので、重い荷物も軽々と運べる。
たいりょく　　　　おも　にもつ　かるがる　はこ

I am strong so I can easily carry heavy luggage.

因为有体力，所以重的东西也能毫不费力地搬动。

➕ やすやす[と] easily / 轻易

822 老化〈する〉
ろうか

名 **aging**
老化

老化を防いで、元気に長生きしたい。
ろうか　ふせ　　げんき　ながい

I want to protect myself from aging and live long healthily.

想要防止老化，健康长寿。

➕ 老化現象 signs of aging / 老化现象
ろうかげんしょう

823 老いる
お

動 **age**
老

心も体も、いつか老いる時が来る。
こころ　からだ　　　　　お　とき　く

One day your mind and body will age.

身心都会有老去的一天。

➕ 老い aging / 老
お

824 生理的な
せいりてき

ナ形 **physiological**
生理，本能

①寒くなるとトイレが近くなるのは、生理的に自
さむ　　　　　　　　　ちか　　　　せいりてき　し
然なことだ。
ぜん
②彼のことは生理的に受け入れられない。
かれ　　　　せいりてき　う　い

① Wanting to go to the toilet more frequently when it is cold
is a natural reaction.
② He and I have bad chemistry.

①天气越冷上厕所越频繁，这是自然的生理现象。
②对于他我本能地不能接受。

👉 ① function of the body ② not by reason but instinctively / ①身体机能②非理论上面是出于本能

825 衛生
えいせい

名 **hygiene**
卫生

心と体の衛生を心掛けて暮らしている。
こころ　からだ　えいせい　こころが　く

I try to maintain both physical and mental hygiene in
everyday life.

注意身心健康。

➕ 衛生的な sanitary / 卫生・不衛生な unsanitary / 不卫生
えいせいてき　　　　　　　　　　　ふえいせい

826 全般
ぜんぱん

名 **in general**
普遍

日本人は全般に塩分を摂りすぎている。
にほんじん　ぜんぱん　えんぶん　と

The Japanese consume too much salt in general.

日本人普遍摄盐过度。

827 五感
ごかん

名 **five senses**
五官

年を取ると、五感が鈍ってくる。
とし　と　　　ごかん　にぶ

Your five senses become weaker as you age.

上年纪了五官也迟钝了。

➕ 視覚 vision / 视觉・味覚 taste / 味覚・嗅覚 smell / 嗅觉・
しかく　　　　　　　　みかく　　　　　　きゅうかく
聴覚 hearing / 听觉・触覚 touch / 触觉
ちょうかく　　　　　　しょっかく

798-939

828

くたびれる

動 **get tired**
疲乏

ちょっと歩いただけで、すぐ<u>くたびれる</u>。
ある

I get tired even when I walk just a little bit.
只是稍微走了一会儿就累了。

829

ばてる

動 **wear out**
筋疲力尽

最近体力がなく、<u>ばて</u>やすくなった。
さいきんたいりょく

I'm getting weaker and I'm easily worn out.
最近没有体力，很容易筋疲力尽。

830

ぐったり [と] する

副 **limp**
累得软瘫

疲れて、ソファーで<u>ぐったり</u>横になる。
つか   よこ

I was so exhausted, I slumped down on the sofa.
累坏了软瘫在沙发上。

831

過労
か ろう

名 **overwork**
过度疲劳

仕事が忙しく、<u>過労</u>で倒れた。
し ごと いそが   か ろう   たお

I was so busy at work that I became ill from overwork.
工作太忙，因过度疲劳而累倒了。

＋ 過労死〈する〉 death from overwork / 过劳死
か ろう し

832

衰える
おとろ

動 **weaken**
衰退

年とともに体力が<u>衰え</u>てきた。
とし   たいりょく おとろ

I'm getting weaker as I age.
随着年龄增长体力开始衰退。

833

弱る
よわ

動 **weaken**
衰弱

足が<u>弱って</u>くると、出かけるのが面倒になる。
あし よわ   で   めんどう

When your legs get weak, you feel too lazy to go outside.
腿脚一衰退出门就麻烦了。

834

げっそり [と]〈する〉

副 **look haggard**
突然消瘦

下痢が続いて、<u>げっそりとしている</u>。
げ り つづ

I've had diarrhea for days and look haggard.
一直拉肚子，突然消瘦了。

835

劣る
おと

動 **inferior**
逊色

ずっと鍛えていたので、体力は若者に<u>劣ら</u>ない。
きた   たいりょく わかもの おと

I continued to train myself, so I am strong as younger people.
因为一直锻炼，体力不亚于年轻人。

836

ふらつく

動 **wobble**
摇晃

急に立ち上がると、足が<u>ふらつく</u>。
きゅう た あ   あし

My legs wobble when I stand up suddenly.
突然站起来时双脚发晃。

---

837 もうろうと〈する〉

副 half conscious, feeing hazy
朦朧

時折、意識がもうろうとなる。
ときおり　いしき

Sometimes, I'm only half conscious.
有时会意识朦胧。

838 物忘れ〈する〉
ものわす

名 forgetfulness
落东西

最近、物忘れがひどくなってきた。
さいきん　ものわす

Recently, my forgetfulness is getting worse.
最近越来越容易落东西了。

839 ぼける

動 become senile
痴呆

最近、祖母は少しずつぼけてきたようだ。
さいきん　そぼ　すこ

These days, my grandmother is gradually getting senile.
最近祖母好像有点痴呆了。

➕ 休みぼけ sluggishness after returning from holidays / 假后综合症・
やす
時差ぼけ jetlag / 时差症
じさ

840 ぼやける

動 blurred
模糊不清

疲れると、物がぼやけて見える。
つか　もの　み

Things begin to appear blurred when I get tired.
一累看东西就很模糊。

841 めっきり［と］

副 suddenly, drastically
急剧

ここのところ、めっきり記憶力が落ちた。
きおくりょく　お

My memory has drastically weakened these days.
最近记忆力明显下降。

842 うっすら［と］

副 vaguely
隐约

祖父は幼い頃の思い出を、うっすらと覚えている
そふ　おさな　ころ　おも　で　おぼ
ようだ。

My grandfather vaguely remembers his childhood days.
祖父好像还能隐约记得年幼时期的事情。

843 意識不明
いしきふめい

名 unconscious
意识不清

意識不明になって、救急車で運ばれた。
いしきふめい　きゅうきゅうしゃ　はこ

I lost consciousness and was carried by an ambulance.
意识不清了，被救护车送去了医院。

➕ 重体 serious condition / 病危
じゅうたい

844 昏睡〈する〉
こんすい

名 coma
昏睡

病院で昏睡の状態に陥った。
びょういん　こんすい　じょうたい　おちい

He dropped into a coma at the hospital.
在医院陷入了昏睡的状态。

845 自覚〈する〉
じかく

名 awareness
自觉

恐ろしい病気でも、自覚がない場合がある。
おそ　びょうき　じかく　ばあい

You may not be aware of any symptoms even if it is a terrible disease.
重病也不一定会察觉。

➕ 自覚症状 subjective symptoms / 自觉症状
じかくしょうじょう

846 □	正気 しょうき 名 **sober** 神志清醒	頭の中が混乱していたが、やっと正気に戻った。 あたま　なか　こんらん　　　　　　　　　しょうき　もど I was confused, but I'm finally sober. 头脑一直很混乱，现在终于神志清醒了。
847 □	進行 〈する〉 しんこう 名 **go forward** 进行	気づかない間に症状が進行していた。 き　　　　　あいだ　しょうじょう　しんこう The symptoms worsened without me noticing it. 不知不觉中症状在加剧。
848 □	害する がい 動 **ruin** 危害	健康を害して、会社を辞めることになった。 けんこう　がい　　　　かいしゃ　や I ruined my health and had to quit the company. 危害到了健康，所以决定辞去工作。

➕ 損なう fail to do / 伤害
　　そこ

👆 used not only for physical but mental condition also / 不仅仅用于身体，也用于心情。

849 □	こじらせる 動 **get worse** 久拖不愈	風邪をこじらせて入院することになった。 かぜ　　　　　　　にゅういん The cold got worse, and I was hospitalized. 感冒久拖不愈就住院了。
850 □	漠然 ［と］〈する〉 ばくぜん 副 **vaguely** 連体 漠然	老化に漠然とした不安を抱く。（副） ろうか　ばくぜん　　　　　ふあん　いだ I have a vague fear of old age. 对老去抱有一种漠然的不安。
851 □	いたずらに 副 **unnecessarily** 徒然	いたずらに時間が過ぎていく。 じかん　す Time passes by unnecessarily. 时间徒然流逝。

➕ 空しく fruitless / 徒然
　　むな

---

852 発作
はっさ

名 seizure, attack
发作

夜中に原因不明の発作が起きた。
よなか　げんいんふめい　ほっさ　お

A seizure due to an unknown cause occurred in the middle of the night.
半夜不知何故突然疾病发作。

➕ 心臓発作 heart attack / 心脏病发作
しんぞうほっさ

---

853 全身
ぜんしん

名 entire body
全身

突然、全身がかゆくなった。
とつぜん　ぜんしん

Suddenly, my entire body became itchy.
突然全身发痒。

---

854 じんましん

名 rash
荨麻疹

卵を食べたら、全身にじんましんが出た。
たまご　た　ぜんしん　で

I got rashes all over my body after eating an egg.
吃了鸡蛋后全身出了荨麻疹。

---

855 あざ

名 bruise
淤青

机にぶつけて、腕にあざができた。
つくえ　うで

I got a bruise on my arm when I hit the desk.
撞到书桌了，手臂上青了一块。

➕ 青あざ bruise / 淤青
あお

---

856 かぶれる

動 get rashes
红肿瘙痒

虫を触ったら、手がかぶれた。
むし　さわ　て

My hands developed rashes when I touched the bug.
碰了虫子，手上红肿瘙痒起来。

---

857 引っかく
ひ

動 scratch
抓

猫に引っかかれて、傷ができた。
ねこ　ひ　きず

The cat scratched me and gave me a scar.
被猫抓了，受伤了。

➕ 引っかき傷 scratch / 抓伤
ひ　きず

---

858 貧血
ひんけつ

名 anemia
贫血

仕事中に貧血で気分が悪くなった。
しごとちゅう　ひんけつ　きぶん　わる

I felt ill during work from dizziness.
工作时突然贫血不舒服。

---

859 ずきずき〈する〉

副 throbbing
阵痛

虫歯がずきずき痛むので、薬を飲んだ。
むしば　いた　くすり　の

My cavity caused a throbbing pain, so I took some medicine.
蛀牙一直阵痛所以吃了药。

798-939

860
がんがん〈する〉
副 throbbing
強烈的头疼

朝から頭ががんがんしている。
あさ　　あたま

I've had a throbbing headache since the morning.
早上起来头剧痛无比。

861
むかむか〈する〉

①少しお酒を飲んだだけで、胸がむかむかしてきた。
すこ　　さけ　の　　　　　　　　　むね

②あいつの顔を見るだけで、むかむかする。
かお　み

副 feel sick
恶心想吐，生气

① I felt nauseous after drinking just a little bit of alcohol.
② I feel sick just looking at his face.
①只是喝了一点酒就恶心想吐。
②只要看到那个人的脸火气就上来。

➕ むかつく feel upset / 恼怒

☞ ① feeling nauseous ② be in a bad mood due to anger / ①想吐②愤怒

862
じわり［と］
副 gradually
缓缓地

腰がじわりとだるくなってきた。
こし

My lower back gradually started to feel dull.
腰慢慢地没有力气了。

🟰 じわっと・じわじわ［と］

863
むせる
動 choke
呛

たばこの煙を吸うと、ひどくむせる。
けむり　す

I choke a lot when I smoke cigarettes.
闻到香烟味就呛得厉害。

864
むくむ
動 swell
浮肿

足がむくみやすくなった。
あし

My legs get swollen easily these days.
脚变得容易浮肿起来了。

➕ むくみ feel bloated / 浮肿

865
ゆがむ

①どうしたんだろう。物がゆがんで見える。
もの　　　　　み

②彼のゆがんだ性格を何とかしたい。
かれ　　　　　せいかく　なん

動 warped
歪斜，变态

① I wonder what happened. My vision is distorted.
② I want to do something with his warped personality.
①到底怎么回事，东西看起来都是歪的。
②想为他不太正常的性格做点什么。

➕ ゆがみ warped / 歪曲

☞ ① the item changes its shape ② the personality is not in a normal condition / ①东西的形状歪②性格变得不正常

866	出っ張る で ば 動 **protrude** 鼓起来	最近、夫のおなかが<u>出っ張って</u>きた。 さいきん おっと で ば My husband's tummy sticks out these days. 最近丈夫的肚子鼓起来了。
867	もろい イ形 **fragile** 脆	カルシウムが不足して、骨が<u>もろく</u>なった。 ふ そく ほね My bones are getting fragile from a lack of calcium. 缺钙骨质酥松了。
868	にじむ 動 **spread** 渗出	転んで、膝に血が<u>にじんだ</u>。 ころ ひざ ち I fell, and my knees started to bleed. 摔倒了，膝盖上渗出了血。
869	しみる 動 **sting** 刺痛	冷たいものを食べると、歯に<u>しみる</u>。 つめ た は My teeth sting when I eat something cold. 吃冷的东西牙齿会刺痛。
870	捻挫〈する〉 ねん ざ 名 **sprain** 扭伤	テニスで足をひねって、<u>捻挫</u>した。 あし ねん ざ I twisted my foot while playing tennis and sprained it. 打网球扭了脚，受伤了。
871	圧迫〈する〉 あっ ぱく 名 **pressure** 圧迫	エアバックで胸が<u>圧迫されて</u>、骨が折れた。 むね あっ ぱく ほね The airbag pressured my chest and I broke a bone. 被安全气囊压迫了胸部骨折了。
872	刺さる さ 動 **stick** 扎	指にとげが<u>刺さって</u>、なかなか抜けない。 ゆび さ ぬ I have a thorn in my finger and it doesn't come out. 手指里扎了根刺拔不出来。

➕ とげ thorn / 刺

873	つねる 動 **pinch** 掐	感覚が鈍り、<u>つねって</u>も痛みを感じない。 かんかく にぶ いた かん My feelings are numb. I don't feel the pain even if someone pinches me. 感觉迟钝，掐了也感觉不到痛。
874	さする 動 **stroke** 按摩	痛いところを<u>さする</u>と、楽になる気がする。 いた らく き You feel better when you stroke where there is pain. 按摩痛处感觉好一点了。

---

875 肺炎
はいえん
名　pneumonia
肺炎

風邪だと思っていたが、肺炎と診断された。
かぜ　おも　　　　　　　　はいえん　しんだん

I thought it was a cold, but I was diagnosed with pneumonia.
以为是感冒，结果被诊断出来肺炎。

➕ 結核 tuberculosis / 結核
けっかく

---

876 気管支炎
きかんしえん
名　bronchitis
支气管炎

気管支炎になって、せきが止まらない。
きかんしえん　　　　　　　　と

I have bronchitis and can't stop coughing.
得了支气管炎，咳嗽不止。

---

877 ぜん息
そく
名　asthma
哮喘

ぜん息がひどくなって、息ができない。
そく　　　　　　　　　いき

My asthma has worsened, and I can't breathe.
哮喘很严重，无法呼吸。

➕ 小児ぜん息 childhood asthma / 小儿哮喘
しょうに　そく

---

878 皮膚炎
ひふえん
名　eczema
皮肤炎

環境が変わって、皮膚炎が悪化した。
かんきょう　か　　　　　ひふえん　あっか

My eczema worsened when my environment changed.
环境改变了，皮肤炎越发严重。

---

879 アトピー
名　atopic dermatitis
特应性皮炎

子どもの頃からアトピーに悩まされている。
こ　　　ころ　　　　　　　　なや

I have been suffering from atopic dermatitis since I was a child.
从小就有特应性皮炎很困扰。

---

880 うつ病
びょう
名　depression
抑郁症

うつ病は周囲の人になかなか理解されない。
びょう　しゅうい　ひと　　　　　　　りかい

Depression is not easily understood by people around you.
抑郁症不被周围人所理解。

---

881 認知症
にんちしょう
名　dementia
痴呆症

祖母の認知症は確実に進行している。
そぼ　にんちしょう　かくじつ　しんこう

My grandmother's dementia is definitely progressing.
祖母的痴呆症日益加剧。

➕ アルツハイマー Alzheimer's disease / 老年痴呆症

---

882 発病〈する〉
はつびょう
名　taken ill
发病

ぜん息は発病すると完全には治らない。
そく　はつびょう　　　かんぜん　なお

Once you have asthma, you can never be cured completely.
哮喘一旦发病很难痊愈。

883 慢性
まんせい

名 **chronic**
慢性

慢性の病気の治療は時間がかかる。
まんせい　びょうき　ちりょう　じかん

Chronic disease takes time to treat.
慢性病的治疗需要时间。

➡ 急性
きゅうせい

---

884 中毒
ちゅうどく

名 **poisoning**
中毒

同じ弁当を食べた全員が食中毒になった。
おな　べんとう　た　ぜんいん　しょくちゅうどく

Everyone who ate the same box lunch suffered food poisoning.
吃了相同便当的所有人都食物中毒了。

➕ アルコール中毒 alcoholism / 酒精中毒
ちゅうどく

---

885 応急
おうきゅう

名 **emergency**
应急

彼は救急車が来るまで、けが人に応急手当をした。
かれ　きゅうきゅうしゃ　く　　にん　おうきゅうてあ

He conducted first aid to the injured until the ambulance came.
他在救护车来之前，对伤患人员做了急救措施。

➕ 応急処置 first aid / 应急处理
おうきゅうしょち

---

886 まれな

ナ形 **rare**
稀有

この病気を治せる医者はまれだ。
びょうき　なお　いしゃ

Doctors who can cure that illness are rare.
能治愈这种病的医生太少了。

---

887 うつぶせ

名 **face down**
俯卧

そのベッドにうつぶせになって寝てください。
ね

Please lie down on the bed face down.
请在那个床上趴着睡。

➕ あお向け lie down facing upward / 面朝上
む

---

888 カルテ

名 **medical record**
病历

カルテに症状が詳しく記入されている。
しょうじょう　くわ　きにゅう

The symptoms are written in detail on the medical record.
病历里详细记载了病症。

---

889 冷却 〈する〉
れいきゃく

名 **cooling**
冷却

熱があるので、冷却シートをおでこに貼る。
ねつ　　　　れいきゃく　　　　　は

I'm running a fever so I pasted the cooling plaster on my forehead.
因为有点儿发烧，所以把冷敷贴贴在额头上。

---

890 和らげる
やわ

動 **ease**
使缓和

この薬には痛みを和らげる効果がある。
くすり　いた　やわ　こうか

This medicine has the effect of easing the pain.
这种药有缓解疼痛的效果。

➕ （～が）和らぐ ease / 缓和
やわ

891 矯正 〈する〉
きょうせい

名 correction
矯正

小学生のときに、歯の矯正を始めた。
しょうがくせい　　　　　は　　きょうせい　　はじ

I started to get my teeth straightened when I was in grade school.
小学生的时候开始做牙齿矫正。

892 告知 〈する〉
こくち

名 announcement, notice
告知

医師からがんの告知をされた。
いし　　　　　　　こくち

My doctor told me I have cancer.
被医生告知患上癌症。

893 同意 〈する〉
どうい

名 agreement
同意

手術の同意書に署名した。
しゅじゅつ　どういしょ　しょめい

I signed an agreement to be performed a surgery.
在手术同意书上签字。

894 面会 〈する〉
めんかい

名 visitation
会面

面会の時間を調べて、お見舞いに行く。
めんかい　じかん　しら　　　　　み ま　　 い

I checked the visitation hours and went for a visit.
查好探访时间，去探病。

➕ 面会謝絶 no visitors / 谢绝会面・面会時間 visitation hours / 会面时间
めんかいしゃぜつ　　　　　　　　　　　　　　　　　　めんかい じかん

895 付き添う
つ　 そ

動 accompany
陪伴

母が入院している間、ずっと付き添った。
はは　にゅういん　　　　あいだ　　　　　　つ　そ

I accompanied my mother throughout her hospitalization.
母亲住院期间一直陪伴左右。

➕ 付き添い accompany / 照料
つ　 そ

896 安静
あんせい

名 stay rested
静养

今日は一日安静にしていなければならない。
きょう　いちにちあんせい

I have to stay rested all day today.
今天一整天都得静养。

➕ 絶対安静 complete rest / 绝对静养
ぜったいあんせい

897 尽くす
つ

動 do much as possible
尽力

医者は治療に全力を尽くしてくれた。
いしゃ　ちりょう　ぜんりょく　つ

The doctor did all he can to treat me.
医生对治疗竭尽全力。

898 踏み切る
ふ　 き

動 take the plunge/take off
下决心，起跳

①医師の判断で、手術に踏み切った。
いし　はんだん　　しゅじゅつ　ふ　き
②高跳びで踏み切るタイミングを間違え、記録が
たか と　　　ふ　き　　　　　　　　　まちが　　きろく
伸びなかった。
の

① I am undergoing surgery upon the doctor's decision.
② I missed the timing to take off in the high jump hence my record was not good.
①按照医生的判断决定做手术。
②起跳时机不对，没能更新记录。

👉 ① embark on matters ② kick with a recoil / ①顺势而为②用反作用力踢

899 手遅れ
ておくれ

名 too late
为时已晚

もう少しで<u>手遅れ</u>になるところだった。
すこ　　　　ておく

It was almost going to be too late.
差一点儿就为时已晚了。

900 経過
けいか

名 course
过程

医師に治療の詳しい<u>経過</u>を説明してもらう。
いし　ちりょう　くわ　　けいか　　せつめい

The doctor explained the course of treatment to me carefully.
让医生讲解详细的治疗过程。

901 二の次
にのつぎ

名 secondary importance
次要

仕事は<u>二の次</u>にして、まず治療に集中する。
しごと　にのつぎ　　　　ちりょう　しゅうちゅう

Forget work and concentrate on getting the treatment.
把工作先放一边，先专注治疗。

902 奇跡的な
きせきてきな

ナ形 miraculously
奇迹般的

<u>奇跡的</u>に全快し、退院することができた。
きせきてき　ぜんかい　　たいいん

Miraculously, I recovered and was discharged from the hospital.
奇迹般痊愈了，能出院了。

903 ひとりでに

副 on its own
自然而然

時には、<u>ひとりでに</u>病気が治ることもある。
とき　　　　　　びょうき　なお

Sometimes the illness recovers on its own.
有时病自然而然就好了。

904 全快〈する〉
ぜんかい

名 full recovery
痊愈

<u>全快</u>できると信じて治療を続ける。
ぜんかい　　　　しん　ちりょう　つづ

I continue to get treatment, believing that I will recover fully.
坚信会痊愈继续进行治疗。

905 薬局
やっきょく

名 pharmacy
药房

病院の近くにある<u>薬局</u>で、薬をもらって帰る。
びょういん　ちか　　　やっきょく　くすり　　　かえ

I was prescribed the medicine at the pharmacy near the hospital and later headed home.
在医院附近的药房取完药回家。

➕ ドラッグストア drugstore / 药妆店

906 処方せん
しょほう

名 prescription
药方

受付で<u>処方せん</u>をもらい、薬局に持参した。
うけつけ　しょほう　　　　やっきょく　じさん

I received a prescription at the counter and brought it to the pharmacy.
在挂号处领取药方后把药方带去了药房。

907 ガーゼ

名 gauze
纱布

傷口に<u>ガーゼ</u>を当てて保護する。
きずぐち　　　　あ　　ほご

The scar was protected with a gauze.
在伤口上包扎上纱布保护。

➕ ばんそうこう bandage / 创可贴

908 薬剤師
やくざいし

名 pharmacist
药剂师

<u>薬剤師</u>が薬についてアドバイスしてくれた。
やくざいし　くすり

The pharmacist advised me about the prescribed medicine.
药剂师给了关于药品的一些建议。

美容
びよう

Beauty / 美容

---

909 容姿
ようし

名 **appearance**
姿容

彼女は自分の容姿にとても気を遣っている。
かのじょ　じぶん　ようし　　　　　き　つか

She is very careful about her appearance.
她十分讲究自己的姿容。

---

910 はり

名 **smoothness**
弾性

念入りなスキンケアで肌のはりを保つ。
ねんい　　　　　　　　　　はだ　　　　　たも

Careful skincare enables you to maintain smooth skin.
通过细致的护肤保持肌肤的弹性。

---

911 突っ張る
つ　ば

動 **tight/defiant**
緊绷，顶撞

①水分が不足すると、肌が突っ張る。
　すいぶん　ふそく　　　　　はだ　つ　ば
②若い頃は、誰に対しても突っ張っていた。
　わか　ころ　　だれ　たい　　　　つ　ば

① The skin gets tight when it lacks moisture.
② I was defiant toward everybody when I was young.
①如果水分不足，肌肤就会紧绷。
②年轻的时候，无论对谁都会顶撞。

👉 ① become tight and hard ② saying one's opinion regardless of anything / ①紧绷②坚持己见

---

912 艶
つや

名 **color**
光泽

疲れると顔の艶がなくなる。
つか　　　　かお　つや

My skin color gets dull when I become tired.
劳累会使面部失去光泽。

---

913 つやつや〈な / する〉

ナ形
副 **smooth/smoothly**
光润

妹はつやつやな素肌が自慢だ。（ナ形）
いもうと　　　　　　　　すはだ　じまん

My younger sister boasts that her bare skin is silky smooth.
妹妹对自己光滑的素颜很得意。

---

914 潤い
うるお

名 **moisture**
水润

お風呂上りのパックで潤いをキープする。
ふろあが　　　　　　　うるお

Maintain the moisture by using a facial treatment mask after taking a bath.
洗澡后敷面膜可以保持肌肤水润。

➕ 潤う get moist / 湿润
　うるお

---

915 保つ
たも

動 **maintain**
保持

美しい素肌を保つには日々のケアが必要だ。
うつく　　すはだ　たも　　　ひび　　　　ひつよう

Daily care is important to maintain beautiful skin.
保持美丽素颜需要每天的呵护。

➕ 維持〈する〉 maintain / 维持
　いじ

---

916 しっとり[と]〈する〉

副 **moist, damp**
滋润保湿

いい化粧品を使ったら、肌がしっとりしてきた。
　けしょうひん　つか　　　　　はだ

My skin became moist after I used good cosmetics.
用了好的化妆品之后，肌肤变得滋润了。

917 はじく

①このクリームは泳いでも水を<u>はじく</u>。
②このコップを指で<u>はじく</u>と、澄んだ音がする。

動 repel, flick, snap
排斥，弹

① This cream repels water even when I'm swimming.
② A clear sound comes from this glass when you flick it with your fingers.
①这个乳霜在游泳时也防水。
②如果用手指弹这个杯子，会发出清脆的声音。

➕ (〜が)はじける explode, pop / 绷开

👉 ① not allow to get near ② throw upward by exerting power swiftly / ①无法靠近②瞬间用力使飞散

918 透き通る

彼女の<u>透き通る</u>ような肌が羨ましい。

動 clear
透过去

I envy her clear skin.
羡慕她通透的肌肤。

919 瞳
ひとみ

この女優は大きな<u>瞳</u>がとても印象的だ。

名 pupil
眼睛

The actress' big round eyes are very impressive.
这个女演员的大眼睛给人留下很深的印象。

920 まばたき 〈する〉

彼女は<u>まばたき</u>をするたびに、長いまつ毛が揺れる。

名 blink
眨眼

Her long eyelashes flutter every time she blinks.
她每次眨眼时长睫毛都会呼扇呼扇的。

921 つぶる

片方の目を<u>つぶって</u>お化粧をする。

動 close
闭眼

Close one eye when applying make-up.
闭上一边的眼睛化妆。

🟰 つむる

922 たるむ

最近、おなかの辺りが少し<u>たるん</u>できた。

動 sag
松弛

My waist area has begun to sag recently.
最近肚子周围有些松弛了。

➕ たるみ slack / 松弛

923 のちのち

今ダイエットしなければ、<u>のちのち</u>後悔する。(副)

名 later, later
副 之后

I will regret later if I don't go on a diet now.
现在不减肥的话之后会后悔。

➕ あとあと later / 将来

924 成果
せいか

日々の運動の<u>成果</u>が出てきた。

名 result
成果

The results of the daily exercise are starting to show.
每天的运动出成效了。

925 ひけつ

名 secret
秘诀

若さのひけつは、適度な運動だ。

The secret to youthfulness is moderate exercise.
年轻的秘诀是适量运动。

---

926 生まれつき

名 from birth/from birth
副 天生

妹は生まれつき目が大きい。(副)

My younger sister was born with large eyes.
妹妹天生眼睛很大。

➕ 生まれながら born with / 生性・天性 natural / 天性

---

927 帯びる

動 put on
带有

最近、少し丸みを帯びてきた。

I've been putting on weight recently.
最近有点儿胖了。

---

928 がらっと

副 change completely
突然改变

彼女はダイエットして、雰囲気ががらっと変わった。

She went on a diet and looks very different now.
她减肥后形象突然改变。

🟰 がらりと

---

929 生まれ変わる

動 reborn
脱胎换骨

あのタレントはすっかり痩せて、生まれ変わったようだ。

That talent really lost weight and looks completely different.
那个明星完全瘦了下来，仿佛脱胎换骨。

➕ 生まれ変わり rebirth / 转世

---

930 反らす

動 bend backward
弄弯

体を反らして腹筋を鍛える。

Work your abdomen by bending yourself backwards.
弯曲身体练腹肌。

➕ (〜が) 反る bend backwards / 颠倒

---

931 引っ込む

動 recede
瘪进去

腹筋運動を続けたら、おなかが引っ込んだ。

My tummy became flat after doing sit-ups for a while.
一直在锻炼腹肌，肚子瘪进去了。

➕ (〜を) 引っ込める pull back / 缩回

---

932 すらりと〈する〉

副 smoothly
苗条

子どもの頃からすらりとした体つきだった。

She had a sleek body ever since she was a child.
小时候起就是苗条的体型。

🟰 すらっと〈する〉 ➕ スリムな slim / 苗条

933 ほっそり［と］〈する〉

副 look thin
纤细

この雑誌のモデルのようにほっそりしたい。

I want to look thin like the model in this magazine.
想变得像这个杂志上的模特一样苗条。

934 コンプレックス

名 inferiority complex
自卑感

スタイルのコンプレックスを解消したい。

I want to get rid of my inferiority complex about my figure.
想消除身材上的自卑感。

935 油断〈する〉

名 be careless
大意

少し痩せても、油断するとすぐ太る。

Even if I lose weight, I gain it easily if I'm too careless.
即使瘦了一点儿，一大意又马上发胖。

➕ 油断大敵 overconfidence can be very dangerous / 粗心大意要不得

936 過剰〈な〉

名 excess/excessive
ナ形 过度

過剰なダイエットは体によくない。（ナ形）

Excessive diet is not good for your body.
过度减肥对身体不好。

➕ 自信過剰〈な〉 overconfidence / 过度自信・
意識過剰〈な〉 hyperconsciousness / 过分在意别人的目光

937 老ける

動 age
老

睡眠が不足すると、老けて見える。

I look old if I don't get enough sleep.
睡眠不足的话就会显老。

938 執着〈する〉

名 attached, cling
执着

姉は若さに執着している。

My older sister clings on to youthfulness.
姐姐对年轻很执着。

939 はげる

動 go bald
秃

父ははげてきたのを、とても気にしている。

My father is very concerned about going bald.
爸爸很在意自己开始变秃了。

これも
覚えよう！⑭

➕ 接辞⑭　Affix ⑭ / 词缀⑭　（敬語 honorifics / 敬语）

● 相手を立てる表現　Expressions respecting others / 抬高对方的表达

尊

尊父	esteemed father / 令尊
尊兄	esteemed brother / 令兄
尊母	esteemed mother / 令堂
尊称	honorific title / 尊称

貴

貴兄	you (used by men to their male subordinates) / 兄台
貴殿	you (used by men to their male equals or superiors) / 阁下
貴社 （＝御社）	esteemed company / 贵公司
貴校	esteemed school / 贵校（小学、中学、高中）
貴学	esteemed school / 贵校（大学）

N1
Chapter
8
お気に入り
きい

Favorites
爱好

940
挑む
いど
動 challenge
挑战

どんな相手でも全力で挑む。
あいて　　　ぜんりょく　いど

I will give it my all, no matter who I'm up against.
不论哪种对手都全力挑战。

➕ 挑戦〈する〉 challenge / 挑战
ちょうせん

941
まとまる
動 come together
聚拢

チームが一つにまとまって練習を積む。
ひと　　　　　　　れんしゅう　つ

The team came together as one to practice.
队伍团结起来集训。

➕ 団結〈する〉 solidarity / 团结
だんけつ

942
作戦
さくせん
名 strategy
作战

試合前に時間をかけて作戦を立てる。
しあいまえ　じかん　　　　さくせん　た

Take time to plan the strategy before the game.
比赛前花时间考虑作战计划。

➕ 作戦会議 strategy meeting / 作战会议
さくせんかいぎ

943
戦力
せんりょく
名 fighting power
战斗力

中心選手がけがをして、大切な戦力を失った。
ちゅうしんせんしゅ　　　　　たいせつ　せんりょく　うしな

We lost an important part of our fighting power when our
main player was injured.
主力选手受伤了，失去了重要的战斗力。

944
負かす
ま
動 beat
打败

ライバルを負かして優勝した。
ま　　　　ゆうしょう

We beat our rival and won the tournament.
击败对手获得了胜利。

945
対抗 〈する〉
たいこう
名 playing against
对抗

去年の優勝チームに対抗する。
きょねん　ゆうしょう　　　　たいこう

We will play against last year's winning team.
同去年获胜的队伍对抗。

946
獲得 〈する〉
かくとく
名 acquire
获得

A チームは有望な選手を獲得した。
ゆうぼう　せんしゅ　かくとく

Team A acquired a promising player.
A 队获得了有潜力的选手。

947
圧倒 〈する〉
あっとう
名 overwhelm
压倒

試合の後半で相手チームのパワーに圧倒された。
しあい　こうはん　あいて　　　　　　　　あっとう

In the latter half of the game, we were overwhelmed by the
power of the opposing team.
比赛后半场被对手的气势压倒了。

948 一挙に
いっきょ

副 at once
一挙

試合の前半で一挙に3点を取られた。
しあい ぜんはん いっきょ てん と

We lost three points at once in the first half of the game.

比赛上半场一下得了三分。

---

949 意気込む
い き こ

動 be enthusiastic, be eager
鼓足干劲

チーム全員、意気込んで試合に臨んだ。
ぜんいん い き こ しあい のぞ

Everyone on the team eagerly psyched up for the game.

全队所有人鼓足干劲迎战。

➕ 意気込み enthusiasm / 干劲
い き こ

---

950 無我夢中
む が む ちゅう

名 absorption
忘我

勝利のために無我夢中で練習した。
しょうり む が む ちゅう れんしゅう

I practiced very hard to win.

为了胜利忘我地练习。

---

951 負けず嫌いな
ま ぎら

ナ形 hating to lose; competitive
不服输

負けず嫌いでなければ、勝負に勝てない。
ま ぎら しょうぶ か

You have to be competitive to win in games.

没有不服输的决心的话胜出不了。

➕ 勝ち気〈な〉 strong-minded / 好胜
か き

---

952 しぶとい

イ形 persistent
倔强

彼は最後までしぶとく戦った。
かれ さいご たたか

He fought persistently until the end.

他顽强地战斗到了最后。

➕ 粘り強い tenacious / 有毅力
ねば づよ

---

953 顔つき
かお

名 facial expression
表情

彼女は試合前になると顔つきが変わる。
かのじょ しあいまえ かお か

Her expression changes before the game.

她一到比赛前表情就会不一样。

➕ 目つき look / 眼神
め

---

954 健闘〈する〉
けんとう

名 good fight
奋斗

お互いに最後まで健闘した。
たが さいご けんとう

They both fought well until the end.

互相奋斗到了最后。

---

955 手加減〈する〉
て か げん

名 go easy on someone
留酌

相手が誰でも、絶対に手加減しない。
あいて だれ ぜったい て か げん

I will never go easy on the opponent, whoever he or she may be.

不论对方是谁都毫不留情。

---

956 補充〈する〉
ほ じゅう

名 reinforce
补充

負けそうだ。戦力を補充しなければ。
ま せんりょく ほ じゅう

We're losing. We need to reinforce our fighting power.

好像要输了，要补充战斗力。

---

957 反則
はんそく

名 foul play
犯规

相手の選手が反則をした。
あいて せんしゅ はんそく

The player in the opposing team committed foul play.
对手选手犯规了。

➕ 反則負け lose by foul play / 犯规而输
はんそくま

958 抗議〈する〉
こうぎ

名 protest
抗议

監督が相手チームに抗議した。
かんとく あいて こうぎ

The coach protested against the opposing team.
教练向对手队伍提出了抗议。

959 喪失〈する〉
そうしつ

名 lose
丧失

敵が強すぎて、自信を喪失しそうだ。
てき つよ じしん そうしつ

The opponent is so strong I'm losing confidence.
好像是敌方太强，丧失了信心。

➕ 自信喪失 lose confidence / 丧失信心
じしんそうしつ

960 お手上げ
てあ

名 give up
投降

こんなに点差がついたら、もうお手上げだ。
てんさ てあ

With this huge score difference, I'm about to give up.
比分差这么多，只好认输了。

➕ 降参〈する〉 give up / 降服・ギブアップ〈する〉 give up / 放弃
こうさん

961 行進〈する〉
こうしん

名 march
行进

選手たちが堂々と行進してきた。
せんしゅ どうどう こうしん

The students proudly marched in.
选手们威严庄重地行进进来了。

➕ 入場行進〈する〉 entrance march / 入場・行進曲 march / 进行曲
にゅうじょうこうしん こうしんきょく

962 ポジション

名 position
位置

監督が適性を見てポジションを決めた。
かんとく てきせい み き

The coach decided the positions based on aptitude.
教练酌情决定了战位。

➕ 配置 position / 配置
はいち

963 技
わざ

名 technique
技能

彼は新しい技を次々と身に付けている。
かれ あたら わざ つぎつぎ み つ

He is acquiring new techniques one after another.
他不断地掌握握新的技能。

964 屋内
おくない

名 indoors
室内

大雨のため、今日の試合は屋内で行われた。
おおあめ きょう しあい おくない おこな

Today's game was held indoors because of the heavy rain.
因大雨今天的比赛在室内进行。

965 観戦〈する〉
かんせん

名 watching the game
観战

多くの人が会場で観戦している。
おお　ひと　かいじょう　かんせん

Many people are viewing the game at the venue.
很多人都来会场观战。

➕ サッカー観戦〈する〉 soccer viewing / 看足球赛
かんせん

966 声援〈する〉
せいえん

名 cheers
呐喊助威

会場に声援が響いている。
かいじょう　せいえん　ひび

The cheers echo in the venue.
会场中回响着呐喊助威声。

967 ぼうぜんと〈する〉

副 dumbfounded
茫然

終了直前に相手に点を入れられ、一同ぼうぜんとした。
しゅうりょうちょくぜん　あいて　てん　い　　いちどう

The opponent scored a point just before the game ended and everyone was dumbfounded.
比赛快结束时，对手队员进了个球，全场哑然。

➕ あぜんと〈する〉 dumbfounded / 目瞪口呆

968 かける

動 bet
赌注

彼は今度の試合に人生をかけている。
かれ　こんど　しあい　じんせい

He is betting his life on the next game.
他把人生赌在了这次比赛上。

969 化ける
ば

動 become/disguise
化身成为, 乔装

①このまま努力すれば、彼は一流の選手に化けるだろう。
どりょく　　　かれ　いちりゅう　せんしゅ　ば

②犯人は警察官に化けていた。
はんにん　けいさつかん　ば

① He can become a top player if he continues to make the effort.
② The criminal disguised himself as a policeman.
①这样努力下去的话，他一定会蜕变成为一流的选手。
②犯人乔装成了警察。

➕ （〜を）化かす bewitched / 欺骗
ば

👉 ① changes so much that it is unexplainable under normal circumstances ② become someone else through disguise / ①无法用常理来理解的变化②乔装成他人

970 育成〈する〉
いくせい

名 nurture
培养

コーチは若い選手をじっくり育成している。
わか　せんしゅ　　　　　いくせい

The coach takes the time to nurture young players.
教练一心一意地培养选手。

971 人知れず
ひとし

副 without people knowing
暗地里

あの選手は人知れず厳しい練習を積んでいる。
せんしゅ　ひとし　　きび　れんしゅう　つ

That player is practicing hard where people are not watching.
那个选手默默地接受着严酷的训练。

972 実る
みの

動 bear fruit
有成果

とうとう優勝して、今までの努力が実った。
ゆうしょう　いま　どりょく　みの

All of our effort up to this point bore fruit, and we finally won.
终于获胜了，至今的努力终于有了成果。

973 一躍
いちやく

副 in a leap
一跃

この大会で優勝すれば、彼は一躍スターだ。
たいかい　ゆうしょう　かれ　いちやく

If he wins in this tournament, he will rise to stardom.
在那场大赛上获胜的话，他会一跃成为明星。

974 転落 〈する〉
てんらく

名 fall
下滑，滚下

①今日負けて、彼はランキング一位から転落した。
きょう ま　かれ　いちい　てんらく
②駅の階段の上から転落して、大けがをした。
えき かいだん うえ　てんらく　おお

① He fell from his top rank with today's loss.
② He fell from the stairs at the station and injured himself badly.
①今天输了，他从第一位下滑了下来。
②从车站的台阶上滚下来，受了重伤。

👉 ① fall from rank ② fall by rolling downward / ①名次下滑②滚落

975 栄光
えいこう

名 glory
辉煌

A チームは勝ち続けて、日本一の栄光に輝いた。
か つづ　にほんいち　えいこう かがや

Team A continued to win and basked in glory as the top team in Japan.
A队连续获胜，获得了日本第一的辉煌胜利。

➕ 栄冠 laurels / 荣誉・チャンピオン champion / 冠军
えいかん

976 伝説
でんせつ

名 legend
传说

彼は伝説のチャンピオンだ。
かれ　でんせつ

He is a legendary champion.
他是传说中的冠军。

Section 2
ファッション

Fashion / 时尚

---

977 フォーマルな

フォーマルな服装でパーティーに出席する。
ふくそう　　　　　　　　　　しゅっせき

ナ形 formal
正式

I will attend the party in formal attire.
穿正装出席晚会。

⟷ カジュアルな　**＋** 正装〈する〉 formal attire / 正装
せいそう

---

978 ラフな

彼の服は高級レストランではラフすぎる。
かれ　ふく　こうきゅう

ナ形 rough
粗糙

His clothes are too casual for a high class restaurant.
他这身衣服在高级餐厅太随便了。

---

979 着飾る
き かざ

たまには着飾って食事に出かけたい。
き かざ　　　しょくじ　で

動 dress up
打扮

Sometimes I want to dress up and go out to eat.
偶尔打扮一下出去吃饭。

---

980 映える
は

このドレスには赤いバッグが映える。
あか　　　　　　は

動 go well
相称

A red bag goes well with this dress.
红色的包很配这条礼服。

---

981 引き立てる
ひ た

白いシャツが、スカーフを引き立てている。
しろ　　　　　　　　　　　ひ た

動 bring out
衬托

The white shirt brings out the scarf.
白色衬衫把围巾衬托出来了。

---

982 粋〈な〉
いき

祖父はおしゃれで、いつも粋な格好をして出かけ
そ ふ　　　　　　　　　　いき　かっこう　　　　　で
る。（ナ形）

名
ナ形 stylish/stylish
俊俏

My grandfather is fashionable and always dresses stylishly.
祖父很时尚，总是打扮得很潇洒出门。

＋ シック〈な〉 chic / 时髦

---

983 気品
き ひん

彼女は派手に着飾らず、気品がある。
かのじょ　は で　き かざ　　　　き ひん

名 elegance
气质

She doesn't dress up flashily and is always elegant.
她打扮得不招摇，非常有气质。

＋ 品格 dignity / 品味
ひんかく

---

984 多様な
た よう

日本人は多様なファッションを受け入れている。
に ほんじん　た よう

ナ形 varying
多样

The Japanese people accept various kinds of fashion.
日本人接受着各种各样的时尚。

＋ 多種多様な a wide variety of / 种类繁多・多様化〈する〉 diversification / 多样化
た しゅ た よう　　　　　　　　　　　　　　　　　　　　た ようか

940-1105

985 目ざとい

イ形 quick-eyed
眼快

おしゃれな物には目ざとい方だ。

She's quick-eyed when it comes to fashion.
对时尚的东西很锐敏。

986 キャッチ〈する〉

名 pick up/catch
捕捉，接住

①ネットでファッション情報をキャッチする。

②高く上がったボールを見事にキャッチした。

① She picks up fashion news from the Internet.
② He made a prefect catch of the ball that flew up high.
①在网上捕捉时尚信息。
②漂亮地接住了腾空而起的球。

👉 ① obtain information ② catching the ball / ①获取信息②抓住球

987 ゲット〈する〉

名 get
获得

ずっと欲しかったバッグをゲットした。

I finally got the bag I wanted for a so long.
一直想要的包搞到手了。

988 見せびらかす

動 show off
夸耀

買ったばかりのバッグを妹に見せびらかした。

I showed off my new bag to my younger sister.
在妹妹面前显摆了刚买的包。

➕ ひけらかす show off / 炫耀

989 似通う

動 similar
类似

私と姉は洋服のセンスが似通っている。

My elder sister and I have similar taste in clothes.
我和姐姐穿衣服的品味很相似。

990 今どき

名 these days
如今

今どきの若者はブランド品はあまり買わない。

Young people nowadays do not buy brand-name products very much.
如今的年轻人不怎么买名牌。

991 重宝〈な/する〉

名 / ナ形 convenience/convenient
珍惜

シックなジャケットが1枚あると重宝する。(名)

Having one fancy jacket is convenient.
有一件潮衣就会爱惜。

992 露出〈する〉

名 exposed
露出

この服は思ったより肌の露出が多い。

This dress exposes my skin more than I thought.
这件衣服比想像中要露得多一点儿。

➕ 露出度 degree of exposure / 曝光度

993 念入りな
ねん い

ナ形 careful
细致

朝出かける前に、服装を<u>念入りに</u>チェックする。
あさで　　まえ　　ふくそう　ねん い

I check my clothes carefully before I leave in the morning.
早上出门前仔细确认衣服。

≡ 入念な
にゅうねん

994 淡い
あわ

イ形 light-colored/pale
淡，冷淡

①春には<u>淡い</u>色の服を着たい。
はる　　あわ　いろ　ふく　き

②クラスメートに<u>淡い</u>思いを抱く。
あわ　おも　いだ

① I want to wear light-colored clothes in spring.
② I have sweet feelings for my classmate.
①春天想穿淡色的衣服。
②对同学没什么感情。

☞ ① the color or taste is light ② feelings are not as strong / ①颜色或者味道清淡②感情不强烈

995 タイトな

ナ形 tight
贴身，紧凑

①このスカートは<u>タイト</u>で動きにくい。
うご

②今日はスケジュールが<u>タイトな</u>一日だ。
きょう　　　　　　　　　　いちにち

① This skirt is tight and hard to move in.
② I have a tight schedule today.
①这条裙子很贴身难动弹。
②今天一整天日程都很紧。

☞ ① fits the body ② the schedule is tight / ①贴身②日程紧凑

996 インパクト

名 impact
冲击效果

妹は<u>インパクト</u>のある服装が好きだ。
いもうと　　　　　　　　　　ふくそう　す

My younger sister likes to wear bold clothes.
妹妹喜欢有视觉冲击的服装。

➕ ショック shock / 震惊

997 際立つ
きわ だ

動 markedly
显眼

パーティーで彼女のドレスが<u>際立って</u>きれいだった。
かのじょ　　　　　　　きわ だ

Her dress was markedly beautiful at the party.
晚会上她的礼服很显眼非常漂亮。

998 ほどける

動 undone
松开

リボンが<u>ほどけちゃった</u>から、結んで。
むす

Please tie my ribbon because it became undone.
带子松开了，帮我绑一下。

➕ (〜を) ほどく untangle / 解开

999 束ねる
たば

動 tie together
扎

会社では髪を<u>束ねて</u>スーツを着る。
かいしゃ　　かみ　たば　　　　　　き

Tie your hair and wear a suit at the office.
在公司要扎起头发穿上西装。

Section 2

1000 ほころびる
〔動〕 **become unstitched**
綻开

コートの袖がほころびてしまった。
そで
The coat hem became unstitched.
大衣的袖子脱线绽开了。

1001 裏返し
うらがえ
〔名〕 **inside out**
表里相反

朝、慌てていて、くつ下を裏返しにはいて出かけた。
あさ　あわ　　　　　　　　した　うらがえ　　　　　　　　で
I put my socks on inside out in a rush to leave the house this morning.
早上急急忙忙袜子穿反了就出门了。

＋裏返す turn inside out / 反过来
うらがえ

1002 リフォーム〈する〉
〔名〕 **reform**
重制

母親に古いコートをリフォームしてもらった。
ははおや　ふる
I had my mother remodel my old coat.
让妈妈把旧大衣重新改造了一下。

1003 折り返す
お　かえ
〔動〕 **fold back/turn around**
卷起，折返

①シャツの袖を折り返して着る。
そで　お　かえ　き
②マラソンコースはここで折り返す。
お　かえ
① Roll up the sleeves of your shirt when you wear it.
② The turn-around point of the marathon course is here.
①把衬衫袖子卷起来穿。
②马拉松路程在此处折回。

👉 ① fold to put on top of each other ② go to a particular place and return from there / ①折起来重叠②到某个地方再返回原点

1004 パール
〔名〕 **pearl**
珍珠

大粒のパールはシンプルな服によく映える。
おおつぶ　　　　　　　　　　　ふく　　　　は
The large pearl beads look good on simple clothes.
大颗的珍珠配简单的衣服。

＝真珠
しんじゅ

1005 見違える
みちが
〔動〕 **beyond recognition**
认不出

アクセサリーの使い方次第で、見違えた印象になる。
つか　かたしだい　　　みちが　　いんしょう
Depending on how you use your accessories, you give a completely different impression.
根据首饰的不同用法会有焕然一新的印象。

166

1006

手芸
しゅげい

名 **embroidery**
手工

先月から手芸教室に通い始めた。
せんげつ　　しゅげいきょうしつ　かよ　はじ

I started going to an embroidery class last month.

上个月开始去手工教室上课。

1007

編む
あ

動 **knit**
编织

彼に温かそうなセーターを編んであげた。
かれ　あたた　　　　　　　　　　　あ

I knitted a warm sweater for my boyfriend.

给他织了很温暖的毛衣。

➕ 編み物 knitting / 编织物
　　あ　もの

1008

織る
お

動 **weave**
织

ソファーの下に敷く布を織っている。
した　し　ぬの　お

I am weaving a cloth to spread under the sofa.

在织垫在沙发下的布。

1009

縫う
ぬ

①いつか自分で着物を縫いたいと思う。
じぶん　きもの　ぬ　　　おも
②人波を縫って歩く。
ひとなみ　ぬ　　　ある

動 **sew/weave through**
缝，穿梭

① I want to sew a kimono by myself one day.
② Weave through the crowd.

①希望有一天自己缝制和服。
②在人潮里穿梭前进。

➕ 裁縫〈する〉 embroidery / 裁缝
　　さいほう

👉 ① make clothes using thread and needle ② walk forward among available spaces / ①用线和针缝衣服②找空隙行走

1010

家庭菜園
か ていさいえん

名 **home garden**
家庭菜园

友人に誘われて、家庭菜園を始めた。
ゆうじん　さそ　　　　か ていさいえん　はじ

I started a home garden upon my friend's recommendation.

受朋友之邀开始着手搞家庭菜园。

➕ 園芸 gardening / 园艺・ガーデニング gardening / 园艺
　　えんげい

1011

盆栽
ぼんさい

名 **bonsai**
盆栽

世界中で盆栽ブームが起きている。
せ かいじゅう　ぼんさい　　　　お

There is a worldwide bonsai fad.

全世界掀起了盆栽的热潮。

➕ 植木 garden plant / 花木
　　うえき

1012 親しむ
した
動 **enjoy**
亲近

自然に親しみながら日本文化を学びたい。
しぜん した にほんぶんか まな

I want to learn about Japanese culture while enjoying nature.
想一边亲近自然一边学习日本文化。

➕ 親しみ enjoy / 亲密
した

1013 和紙
わし
名 **Japanese washi paper**
日本纸

家具や洋服など、和紙でいろいろな物が作られる。
かぐ ようふく わし もの つく

Many items, including furniture and clothes, are made of washi paper.
用日本纸来做家具或衣服等各种各样的东西。

1014 着付け
きつ
名 **wearing kimono**
着装

先月から着付け教室に通っている。
せんげつ きつ きょうしつ かよ

I have been going to a kimono-wearing class since last month.
上个月起开始去着装教室上课了。

1015 手本
てほん
名 **example**
范本

先生の手本通りにやってみるが、なかなか難しい。
せんせい てほんどお むずか

I try to follow the teacher's example but it's pretty difficult.
照着老师的范本做，但是还是很难。

➕ 見本 sample / 样本
みほん

1016 高尚な
こうしょう
ナ形 **classy**
高尚，高雅

高尚な趣味に憧れて、ヴァイオリンを習うことにした。
こうしょう しゅみ あこが なら

I decided to learn violin since I wanted to have a classy hobby.
憧憬高雅的兴趣爱好，决定开始学习小提琴。

1017 楽器
がっき
名 **instrument**
乐器

子どもの頃からいろいろな楽器を習っていた。
こ ころ がっき なら

I have been learning various instruments since I was a child.
从小学了很多乐器。

➕ 管楽器 wind instrument / 管乐器・弦楽器 string instrument / 弦乐器
かんがっき げんがっき

1018 音色
ねいろ
名 **sound**
音色

先生のヴァイオリンの音色は素晴らしい。
せんせい ねいろ すば

The sound of the teacher's violin is beautiful.
老师弹奏出的小提琴的音色太完美了。

1019 癒す
いや
動 **heal**
治愈

ピアノの優しい音色に癒される。
やさ ねいろ いや

I am healed by the soft sound of the piano.
被钢琴悠扬的音色所治愈。

➕ 癒し／ヒーリング healing / 疗愈
いや

1020 極める
きわ
動 go to the end, attain the summit
发挥极至

ぜひ日本の伝統の技を極めたい。
にほん でんとう わざ きわ

I want to acquire the best of Japanese traditional techniques.
一定要把日本的传统技艺发挥到极至。

➕ （～が）極まる reach the limit / 达到极限
きわ

1021 興じる
きょう
動 enjoy, amuse oneself
有兴趣

日本の伝統文化に興じる外国人が増加している。
にほん でんとうぶんか きょう がいこくじん ぞうか

More foreigners are enjoying themselves with traditional Japanese culture.
对日本传统文化感兴趣的外国人正在增加。

👉 also read 興ずる / 也说 "興ずる"。

1022 千差万別
せん さ ばんべつ
名 vary greatly
千差万别

興味の対象は人によって千差万別だ。
きょうみ たいしょう ひと せん さ ばんべつ

Interests vary greatly depending on the individual.
兴趣的对象因人不同千差万别。

1023 一期一会
いち ご いち え
名 one-in-a-lifetime opportunity
一期一会

茶道を学んで、一期一会という言葉を知った。
さ どう まな いち ご いち え ことば し

I learned the phrase "ichi-go-ichi-e," meaning "once-in-a-lifetime opportunity" while learning how to perform the tea ceremony.
学习茶道的时候，知道了一期一会这个词。

1024 茶会
ちゃかい
名 tea ceremony
茶会

初めて茶会に出席する。
はじ ちゃかい しゅっせき

I will attend a tea ceremony for the first time.
第一次参加茶会。

1025 催す
もよお
動 hold
举办

今度の日曜日に茶会が催される。
こん ど にちようび ちゃかい もよお

The next tea ceremony will take place next Sunday.
这个星期天举办茶会。

➕ 開催〈する〉 hold / 开办
かいさい

1026 早まる
はや
動 bring forward
提早

発表会の開催日が1週間早まった。
はっぴょうかい かいさい び しゅうかんはや

The day of the performance was brought forward by a week.
发表会的举办日提早了一周。

➕ （～を）早める make earlier / 提前
はや

1027 何らかの
なん
連体 some
某些

何らかの事情で茶会が突然延期された。
なん じ じょう ちゃかい とつぜんえんき

The tea ceremony was postponed suddenly for some reason.
由于一些情况，茶会突然延期了。

1028 並びに
なら

接続 **and**
以及

先生方並びに関係者の皆様、本日はありがとうご
せんせいがたなら　　　かんけいしゃ　みなさま　ほんじつ
ざいました。

Esteemed teachers and guests, thank you for joining us today.
各位老师和相关诸位，今天非常感谢！

1029 武道
ぶどう

名 **martial arts**
武道

武道の中でも剣道に興味がある。
ぶどう　なか　けんどう　きょうみ

Of all the martial arts, kendo interests me the most.
在武道中对剑道最感兴趣。

1030 囲碁
いご

名 **game of "go"**
围棋

先日、囲碁のプロアマ戦に参加した。
せんじつ　いご　　　　せん　さんか

I attended a professional-amateur joint competition of "igo"
games a few days ago.
前几天参加了专业围棋比赛。

≡碁
ご

1031 将棋
しょうぎ

名 **game of "shogi"/Japanese
chess**
象棋

日本の将棋はチェスに似ているが、難しい。
にほん　しょうぎ　　　　　　に　　　　　むずか

Japanese "shogi" is similar to chess, but difficult.
日本的象棋和国际象棋挺像的，但是很难。

1032 下火になる
したび

慣 **wane**
火势渐弱

ブームが下火になったので、習い事をやめた。
したび　　　　　なら　ごと

I quit going to the lessons because it wasn't as popular as it
used to be any more.
热情消退，不继续学习了。

本
ほん

1033 書籍
しょせき

名 **book**
书籍

多くの書籍を通して、いろいろな経験ができる。
おお　　しょせき　とお　　　　　　　　　　　けいけん

I can experience a lot of things by reading different books.
通过很多书籍，能经验很多。

➕書物 books / 书籍
しょもつ

1034 ベストセラー

名 **bestseller**
畅销书

彼もとうとうベストセラー作家の仲間入りだ。
かれ　　　　　　　　　　　　　さっか　なかまい

He finally became a best-selling author.
他也终于跻身为畅销作家之列。

1035 エッセイ

名 **essay**
随笔

有名女優のエッセイが好評らしい。
ゆうめいじょゆう　　　　　　こうひょう

The famous actress' essay seems to be popular.
著名女演员的随笔好像广受好评。

➕随筆 essay / 随笔・エッセイスト essayist / 随笔作家
ずいひつ

1036 手記
しゅき

名 **memoir**
手记

大統領の手記が反響を呼んでいる。
だいとうりょう　しゅき　はんきょう　よ

The president's memoirs are generating a reaction.
总统手记反响连连。

➕伝記 biography / 传记・自伝 autobiography / 自传
でんき　　　　　　　　　　じでん

1037 特集
とくしゅう

名 **special**
特集

今月号の温泉の特集は面白そうだ。
こんげつごう　おんせん　とくしゅう　おもしろ

This month's special issue on onsen hot springs looks
interesting.
这个月的温泉特集好像很有意思。

➕特集号 special edition / 特集号
とくしゅうごう

1038 読者
どくしゃ

名 **reader**
读者

読者の一人として、これからも応援していく。
どくしゃ　ひとり　　　　　　　　　　おうえん

I want to continue to support as a reader.
作为一个读者，今后也将支持下去。

➕読み手 reader / 读者
よ　て

1039 ターゲット

名 **target**
受众

この本のターゲットは若い女性だ。
ほん　　　　　　　　わか　じょせい

The target audience of this book is young women.
这本书的受众群是年轻女性。

➕対象 target / 对象
たいしょう

Section 4

1040 老若男女
ろうにゃくなんにょ

名 young and old, men and women
男女老少

彼の作品は老若男女に愛されている。
かれ　さくひん　ろうにゃくなんにょ　あい

His works are loved by all.
他的作品被男女老少所喜爱。

1041 マニア

名 fan, maniac
爱好者

この雑誌はイベントでマニアに売っている。
ざっし　　　　　　　　　　　　　　　う

This magazine is sold to fans at events.
这本杂志搞活动时在爱好者中很畅销。

➕ 鉄道マニア railway aficionados / 鉄道迷・映画マニア movie aficionados / 电影迷
てつどう　　　　　　　　　　　　　　　　えいが

1042 待望 〈する〉
たいぼう

名 long-awaited
期望

ファン待望の最新作の小説が書店に並んだ。
たいぼう　さいしんさく　しょうせつ　しょてん　なら

The new novel long-awaited by fans is in stores now.
粉丝们翘首以盼的最新的小说陈列在了书店里里。

➕ 待ち焦がれる wait impatiently / 渴望
ま　こ

1043 共感 〈する〉
きょうかん

名 sympathy
共鸣

きっとこのストーリーには誰もが共感するだろう。
だれ　きょうかん

I think everybody will sympathize with this story.
这个故事应该每个人都会有共鸣。

1044 こみ上げる
あ

動 well up
涌上

この本を読み終えたとき、感動がこみ上げてきた。
ほん　よ　お　　　　　かんどう　　あ

I was very moved when I finished reading this book.
读罢这本书，感动涌上心头。

1045 掲載 〈する〉
けいさい

名 run
刊载

雑誌にうちの猫が掲載された。
ざっし　　　　ねこ　けいさい

Our cat was also appeared in the magazine.
杂志上刊载了我家的猫。

1046 連載 〈する〉
れんさい

名 serial
连载

この小説はもう10年も連載されている。
しょうせつ　　　　ねん　れんさい

This novel has been running as a serial for ten years.
这部小说已经连载了10年了。

➕ 連載漫画 serial comics / 连载漫画
れんさいまんが

1047 突破 〈する〉
とっぱ

名 break through
突破

人気タレントの本の売り上げが100万部を突破した。
にんき　　　　　ほん　う　あ　　　まんぶ　とっぱ

The sales of a book by a popular talent exceeded 1 million copies.
人气偶像的书的销量突破了100万册。

1048 しのぐ

動 outdo/stave off
超过，对应

①新作が前作をしのぐ売り上げを記録した。
しんさく　ぜんさく　　　　　う　あ　きろく
②エアコンで猛暑をしのぐ。
もうしょ

① The new work outdid the sales of the previous one.
② Stave off the heat with the air conditioner.
①新作品的销量超过了旧作品。②在空调房里应付酷暑。

👆 ① the degree of something goes above that of something else ② persevering something painful / ①程度上超过别的②勉强忍耐苦痛

1049

出回る
でまわ

動 circulate
出现在市面上

人気漫画の海賊版が出回っている。
にんきまんが　かいぞくばん　でまわ

A pirated version of this popular cartoon is circulating.
人气漫画的盗版出现在市面上了。

1050

圧巻
あっかん

名 masterpiece, best, highlight
压卷

これはシリーズの中でも圧巻の一冊だ。
なか　あっかん　いっさつ

This book is the masterpiece among the series.
这是这个系列中压卷的一本。

1051

反響
はんきょう

名 feedback, reverberation
反响

高校生作家の本が大きな反響を呼んでいる。
こうこうせいさっか　ほん　おお　はんきょう　よ

The book by a high school author is getting major feedback.
高中生作家的书反响连连。

1052

強いて
し

副 if one was to pick
硬是

彼の作品は全て好きだが、強いて言えば3冊目が一番いい。
かれ　さくひん　すべ　す　し　い　さつめ
いちばん

I like all of his works, but if I were to pick one, I like the third book the most.
他的作品我都喜欢，硬要说的话第三本最好。

1053

先行〈する〉
せんこう

名 ahead of
先行

話題作が世界に先行して日本で発売された。
わ　だいさく　せかい　せんこう　にほん　はつばい

This has been a blockbuster and will be sold in Japan ahead of other countries.
那部广受注目的作品，先于世界在日本首发了。

➕ 先行発売〈する〉 presale / 先行销售
せんこうはつばい

1054

原稿
げんこう

名 manuscript
原稿

彼女は手書きで原稿を書いている。
かのじょ　てが　げんこう　か

She still writes her manuscript by hand.
她的原稿是手写的。

1055

著作権
ちょさくけん

名 copyright
著作权

世界中の書籍は著作権で守られている。
せかいじゅう　しょせき　ちょさくけん　まも

Books of the world are protected by copyright.
世界上的书籍都是由著作权保护着的。

1056

記す
しる

動 write down
做记号

南極旅行の思い出を記したエッセイが出た。
なんきょくりょこう　おも　で　しる　で

There is an essay about memories from the trip to the South Pole.
出了一篇记录了南极旅行回忆的随笔。

1057 描写 〈する〉
びょうしゃ

名 description
描写

この小説は主人公の心の変化がよく描写されている。
しょうせつ　しゅじんこう　こころ　へん か　　　　びょうしゃ

This novel portrays the changing heart of the protagonist very well.

这部小说透彻地描写了主人公的心理变化。

➕ 心理描写 portrayal of the psychology / 心理描写・
しんり びょうしゃ
風景描写 portrayal of the scenery / 风景描写
ふうけいびょうしゃ

1058 直訳 〈する〉
ちょくやく

名 literal translation
直译

海外の本は直訳の方が作者の意図が伝わる。
かいがい　ほん　ちょくやく　ほう　さくしゃ　い と　つた

Foreign books that are translated literally are better at communicating the author's intent.

国外的书直译的话更能表达出作者的意图。

↔ 意訳〈する〉
いやく

1059 予言 〈する〉
よ げん

名 prophecy
预言

本に書かれている予言が当たったら恐ろしい。
ほん　か　　　　　　よ げん　あ　　　　おそ

It would be frightening if the prophecy written in the book comes true.

书中的预言被言中的话挺可怕的。

➕ 予知〈する〉 predict / 预知
よ ち

1060 いわく

名 according to
所言

有名作家いわく、アイディアはどんどん湧いてくるそうだ。
ゆうめいさっか　　　　　　　　　　　　　　　　わ

Ideas continue to flow, according to the famous author.

据知名作家所言，新想法不断涌现。

1061 特色
とくしょく

名 characteristic
特色

それぞれの作家が作品に特色を出している。
　　　　　さっか　さくひん　とくしょく　だ

Each of the authors exhibits his or her characteristic in the work.

各个作家的作品中突显着各自的特色。

1062 主題
しゅだい

名 main topic
主题

この作家が選ぶ主題は、若者の好みに合っている。
さっか　えら　しゅだい　　わかもの　この　あ

The topics chosen by this author matches the taste of the young people.

这个作家所选的主题很符合年轻人的口味。

1063 観点
かんてん

名 perspective
观点

これはユニークな観点で政治の世界を描いた作品だ。
かんてん　せい じ　せ かい　えが　さくひん

This work portrays the world of politics from a unique perspective.

这是一部用独特的观点描写政治世界的作品。

➕ 視点 viewpoint / 视点
し てん

1064 つじつま

この本にはストーリーのあちこちにつじつまの合わない箇所がある。

名 continuity
条理

The story of this book has a few continuity problems here and there.

这本书中的故事中到处都有杂理不清的地方。

1065 架空
かくう

これは架空の話だが、とても現実的だ。

名 fictitious
虚构

This is a fictitious story, but it's very realistic.

这虽是个虚构的故事，但非常写实。

1066 忌まわしい
い

この作品には忌まわしい事件が描かれている。

イ形 abominable
另人不快

This work portrays an abominable incident.

这个作品中描绘了一个另人不快的事件。

1067 正体
しょうたい

最終章でも、犯人の正体はなかなか明かされない。

名 identity
真面目

The identity of the criminal is not revealed easily even in the last chapter.

最终章里，犯人的真面目也没能水落石出。

➕ 正体不明 unidentified / 真相不明
しょうたい ふ めい

1068 わな

主人公が恐ろしいわなに気づかず、どきどきする。

名 trap
陷阱

It's exciting to see the protagonist not being aware of the trap.

主人公发现这是一个恐怖的陷阱，心跳加速。

1069 覆す
くつがえ

この作品の最後は予想を覆すシーンで終わる。

動 overturn
推翻

This work ends with a final scene where all expectations are defied

这个作品最后的结局把之前的预想都推翻了。

1070 [お]しまい

母「～そして二人は幸せに暮らしました。
はは   ふたり しあわ く
おしまい。」

子「ママ、もう1回読んで。」
こ   かいよ

名 the end
完

Mother: ...and the two lived happily ever after. The end.

Child: Mommy, please read it again.

妈妈："从此两个人过上了幸福快乐的生活。完。"

孩子："妈妈，再读一遍吧。"

1071 海賊版
かいぞくばん

海賊版は厳しく取り締まられている。
かいぞくばん きび と し

名 pirated copies
盗版

Pirated copies are policed strictly.

盗版被严令取缔。

👍 CDs and DVDs that are reproduced illegally are labelled "pirated copy" / CD 或 DVD 写作 "海賊盤".

1072 活字
かつじ

最近本を読む人が少なくなり、活字離れが進んで
さいきんほん よ ひと すく かつじばな すす
いる。

名 typeset, books
活字

Fewer people are reading books, so aliteracy is advancing
最近看书的人越来越少，活字渐渐远离我们。

➕ 活字離れ aliteracy / 活字消逝
かつじばな

これも
覚えよう！⑮
おぼ

➕ 接辞⑮   Affix ⑮ / 词缀⑮ (敬語)
せつじ   けいご

• 自分がへりくだる表現   Expressions humbling yourself / 自谦的表达
じぶん   ひょうげん

拝
はい

拝見する   look / 瞻仰，领教
はいけん

拝借する   borrow / 拜借
はいしゃく

拝聴する   listen / 恭听
はいちょう

拝読する   read / 拜读
はいどく

拙   my (addressing myself down) / 拙
せつ

拙宅   my humble house / 寒舍，敝舍
せったく

拙文   my humble writing / 拙文
せつぶん

拙論   my humble thesis / 拙论
せつろん

拙者 (古い言い方)   I (old way of addressing oneself) / 鄙人（古代的说法）
せっしゃ ふる い かた

弊   bad, harmful / 敝
へい

弊店   our shop / 敝店
へいてん

弊校   our school / 敝校
へいこう

Section 5
エンターテインメント

Entertainment / 娱乐

1073
公開 〈する〉
こうかい

名 **premier**
公演

話題のアニメが今週の土曜日に<u>公開される</u>。
わ だい　　　　　　こんしゅう　ど ようび　こうかい

The much-talked about anime will premier this Saturday.
备受注目的动画片本周六公演。

➕ 一般公開〈する〉 open to the public / 一般公展・
いっぱんこうかい

特別公開〈する〉 special open / 特別公展・ 非公開 not open to public / 非公开
とくべつこうかい　　　　　　　　　　　　　　　　　　　　　　ひ こうかい

1074
上演 〈する〉
じょうえん

名 **perform**
上演

芝居の<u>上演</u>スケジュールをネットで確認した。
しば い　じょうえん　　　　　　　　　　かくにん

I checked the performance schedule of the play using the Internet.
在网上确认一下戏剧上演的日期。

➕ 公演 performance / 公演
こうえん

1075
前売り 〈する〉
まえう

名 **advance sales**
预售

<u>前売り</u>のチケットを2枚購入した。
まえう　　　　　　　　　　まいこうにゅう

I purchased two advance tickets.
买了两张预售票。

➕ 当日券 door tickets / 当日券
とうじつけん

1076
抽選 〈する〉
ちゅうせん

名 **lottery**
抽奖

人気のコンサートのチケットが<u>抽選</u>で当たった。
にん き　　　　　　　　　　　　　　　　　　ちゅうせん　あ

I won the lottery to the tickets for the popular concert.
人气演唱会的票是抽奖决定的。

➕ 抽選会 lottery session / 抽奖会
ちゅうせんかい

1077
独占 〈する〉
どくせん

名 **monopoly**
独占

このアーティストは、若い女性の人気を<u>独占して</u>
わか じょせい　にん き　どくせん
いる。

This artist monopolizes the popularity of young women.
这个艺术家独占了年轻女粉丝的支持。

➕ 独占企業 monopolistic enterprise / 垄断企业
どくせん き ぎょう

1078
衛星放送
えいせいほうそう

名 **satellite broadcast**
卫星播送

うちにはアンテナがないので、<u>衛星放送</u>が見られ
えいせいほうそう　み
ない。

We don't have an antenna so we can't see satellite TV.
我们家没有天线，不能看卫星电视节目。

940-1105

1079 放映 〈する〉
ほうえい

名 broadcast
放映

見たかった映画が土曜日に放映される。
み　　　　　えいが　　　どようび　　　ほうえい

The movie I wanted to watch will be broadcast on Saturday.
想看的电影在周六上映。

1080 視聴率
し ちょうりつ

名 view rating
收视率

話題のドラマの視聴率が 20 パーセントを超えた。
わだい　　　　　　　し ちょうりつ　　　　　　　　　　こ

Viewer rating of the popular drama was over 20%.
备受注目的电视剧的收视率超过了 20%。

➕ 視聴者 viewer / 观众
し ちょうしゃ

1081 無名
む めい

名 unknown
无名

無名の新人俳優がこのドラマの主人公だ。
む めい　　しんじんはいゆう　　　　　　　　しゅじんこう

An unknown new actor is the protagonist of this drama.
无名的新演员是这部电视剧的主人公。

1082 知名度
ち めい ど

名 recognizability
知名度

あの俳優はドラマのヒットで知名度が一気に上
はいゆう　　　　　　　　ちめいど　　いっきに あ
がった。

That actor became famous after the drama became a hit.
这个演员因电视剧的热播一下子提升了知名度。

1083 好感
こうかん

名 good feeling
好感

多くの女性が彼に好感を持っている。
おお　　じょせい　かれ　こうかん　も

Many women like him.
很多女性对他有好感。

➕ 好感度 popularity rating / 好感度
こうかん ど

1084 絶大な
ぜつだい

ナ形 overwhelming
极大

今、この映画が絶大な人気を呼んでいる。
いま　　　えいが　ぜつだい にんき よ

This movie is overwhelmingly popular.
现在这部电影有极大的人气。

1085 シナリオ

名 scenario
剧本

何と言っても、この映画はシナリオが素晴らしい。
なん い　　　　　　　えいが　　　　　　　　　　す ば

The scenario of this movie is wonderful to say the least.
不管怎么说，这个电影的剧本真是精彩。

➕ 脚本 script / 脚本・台本 script / 剧本
きゃくほん　　　　　　　　　だいほん

1086 しょせん

副 it's only
归根结底

感動で涙が止まらなかったが、しょせん架空の話だ。
かんどう　なみだ と　　　　　　　　　　　　かくう　はなし

I was so moved I couldn't stop crying, but it's only a fictitious story.
感动到泪流不止，但终究是个虚构的故事。

1087 フィクション

この映画はフィクションだが、歴史的な背景などがリアルに描かれている。

名 **fiction**
虚构，杜撰

This movie is fiction, but the historical background is portrayed realistically.
这个电影是虚构的，但历史背景被描绘得很真实。

↔ ノンフィクション

1088 ドキュメンタリー

ドキュメンタリー番組を見て、社会の問題点に気づいた。

名 **documentary**
纪录片

I realized the social issue after watching the documentary program.
看纪录片节目，关注到了社会的问题点。

1089 実在〈する〉
じつざい

この映画の舞台になった町は実在するそうだ。

名 **real life**
实际存在

The town in which this movie takes place actually exists.
这个电影的舞台是个真实存在的城市。

1090 巨匠
きょしょう

この映画はロシアの巨匠が監督している。

名 **maestro**
巨匠

This movie is directed by a Russian maestro.
这部电影是俄罗斯的巨匠导演的。

1091 誇り
ほこ

この監督はロシアの誇りと言われる存在だ。

名 **pride**
骄傲

The director is said to be the pride of Russia.
这个导演被誉为俄罗斯的骄傲。

➕ 誇る boast / 夸耀
ほこ

1092 殺到〈する〉
さっとう

俳優のサイン会にファンが殺到した。

名 **rush**
蜂拥而至

Fans rushed to the signing session of the actor.
演员的签名会上粉丝们蜂拥而至。

➕ 押し寄せる close in, swarm / 一拥而上
お よ

1093 押しかける
お

大勢のファンが会場に押しかけた。

動 **storm**
慕名而来

Many fans stormed the venue.
很多粉丝慕名来到会场。

1094 物々しい
ものもの

大統領が来たため、会場は物々しい空気に包まれた。

イ形 **overstated, overdone**
森严

The venue was surrounded by strict security as the president has arrived.
总统驾道，会场飘散着森严的气氛。

1095 持ち込む
もちこむ

動 bring in
携帯

危険物が持ち込まれないように入り口でチェックしている。
きけんぶつ　もちこ　　　　　　　　　いりぐち

Everyone is checked at the entrance to prevent any dangerous objects from being brought inside.
为防止携带危险物品，入口处正在严查。

1096 騒動
そうどう

名 trouble
骚动

大きな騒動もなく、無事にイベントが終わった。
おお　そうどう　　　　　ぶじ　　　　　　お

The event finished safely without any major trouble.
没出什么大骚动，活动顺利结束。

➕ もめ事 disagreement / 纠纷
ごと

1097 湧き起こる
わ　お

動 surge, burst
沸腾

演奏が終わると、拍手が湧き起こった。
えんそう　お　　　　　はくしゅ　わ　お

A burst of applause came as the performance ended.
演奏刚结束，掌声如雷

1098 惜しむ
お

動 regret/spare none
惋惜, 吝惜

①人気番組の終了を多くの人が惜しんでいる。
にんき　ばんぐみ　しゅうりょう　おお　ひと　お

②寝る間も惜しんで演技の練習をした。
ね　ま　お　　　えんぎ　れんしゅう

① Many people are sad about the popular program ending.
② I practiced the performance without sparing time for sleep.
①人气节目完结后，很多人都觉得惋惜。
②连睡觉的时间也不放过，坚持练习了表演。

👉 ① feel regretful ② feel it is wasteful / ①遗憾②觉得浪费

1099 出演〈する〉
しゅつえん

名 appearance
出演

この俳優が出演した作品は必ずヒットする。
はいゆう　しゅつえん　　さくひん　かなら

Whatever that actor appears in becomes a hit.
这个演员出演的作品一定会红。

1100 ゲスト

名 guest
嘉宾

毎回この番組のゲストが楽しみだ。
まいかい　　ばんぐみ　　　　たの

I look forward to the guests that appear in the program.
期待这个节目每次的来场嘉宾。

➕ レギュラー regular / 正规

1101 リアルな

ナ形 real
逼真

恐竜の映像があまりにリアルで、襲われるかと思った。
きょうりゅう　えいぞう　　　　　　　　おそ　　　　　　おも

The images of the dinosaur was so real I thought it was going to attack us.
恐龙的映像太逼真，觉得真的会冲过来。

1102 物まね〈する〉
もの

名 impersonation
模仿

この俳優は有名人の物まねが上手だ。
はいゆう　ゆうめいじん　もの　　　じょうず

This actor is good at impersonating famous people.
这个演员模仿名人的能力很强。

1103

立体的な
りったいてき

ナ形 **three-dimensional**
立体

最新技術で立体的に見える映像は迫力がある。
さいしん ぎ じゅつ りったいてき み えいぞう はくりょく

Images where you can see three-dimensionally using cutting-edge technology are very impressive.
最新技术呈现出的立体映像很有冲击力。

↔ 平面的な
へいめんてき

1104

こっけいな

ナ形 **humorous**
滑稽可笑

彼の表情がこっけいで、つい笑ってしまう。
かれ ひょうじょう わら

His humorous expression makes me laugh.
他的表情很滑稽，忍不住笑出来了。

1105

芸
げい

名 **talent, act**
技艺

この公園には様々な芸をする人たちが集まる。
こうえん さまざま げい ひと あつ

Many performers gather at this park.
这个公园里聚集了各种各样表演技艺的人。

➕ 芸人 comedian / 艺人・芸達者 versatile entertainer / 多才多艺的人
げいにん げいたっしゃ

これも
覚えよう！ ⑯

→ 「〜っぱなし」　"keeping..." / "〜っぱなし"

● A：何かをしたあと、そのままにする

食べっぱなし	just eat / 吃完了走人
飲みっぱなし	just drink / 喝完了丢一边
使いっぱなし	just use / 用完了丢一边
読みっぱなし	just read / 看完了丢一边
脱ぎっぱなし	just take off / 脱下了丢一边
置きっぱなし	just leaving something / 放着就不顾了
干しっぱなし	just leaving something out to dry / 晾出去了不收进来
出しっぱなし	just leaving something out / 拿出来了不放回去
開けっぱなし	leaving something open / 打开了不盖起来
つけっぱなし	leaving something on / (电器等) 开着就不管了
ちらかしっぱなし	leaving something messy / 散乱着就不管了

● B：ある状態が長く続く

立ちっぱなし	standing throughout / 一直站着
座りっぱなし	sitting throughout / 一直坐着
泣きっぱなし	crying throughout / 不停地哭
笑いっぱなし	laughing throughout / 不停地笑
しゃべりっぱなし	talking throughout / 不停地闲聊
降りっぱなし	falling throughout / 不停地下（雨或雪）

世界
せかい

World
世界

旅のプラン
たび

Travel Plans / 旅行计划

1106

見所
みどころ

名 highlight
値得一看的地方

この町は見所が多く、今人気の観光地だ。
まち みどころ おお いまにんき かんこうち

This town is a popular tourist spot with many places to see.
这个城镇有很多值得一看的地方，现在已经是很有人气的观光地了。

1107

穴場
あなば

名 little known but good place
不为人知的好地方

現地の人に穴場のレストランを教えてもらった。
げんち ひと あなば おし

The local people taught us a good but little-known restaurant.
请教了当地人不为人知的好吃的餐厅。

1108

本場
ほんば

名 home, center of production
正宗

日本でもよく食べるが、本場のキムチを食べてみたい。
にほん た ほんば た

I eat it frequently in Japan too, but I want to try real kimchi.
在日本虽然也吃，但想尝尝正宗的泡菜。

1109

主要な
しゅような

ナ形 main, major
主要

旅行の前に主要な駅は覚えておこう。
りょこう まえ しゅよう えき おぼ

I will try to remember the major stations before going on the trip.
旅行前先记住几个主要的车站。

➕ 主要産業 main industry / 主要产业
しゅようさんぎょう

1110

事前
じぜん

名 beforehand
事前

事前にネットを使って現地の情報を調べてみる。
じぜん つか げんち じょうほう しら

I will check out local information beforehand by using the Internet.
事前在网上查一下当地的信息。

➕ あらかじめ in advance / 预先

1111

かねがね

副 lot about
老早

かねがね、この国に訪れたいと思っていた。
くに おとず おも

I've always wanted to visit this country.
很久以前就想造访一下这个国家了。

➕ かねてから for some time / 从很早以前就开始

1112

網羅〈する〉
もうら

名 incorporate, encompass
网罗

このガイドブックは主要な見所を網羅している。
しゅよう みどころ もうら

This guidebook incorporates major sites to be seen.
这本指南书上网罗了主要的观光景点。

1113 特典
とくてん

名 **special bonus**
优惠

今ツアーに申し込むと特典がある。
いま　　　　　もう　こ　　とくてん

There is a special bonus if you apply for the tour now.
现在报名参团的话有优惠。

➕会員特典 member privilege / 会员特惠
かいいんとくてん

1114 前払い〈する〉
まえばら

名 **advance payment**
预先支付

ツアー料金は 10 日以内に前払いしなければいけ
りょうきん　　　　かいない　まえばら
ない。

The tour fee must be paid ten days in advance before the tour date.
旅行团的费用要在 10 天前预先支付。

↔後払い〈する〉
あとばら

1115 うかうか[と]〈する〉

副 **being inattentive**
稀里糊涂

うかうかしていたら、申し込み締切日を過ぎてい
もう　こ　しめきりび　す
た。

I wasn't paying attention and missed the application deadline.
稀里糊涂的就错过了报名日期。

1116 手っ取り早い
て　と　ばや

イ形 **quickly**
直截了当

手っ取り早く航空券はネットで申し込むことにした。
て　と　ばや　こうくうけん　　　　　もう　こ

I decided to buy the plane tickets early using the Internet.
直截了当在网上申请了机票。

1117 オプション

名 **option**
可选择项

オプションのツアーは現地で申し込むつもりだ。
げんち　もう　こ

I plan to apply for the optional tour when I get there.
打算报可选的当地的旅行团。

➕オプショナルツアー optional tour / 旅行套餐

1118 グレード

名 **grade, rank**
档次

両親の希望で、ホテルのグレードを上げた。
りょうしん　きぼう　　　　　　　　　あ

I upgraded the hotel as per my parents' wish.
因父母要求提高了酒店的档次。

➕階級 rank / 阶级
かいきゅう

1119 同伴〈する〉
どうはん

名 **entrainment**
同行

両親を同伴してヨーロッパに行く。
りょうしん　どうはん　　　　　　　い

I will take my parents to Europe.
同父母一起去欧洲。

➕家族同伴 accompanied by one's family / 家人偕同·
か　ぞくどうはん

夫人同伴 accompanied by one's wife / 夫人偕同
ふ　じんどうはん

1120 急きょ
きゅう

副 suddenly
突然

大雪のため、飛行機の到着時刻が急きょ変更された。
おおゆき　　　ひこうき　とうちゃくじこく　きゅう　　　へんこう

The arrival time of the plane suddenly changed due to heavy snow.
由于大雪，飞机的抵达时间突然变更了。

1121 要する
よう

動 need
需要

今回の旅行に要する費用を計算しておく。
こんかい　りょこう　よう　　　ひよう　けいさん

Calculate the travel expenses needed for the upcoming trip.
先计算一下这次旅行需要的费用。

1122 称する
しょう

動 called
称为

「江戸東京歴史巡り」と称するツアーに参加する。
え どとうきょうれきしめぐ　　しょう　　　　　　さんか

I participate in a tour called, "Touring the Edo Japan history."
参加一个叫做"江户东京历史巡游"的旅行团。

1123 見知らぬ
み し

連体 strange, unfamiliar
陌生

見知らぬ土地を歩くと、発見が多い。
み し　　と ち　ある　　　はっけん　おお

You discover many things when you take a walk around unfamiliar places.
走在陌生的土地上，有很多发现。

➕ 未知 unknown / 未知
み ち

1124 着目〈する〉
ちゃくもく

名 focus
着眼

歴史に着目したこのツアーは面白そうだ。
れきし　ちゃくもく　　　　　　　　おもしろ

This tour that focuses on history sounds interesting.
着眼于历史的这个团非常有意思。

➕ 着眼〈する〉 focus / 着眼
ちゃくがん

1125 触れ合う
ふ あ

動 interact
相互接触

町を歩いて、現地の人と触れ合いたい。
まち　ある　　　げんち　ひと　ふ あ

I want to take a stroll around town and interact with the local people.
希望漫步在街上和当地人接触。

➕ 触れ合い interaction / 心灵相通
ふ あ

1126 利点
りてん

名 merit
优点

ツアーにも個人旅行にも、それぞれ利点がある。
こ じんりょこう　　　　　　　　り てん

Tours and private trips each have their advantages.
旅行团也好自由行也好各自都有优点。

➕ メリット merit / 优点・デメリット demerit / 缺点

1127 緯度
いど

名 latitude
纬度

東京よりずっと<u>緯度</u>が高い町なので、とても寒い。
とうきょう　　　　いど　　　たか　まち　　　　　　さむ

The latitude of this town is much higher than Tokyo so it's very cold.
那是一个比东京纬度高得多的地方，非常寒冷。

➕ 経度 longitude / 经度
けいど

1128 予備
よび

名 spare, extra
预备

旅行には<u>予備</u>のお金も用意しておこう。
りょこう　　　　よび　　　かね　ようい

You should bring extra money when traveling.
也准备一点旅行时用的预备金。

➕ 予備日 extra day / 预备日期
よびび

1129 身軽な
みがる

ナ形 light
轻便

できるだけ荷物を減らして、<u>身軽</u>に出かける。
にもつ　へ　　　　　　みがる　で

Carry luggage as little as possible and travel lightly.
尽量减少行李，轻装出门。

➕ 軽装 lightly dressed / 轻装
けいそう

1130 無茶〈な〉
むちゃ

名 absurd
离谱
ナ形

観光地を1日に10か所も回るなんて<u>無茶だ</u>。〈ナ形〉
かんこうち　にち　　　しょ　まわ　　　　　　むちゃ

Trying to visit ten tourist locations in a day is absurd.
1天去10个景点真是太离谱了。

1131 片言
かたこと

名 broken (speech)
只字片语

たとえ片言でも現地の言葉を使ってみる。
かたこと　　　げんち　ことば　つか

Try using the local language even if it is not perfect.
哪怕只字片语也想用用看当地的语言。

1132 身振り手振り
み ぶ て ぶ

名 gesture
肢体语言

店では身振り手振りで何とか注文が通じた。
みせ　み ぶ て ぶ　　なん　　ちゅうもん　つう

I managed to order at the shop using gestures.
在店里用肢体语言点成了菜。

= ジェスチャー

1133 疎通〈する〉
そ つう

名 understanding
沟通

ジェスチャーで意思の疎通を図る。
い し　そつう　はか

I seek understanding through the use of gestures.
试图用手势表达自己的意思。

1134 先入観
せんにゅうかん

名 prejudice
先入为主

先入観を持たずに、いろいろな人と接する。
せんにゅうかん　も　　　　　　　　ひと　せっ

Try to interact with different people without having any prejudice.
不先入为主和各种人接触。

1135 もてなす

動 entertain
款待

現地の人に温かくもてなされた。
げんち　ひと　あたた

We were entertained warmly by the local people.
受到当地人热诚的款待。

+ [お]もてなし be entertained / 款待

1136 人情
にんじょう

名 people's feelings, compassion
人情

いろいろな所で温かい人情に触れた。
ところ　あたた　にんじょう　ふ

I was able to experience people's compassion at various places.
体验到了各地温暖的人情。

1137 目の当たり
ま あ

副 in front of one's eyes
亲眼

日本との習慣の違いを目の当たりにした。
にほん　しゅうかん　ちが　　め　あ

I witnessed first hand the difference in customs from Japan.
亲历了和日本习惯上的差异。

1138 勝る
まさ

動 win
胜过

旅に出ると、注意力より好奇心が勝る。
たび　で　　ちゅういりょく　こうきしん　まさ

When you go on a trip, curiosity wins over caution.
踏上旅途好奇心胜过集中力。

⟷ 劣る
おと

1139 異国
いこく

名 foreign country
异国

異国の文化を心から楽しむ。
いこく　ぶんか　こころ　たの

Enjoy the culture of a foreign land from the bottom of your heart.
用心享受异国文化。

➕ 異国情緒 exotic mood / 异国风情
いこくじょうちょ

1140 融合〈する〉
ゆうごう

名 merge
融合

この国では東西の文化が融合している。
くに　とうざい　ぶんか　ゆうごう

The eastern and western cultures are merged in this country.
这个国家融合了东西方文化。

➕ 融和〈する〉 reconciliation, harmony / 融洽
ゆうわ

1141 手違い
てちがい

名 mistake
差错

ホテルの予約で、旅行会社の手違いがあった。
よやく　りょこうがいしゃ　てちがい

The travel agent made a mistake in the hotel reservations.
酒店预定上旅行公司犯了差错。

1142 まごつく

動 fluster, be confused
慌乱

注文の仕方が分からず、まごついてしまった。
ちゅうもん　しかた　わ

I was flustered because I didn't know how to order.
不知道怎么点菜，慌乱起来。

➕ まごまご〈する〉 be flustered / 手忙脚乱

1143 右往左往〈する〉
うおうさおう

名 go this way and that way
慌忙乱跑

途中で財布を落として右往左往した。
とちゅう　さいふ　お　うおうさおう

I dropped my purse on the way and ran hither and thither.
半路上丢了钱包东跑西窜了一阵。

1144 さまよう

動 drift
徘徊

道に迷って、夜の街をさまよった。
みち　まよ　よる　まち

I got lost and roamed the evening streets of the city.
迷了路在夜晚的街上徘徊。

1145 撮影〈する〉
さつえい

名 photograph
拍照

歴史的な建物をバックに写真を撮影した。
れきしてき　たてもの　しゃしん　さつえい

I took a photo with the historical building as background.
以历史建筑为背景拍了照。

➕ 記念撮影 commemorative photo / 纪念照
きねんさつえい

1146 とどめる

動 remain
留下

たくさんの思い出を記憶にとどめたい。
おも　で　きおく

I want the various memories to remain in my memory.
很多回忆都想留在记忆里。

➕ （～が）とどまる stay / 停留

1147 鮮明な
せんめいな

ナ形 colorful
鲜明

美しい風景が記憶に鮮明に残った。
うつく　ふうけい　きおく　せんめい　のこ

The beautiful scenery is firmly ingrained in my memory.
美丽的风景清晰地留在记忆里。

1148

オーロラ

一生に一度でいいからオーロラを見てみたい。
いっしょう　いちど　　　　　　　　　　み

名 **aurora**
极光

I want to see the aurora at least once in my lifetime.
这辈子想看一次极光。

1149

きらびやかな

建物に入ると、当時のきらびやかな光景が想像で
たてもの　はい　　とうじ　　　　　　　　こうけい　そうぞう
きた。

ナ形 **gorgeous**
灿烂夺目

I can imagine the gorgeous days of that time long ago
whenever I enter the building.
一进建筑，另人浮想起当时灿烂的光景。

1150

感無量
かん む りょう

幸運にもオーロラが見られて感無量だ。
こううん　　　　　　　み　　　　かん む りょう

名 **fullness of the heart**
无限感慨

I am at a loss of words for being fortunate enough to see the
aurora.
能见到极光真是太幸运了，感慨万千。

➕ 感慨無量 moved deeply / 感慨万千
かんがい む りょう

1151

満喫 〈する〉
まんきつ

7泊8日の旅で、ヨーロッパを満喫することがで
はく か　たび　　　　　　　　　まんきつ
きた。

名 **fully enjoy**
饱尝

I was able to fully enjoy Europe during the eight-day trip.
8天7晚旅行，饱尝了欧洲的风光。

1152

こぐ

ボートをこいで、湖を巡った。
みずうみ めぐ

動 **row**
划

I went around the lake by rowing a boat.
划着小船漫游湖面。

1153

潜る
もぐ

海に潜ると、青や黄色の魚たちがたくさん泳いで
うみ もぐ　　　あお きいろ さかな　　　　　　　およ
いた。

動 **dive**
潜

Many blue and yellow fish were swimming when I dived into
the sea.
潜入海底，到处都是游动着的蓝色和黄色的鱼。

1154

用心深い
ようじんぶかい

旅行先では用心深いくらいがちょうどいい。
りょこうさき　　ようじんぶか

イ形 **cautious**
小心谨慎

Being extra cautious is just right when you are travelling.
在旅游的时候谨慎一些更好。

➕ 注意深い cautious / 谨慎
ちゅうい ぶか

1155

おちおち ［～ない］

タイトなスケジュールで、おちおちお茶も飲んで
ちゃ の
いられない。

副 **can't peacefully do something**
安心

I can't even have a cup of tea with this tight schedule.
紧张的日程安排都不能安心地喝个茶。

1156
いっそ

副 might as well
干脆

この国が気に入った。いっそ住んでみようか。
くに き い　　　　　　す

I love this country. I might as well try to live here.
我很喜欢这个国家，索性住住看。

1157
永住〈する〉
えいじゅう

名 permanent residence
永久居住

ここに永住したいという日本人も多いそうだ。
えいじゅう　　　　　　にほんじん　おお

Many Japanese would want to live here.
好像很多人都想永久居住在这里。

➕ 移住〈する〉 move to live / 移居・ 永住権 permanent residence / 永久居住权
いじゅう　　　　　　　　　　　　えいじゅうけん

1158
別荘
べっそう

名 vacation house
别墅

いつか、ここに別荘を持てたらうれしい。
べっそう　も

I would be happy if I could build a vacation house here one day.
将来的某一天能在这里有个别墅的话就好了。

1159
懲りる
こ

動 learn from experience
惩前毖后

トラブルが多すぎて、もう旅行は懲りた。
おお　　　　　　　りょこう　こ

I've had enough traveling as there are too many problems.
出了太多麻烦事，以后不敢再旅游了。

➕ こりごり〈する〉 have had enough / 再也不敢

1106~1241

Section 3

国
くに

Country / 国家

1160

国家
こっか

名 **nation**
国家

世界には 200 を超える国家が存在する。
せかい こ こっか そんざい

There are over 200 countries in the world.
世界上有超过 200 个国家。

1161

大国
たいこく

名 **powerful nation**
大国

現在、この国は経済大国を目指している。
げんざい くに けいざいたいこく めざ

This country is currently seeking to become an economic power.
现在这个国家立志成为经济大国。

➕ 軍事大国 military power / 军事大国・アニメ大国 anime power / 动画大国・
ぐんじたいこく たいこく
経済大国 economic power / 经济大国
けいざいたいこく

1162

母国
ぼこく

名 **mother country**
祖国

日本の企業で技術を身につけたら、母国で会社を
にほん きぎょう ぎじゅつ み ぼこく かいしゃ
設立したい。
せつりつ

I want to start a new company in my home country after I acquire the technology at a Japanese company.
在日企掌握了技术后，想在祖国成立公司。

➕ 母国語 mother tongue / 母语・祖国 homeland / 祖国
ぼこくご そこく

1163

領土
りょうど

名 **territory**
领土

どの国も領土を守りたいと思う気持ちは同じだ。
くに りょうど まも おも きも おな

Every country feels the same about wanting to protect their own land.
每个国家都有想要保护领土的心情。

➕ 領土問題 territorial issue / 领土问题
りょうどもんだい

1164

民族
みんぞく

名 **ethnic group**
民族

100 を超える民族が住む国もある。
こ みんぞく す くに

There are countries where over 100 ethnic groups live.
有居住着超过 100 个民族的国家。

➕ 民族性 ethnicity / 民族性・民族衣装 ethnic costume / 民族服装
みんぞくせい みんぞくいしょう

1165

万人
ばんにん

名 **all people**
众人

万人が平等に教育を受けられる環境を作ろう。
ばんにん びょうどう きょういく う かんきょう つく

Let's create an environment where everyone can equally receive education.
创造一个众人平等受教育的环境。

➕ 万人向き fit for all / 面向大众
ばんにんむ

1166 成り立つ
なた
動 composed of
形成

国は国民によって成り立っている。
くに こくみん な た

A nation is composed of its people.
国家由国民而构成。

➕ 成り立ち history / 形成
な た

1167 起源
き げん
名 origin
起源

国の起源を学校で学ぶ。
くに き げん がっこう まな

Learn about the origin of the country at school.
在学校里学习国家的起源。

1168 定める
さだ
動 set
規定

政府は8月11日を祝日と定めた。
せい ふ がつ にち しゅくじつ さだ

The government set August 11 as a national holiday.
政府将8月11日定为国定假日。

1169 断言〈する〉
だんげん
名 declare
断言

首相は経済の回復を断言した。
しゅしょう けいざい かいふく だんげん

The prime minister declared the economy to be recovering.
首相断言经济会恢复。

➕ 明言〈する〉 vow, profess / 明确说出
めいげん

1170 目覚ましい
め ざ
イ形 amazing
惊人

A国は目覚ましい発展を見せている。
こく め ざ はってん み

Country A is showing amazing development.
A国向世人展现着惊人的发展。

➕ 著しい remarkable / 显著
いちじる

1171 前途洋々な
ぜん と ようよう
ナ形 promising
前程似锦

資源に恵まれて、この国の経済は前途洋々だ。
し げん めぐ くに けいざい ぜん と ようよう

This country's economy is promising due to its abundant resources.
有着富饶的资源，这个国家前途似景。

1172 前途多難な
ぜん と た なん
ナ形 full of obstacles
前途未卜

新しい大統領の政治は前途多難だ。
あたら だいとうりょう せい じ ぜん と た なん

The politics of the new president is full of obstacles.
新总统的政治前途未卜。

1173 おびただしい
イ形 great number
很多

伝染病でおびただしい数の国民が亡くなった。
でんせんびょう かず こくみん な

A great number of citizens died due to a plague.
因传染病很多国民死亡。

1174 依然として
い ぜん
慣 still
仍然

A国の国民の生活は依然として苦しい。
こく こくみん せいかつ い ぜん くる

The lives of the citizens of Country A is still difficult.
A国国民的生活依然很苦。

➕ 相変わらず as usual / 一如既往
あい か

1175 権力
けんりょく

名 authority
权力

権力を握る者によって、国の状況は変わる。
けんりょく にぎ もの くに じょうきょう か

The situation of the country changes depending on who has the authority.

因掌权者不同国家的状况会有所不同。

➕ 権力者 person of power / 掌权者
けんりょくしゃ

1176 実権
じっけん

名 holding real power
实权

前大統領の息子が実権を握った。
ぜんだいとうりょう むすこ じっけん にぎ

The son of the former president holds the power now.

前总统的儿子掌握着实权。

1177 強制 〈する〉
きょうせい

名 force
强制

当時の権力者は国民に労働を強制していた。
とうじ けんりょくしゃ こくみん ろうどう きょうせい

The man of power at the time forced labor on the citizens.

当时的掌权者强制人们劳动。

➕ 強制的な forcibly / 强制的
きょうせいてき

1178 崇拝 〈する〉
すうはい

名 adoration
崇拜

国民は皆、大統領を崇拝している。
こくみん みな だいとうりょう すうはい

The citizens all adore the president.

国民都崇拜总统。

1179 移行 〈する〉
いこう

名 shift
移交

新しい政権への移行が進んでいる。
あたら せいけん いこう すす

The shift of power to the new government is ongoing.

新政权的移交正在进行。

1180 軍事
ぐんじ

名 military
军事

ここ数年、A国に軍事を拡大する動きがある。
すうねん こく ぐんじ かくだい うご

These past few years Country A is expanding militarily.

这些年 A 国有扩大军事的动向。

➕ 軍事費 military spending / 军事费
ぐんじひ

1181 武器
ぶき

名 weapon
武器

あの国は海外から多くの武器を輸入している。
くに かいがい おお ぶき ゆにゅう

That country is importing many weapons from overseas.

那个国家从国外进口很多武器。

➕ 兵器 weapon / 兵器
へいき

👉 also used to mean a talent or characteristic that most other people do not have / 也有 "别人没有的决定性的特殊技能、特征" 的意思。

1182 事態
じたい

名 situation
事态

A国の事態は急速に悪化してきた。
こく じたい きゅうそく あっか

The situation in Country A has quickly deteriorated.

A 国的事态急剧恶化起来。

1183 仕組み
しく

名 workings
构成

政治の仕組みは複雑で理解しにくい。
せいじ しく ふくざつ りかい

The workings of politics is complex and hard to understand.
政治的构成很复杂，难以理解。

➕ 構造 structure / 构造
こうぞう

1184 革命
かくめい

名 revolution
革命

政府への不満が爆発して革命が起きた。
せいふ ふまん ばくはつ かくめい お

A revolution occurred when discontent against the government blew up.
由于对政府不满爆发了革命。

➕ 産業革命 industrial revolution / 产业革命・クーデター coup d'état / 政变
さんぎょうかくめい

1185 暴動
ぼうどう

名 riot
暴动

国内各地で暴動が起きている。
こくないかくち ぼうどう お

Riots are occurring all over the country.
国内各地都掀起着暴动。

1186 動向
どうこう

名 movements
动向

A国はB国の動向を常に探っている。
こく こく どうこう つね さぐ

Country A is always keeping an eye out for the movements of Country B.
A国常常摸索B国的动向。

1187 善悪
ぜんあく

名 right and wrong
善恶

国によって善悪の判断は異なる。
くに ぜんあく はんだん こと

The judgement of right and wrong differs according to the country.
每个国家对善恶的判断都不同。

1188 一様な
いちよう

ナ形 uniformly
一致

A国の提案に対し、参加国は一様に賛成した。
こく ていあん たい さんかこく いちよう さんせい

Participating nations uniformly agreed to the proposal of Country A.
对于A国的提案，参加国一致赞成。

1189 飢える
う

動 starve
饿

世界には飢えて苦しむ子どもたちがたくさんいる。
せかい う くる こ

There are many children around the world who are suffering from starvation.
世界上还有很多饱受饥饿之苦的孩子。

➕ 飢え starvation / 饥饿・飢餓 famine / 饥饿
う きが

1190
親交
しんこう

名 **friendly relations**
亲密交往

隣国と親交を深め、良好な関係を維持する。
りんごく　しんこう　ふか　りょうこう　かんけい　いじ

Deepen the friendship with neighboring nations and maintain a good relationship.
与邻国加深亲密交往，保护良好关系。

1191
密接な
みっせつ

ナ形 **deep**
密切

隣国と密接な関係を築いていく。
りんごく　みっせつ　かんけい　きず

Build a deep relationship with neighboring nations.
与邻国建立密切的关系。

1192
申し出る
もう　で

動 **offer**
提出

災害が起きた隣国に援助を申し出た。
さいがい　お　りんごく　えんじょ　もう　で

Offer aid to the neighboring nation that suffered a disaster.
向发生灾害的邻国提出了援助。

➕ 申し入れる offer / 提出
　　もう　い

1193
双方
そうほう

名 **both**
双方

両国双方の意見を聞く。
りょうこく　そうほう　いけん　き

Listen to the opinion of both nations.
听取两国双方的意见。

1194
交互
こうご

名 **alternately**
交替

A国とB国の大統領が交互に訪問し合う。
こく　こく　だいとうりょう　こうご　ほうもん　あ

The presidents of Country A and Country B visit each other's country alternately.
A国和B国的总统互相访问。

1195
好ましい
この

イ形 **preferable**
令人满意

両国の関係は、年々好ましくなっている。
りょうこく　かんけい　ねんねんこの

The relationship between the two countries is improving every year.
两国关系日益理想。

1196
利害
りがい

名 **interests**
利害

A国とB国は互いの利害が一致した。
こく　こく　たが　りがい　いっち

Country A and Country B shared mutual interests.
A国和B国统一了互相的利害。

➕ 損得 loss and gain / 得失
　　そんとく

1197
寛容〈な〉
かんよう

名 **forgiving/forgiving**
宽容

ナ形

A国は他国に寛容な態度を示す。（ナ形）
こく　たこく　かんよう　たいど　しめ

Country A should show a forgiving attitude towards other nations.
A国向别国表示宽容的态度。

| 1198
名 | 偏見
へんけん
bias
偏见 | 外交の際、偏見を持つべきではない。
がいこう さい へんけん も
One should not hold biased views in diplomacy.
外交时不应有偏见。 |

| 1199
名 | 侮辱〈する〉
ぶじょく
insult
侮辱 | A国の大統領がB国を侮辱した。
こく だいとうりょう こく ぶじょく
The president of Country A insulted Country B.
A国总统侮辱了B国。 |

| 1200
動 | かみ合う
あ
match, engage
意见相合 | 両国のトップの話が全くかみ合わない。
りょうこく はなし まった あ
The leaders of the two countries are unable to agree on anything.
两国首领的意见完全不相合。 |

| 1201
動 | 食い違う
く ちが
differ
有分歧 | 両国の意見が食い違い、話し合いが進まない。
りょうこく いけん く ちが はな あ すす
The views of the countries differ and the talks don't make progress.
两国意见有分歧，会谈进展不下去。 |

| 1202
名 | 駆け引き〈する〉
か ひ
bargain, diplomacy
战略策划 | 各国が経済問題について駆け引きをする。
かっこく けいざいもんだい か ひ
Each country bargains with the other about economic problems.
各国都根据经济问题进行战略策划。 |

| 1203
名 | 干渉〈する〉
かんしょう
meddle
干涉 | むやみに他の国に干渉するのは良くない。
ほか くに かんしょう よ
It is not good to meddle indiscriminately into the affairs of other countries.
随便干涉他国不好。 |

| 1204
動 | 取り合う
と あ
fight over
争夺 | 隣国同士で領土を取り合う。
りんごくどうし りょうど と あ
The neighboring countries fight over territory.
邻国互相争夺领土。 |

➕ 取り合い scramble for / 争夺・奪い合う fight for / 争夺
　 と あ　　　　　　　　　　　　うば あ

| 1205
動 | 相反する
あいはん
differ
相反 | A国とB国が相反する立場を主張している。
こく こく あいはん たち しゅちょう
Country A and Country B claim different positions.
A国和B国主张相反的立场。 |

| 1206
ナ形 | 正当な
せいとう
valid
正当 | 正当な理由なく他国を攻めることはできない。
せいとう りゆう たこく せ
One cannot invade another country without rightful cause.
没有正当理由不能进攻他国。 |

| 1207
動 | 差し出す
さ だ
reach out
伸出 | 首相は大統領に握手を求めて手を差し出した。
しゅしょう だいとうりょう あくしゅ もと て さ だ
The prime minister reached out for the president's hand for a handshake.
首相邀请总统握手而伸出了手。 |

1208

取り囲む
と　かこ

動 surround
包围

A国は大国に取り囲まれている。
こく　たいこく　と　かこ

Country A is surrounded by powerful countries.
A国被大国环绕着。

➕ 取り巻く surround / 围绕・包囲〈する〉 surround / 包围
と　ま　　　　　　　　　　　　　ほうい

1209

阻む
はば

動 prohibit
阻止

A国の発展を周囲の国が阻んでいる。
こく　はってん　しゅうい　くに　はば

The surrounding countries are prohibiting the development of Country A.
A国的发展阻碍着周边国家。

➕ 阻止〈する〉 prevent / 阻止
そし

1210

異議
いぎ

名 objection
异议

A国はある問題を議題にすることに異議があるようだ。
こく　　　もんだい　ぎだい　　　　　　　　いぎ

Country A seems to be against taking up the issue as an agenda.
A国好像对把某个问题作为议题有异议。

➕ 異論 objection / 异议
いろん

1211

拒む
こば

動 reject
拒绝

A国はB国の申し入れをきっぱりと拒んだ。
こく　こく　もう　い　　　　　　　こば

Country A firmly rejected Country B's proposal.
A国果断地拒绝了B国的照会。

➕ 拒否〈する〉 rejection / 否决・拒絶する reject / 拒绝
きょひ　　　　　　　　　　　　　　きょぜつ

1212

核心
かくしん

名 core, center
核心

話し合いが核心に迫ってきた。
はな　あ　　かくしん　せま

The discussion is getting to the heart of the matter.
谈话逼近了核心。

1213

追い込む
お　こ

動 drive
逼入

多くの国がB国を孤立に追い込んでいる。
おお　くに　こく　こりつ　お　こ

Many countries are driving Country B to isolation.
很多国家把B国逼入了孤立境地。

1214

孤立〈する〉
こりつ

名 isolation
孤立

B国は国際的に孤立しつつある。
こく　こくさいてき　こりつ

Country B is becoming isolated internationally.
B国在国际上渐渐孤立。

1215 改める あらた	①A国はB国との関係を改めようとしている。 こく　こく　かんけい　あらた ②日を改めて両国のトップが話し合う。 ひ　あらた　りょうこく　はな　あ
動 **improve/redo** 改善, 改	① Country A is trying to improve relations with Country B. ② The leaders of the two countries will reschedule the date to hold talks. ①A国想同B国改善关系。 ②两国国家首脑改日再商谈。

➕ (〜が) 改まる revised / 改变
あらた

👉 ① improve ② change with something new or other / ①改善②改新的, 其他的

1216 模索 〈する〉 もさく	政府はA国との関係改善を模索している。 せいふ　こく　かんけいかいぜん　もさく
名 **seek** 摸索	The government is seeking ways to improve relations with Country A. 政府正摸索着如何和A国改善关系。

1217 国連 こくれん	国連がA国とB国の間に難民キャンプを作った。 こくれん　こく　こく　あいだ　なんみん　つく
名 **United Nations** 联合国	The United Nations built a refugee camp between Country A and B. 联合国在A国和B国之间建造了难民营。

👉 abbreviation for the United Nations / 是 "国際連合" 的缩写。

1218 克明な こくめい	この会談は克明に記録しておく必要がある。 かいだん　こくめい　きろく　ひつよう
ナ形 **detailed** 一丝不苟	It is necessary to keep a record of this talk in detail. 会谈记录需要一丝不苟地记录下来。

➕ 明確な clear / 明确
めいかく

1219 振り出し ふ　だ	残念ながら交渉は振り出しに戻ってしまった。 ざんねん　こうしょう　ふ　だ　もど
名 **square one** 开端	Unfortunately the negotiation is back to square one. 真可惜交涉回到了原点。

Section 5

国際関係②
こくさいかんけい

International Relations ②/ 国际关系②

1220

紛争
ふんそう

名 conflict
紛争

世界各地で<u>紛争</u>が絶えない。
せ かい かく ち　 ふんそう　 た

Conflict never ends around the world.
世界各地纷争不断。

➕ 国際紛争 international conflict / 国际纷争・内戦 civil war / 内战
こくさいふんそう　　　　　　　　　　　　　　　　　　　　　ないせん

1221

介入 〈する〉
かいにゅう

名 interference
介入

いくつかの大国が紛争に<u>介入する</u>。
たいこく　 ふんそう　 かいにゅう

Several powerful countries are interfering in the conflict.
很多大国介入了纷争。

➕ 軍事介入〈する〉 military intervention / 军事干预
ぐん じ かいにゅう

1222

強いる
し

動 force
強迫

人々は苦しい生活を<u>強いられて</u>いる。
ひとびと　 くる　　 せいかつ　 し

The people are forced to live in difficulty.
人们为苦闷的生活所迫。

1223

支援 〈する〉
し えん

名 aid
支援

国連がA国への<u>支援</u>を発表した。
こくれん　 こく　　 し えん　 はっぴょう

The United Nations announced aid to Country A.
联合国发表了对 A 国的支援。

1224

打ち切る
う き

動 come to an end
停止

A国への支援は半年で<u>打ち切られた</u>。
こく　　 し えん はんとし　 う き

The aid to Country A was ended in six months.
对 A 国的支援半年就停止了。

➕ 打ち切り closure, come to an end / 截至
う き

1225

合意 〈する〉
ごう い

名 agreement
同意

両国はようやく<u>合意</u>に達した。
りょうこく　　　　　 ごう い　 たっ

The two countries finally reached an agreement.
两国终于取得了一致意见。

1226

和解 〈する〉
わ かい

名 settlement
和解

二人の大統領は<u>和解</u>後しっかりと握手をした。
ふたり　 だいとうりょう　 わ かい ご　　　　　　 あくしゅ

The two presidents shook hands firmly after the settlement.
两国总统和解后使劲地握了手。

1227

確立 〈する〉
かくりつ

名 secure
确立

A国は世界のリーダーとしての地位を<u>確立した</u>。
こく　 せ かい　　　　　　　　　　　　 ち い　 かくりつ

Country A has secured its position as a global leader.
A 国确立了世界领导地位。

200

1228 結束 〈する〉
けっそく
名 **unity**
団結

今後は両国が結束して地域の安全を守る。
こんご　りょうこく　けっそく　ちいき　あんぜん　まも

The two countries will join hands in protecting the safety of the region from now.
今后两国团结起来一同守护地域安全。

1229 唱える
となえる
動 **voice**
声明

A国がB国の主張に異議を唱えた。
こく　こく　しゅちょう　いぎ　とな

Country A voiced objection to Country B's claim.
A国声明对B国的主张有异议。

➕ 提唱〈する〉 advocate / 提倡
ていしょう

1230 捧げる
ささげる
動 **dedicate**
贡献

その政治家は、世界平和に人生を捧げた。
せいじか　せかいへいわ　じんせい　ささ

That politician dedicated his life to world peace.
这位政治家为世界和平贡献了一生。

1231 説く
とく
動 **preach**
提倡

国連が団結の重要性を説く。
こくれん　だんけつ　じゅうようせい　と

The United Nations preached the importance of solidarity.
联合国宣扬团结的重要性。

1232 危ぶむ
あやぶむ
動 **voice concern**
担心

学者の中には世界平和を危ぶむ声がある。
がくしゃ　なか　せかいへいわ　あや　こえ

Some scholars voiced concern about world peace.
学者中有对世界和平表示担忧的呼声。

1233 危うい
あやうい
イ形 **fragile**
岌岌可危

A国とB国の関係は危うい状態だ。
こく　こく　かんけい　あや　じょうたい

The relationship between Country A and Country B is fragile.
A国和B国的关系岌岌可危。

1234 おびえる
動 **worry**
惧怕

人々は戦争の不安におびえている。
ひとびと　せんそう　ふあん

People are worried about the possibility of war.
人人都惧怕战争的危险。

1235 見失う
みうしなう
動 **lose sight**
迷失

世界は平和への道を見失ってはいけない。
せかい　へいわ　みち　みうしな

The world should not lose sight of the road to peace.
世界不能在和平的道路上迷失。

1236 強行 〈する〉
きょうこう
名 **military intervention**
强行

A国はB国への軍事介入を強行した。
こく　こく　ぐんじかいにゅう　きょうこう

Country A launched a military invasion into Country B.
A国强行对B国进行了军事干预。

➕ 強行手段 forcible measures / 强行手段
きょうこうしゅだん

1106-1241

201

Section **5**

1237 仕掛ける
しか

動 set off
着手，設置

① A国がB国に攻撃を仕掛けた。
こく　こく　こうげき　しか
② A国が仕掛けたわなにはまった。
こく　しか

① Country A set off an attack to Country B.
② We were caught in the trap set by Country A.
① A 国着手对 B 国发动攻击。
② A 国陷入了设计好的圈套。

➕ 仕掛け gimmick, contrivance / 进行中
しか

👆 ① to attack ② to set, to prepare / ①进攻②安置，准备

1238 極めて
きわ

副 extremely
极其

両国の関係を改善することは、現在極めて難しい
りょうこく　かんけい　かいぜん　　　　　　げんざいきわ　　　むずか
状況だ。
じょうきょう

If is extremely difficult now to improve the relationship
between the two countries.
改善两国的关系是现在极其困难的状况。

1239 証し
あか

名 proof
证据

A国は親善の証しとして、B国に経済的支援を約
こく　しんぜん　あか　　　　　　こく　けいざいてきしえん　やく
束した。
そく

Country A promised economic support to Country B as proof
of friendship.
A 国为证明友好，约定向 B 国提供经济支援。

1240 至る
いた

動 reach
至于

両国の関係が深刻な状態に至らず安心した。
りょうこく　かんけい　しんこく　じょうたい　いた　　あんしん

I'm relieved that the relationship between the two countries
did not reach a serious condition.
两国关系未至于更严重的状况另人安心了。

1241 抜け出す
ぬ　だ

動 escape
摆脱

両国の関係は危うい状況を抜け出した。
りょうこく　かんけい　あや　じょうきょう　ぬ　だ

The two countries escaped from a dangerous situation.
两国关系摆脱了危机。

N1

Chapter

10

自然
しぜん

Nature
自然

1242 豪雨
ごうう

名　torrential rain
豪雨

各地で豪雨による大きな被害が出ている。
かくち　　ごうう　　　　　おお　　　ひがい　で

Major disasters are occurring all over due to the torrential rain.

各地因豪雨出现了严重灾害。

➕ 集中豪雨 torrential rain / 集中豪雨・ゲリラ豪雨 sudden downpour / 游击暴雨
しゅうちゅうごうう　　　　　　　　　　　　　　　　　　ごうう

1243 暴風雨
ぼうふうう

名　heavy rain and wind
暴风雨

夜中から朝にかけて暴風雨の危険がある。
よなか　　あさ　　　　ぼうふうう　きけん

There is a danger of heavy rain and wind from midnight to morning.

从早至晚均有暴风雨的危险。

➕ 暴風 strong wind / 暴风・風雨 wind and rain / 风雨
ぼうふう　　　　　　　　　　ふうう

1244 雨雲
あまぐも

名　rain clouds
云雨

急に雨雲が広がり、にわか雨が降りそうだ。
きゅう　あまぐも　ひろ　　　　　　　　あめ　ふ

The rain clouds may suddenly build up and cause a rain shower.

骤然云雨密布，要下阵雨了。

1245 ざあざあ

副　pouring (rain)
哗啦哗啦

朝からざあざあ雨が降り続けている。
あさ　　　　　　　あめ　ふ　つづ

The rain has been pouring all morning.

从早上开始，大雨哗啦哗啦地下个不停。

➕ ざあざあ降り rain hard / 哗啦哗啦下・ざあっと flow down / 哗啦一声・
ふ

土砂降り pouring rain / 倾盆大雨
どしゃぶ

1246 ぴたりと

副　suddenly/tightly, closely
突然停止，紧贴

①大雨がぴたりと止んだ。
おおあめ　　　　　　や

②二つの机をぴたりとつける。
ふた　　つくえ

① The heavy rain stopped suddenly.
② The two desks were put together side by side.

①大雨突然停止了。
②两张桌子紧凑地并排起来。

👉 ① something that has been continuing suddenly halts ② put things together without space in-between / ①持续的事突然停止②没有缝隙地拼凑在一起

1247 前線
ぜんせん

名　front
锋

日本全体を前線が覆っている。
にほんぜんたい　ぜんせん　おお

The front is covering the entire Japanese nation.

日本全国被锋面天气所覆盖。

➕ 桜前線 cherry blossom front / 樱花前线・寒冷前線 cold front / 冷锋・
さくらぜんせん　　　　　　　　　　　　　　　　　　かんれいぜんせん

梅雨前線 rain front / 梅雨锋
ばいうぜんせん

1248 停滞〈する〉
ていたい
名 settle
停滞

東日本に寒冷前線が停滞している。
ひがし に ほん　かんれいぜんせん　　ていたい
The cold front has settled in east Japan.
东日本的冷锋已停滞。

1249 日本列島
に ほんれっとう
名 Japanese archipelago
日本列島

日本列島に台風が向かっている。
に ほんれっとう　たいふう　む
A typhoon is heading towards the Japanese archipelago.
台风正逼近日本列岛。

1250 貯水率
ちょすいりつ
名 water storage rate
蓄水率

ダムの貯水率が50パーセントを下回った。
ちょすいりつ　　　　　　　　　した まわ
The water storage rate of the dam dropped below 50%.
大坝的蓄水率低于百分之五十了。

1251 ダム
名 dam
大坝

降水量が少なく、ダムの水が減少している。
こうすいりょう　すく　　　　　みず　げんしょう
The amount of water in the dam is decreasing due to less rainfall.
降水量少了，大坝的蓄水也减少了。

➕ 貯水池 reservoir / 蓄水池
ちょすい ち

1252 強まる
つよ
動 strengthen
加强

時間とともに風雨が強まってきた。
じかん　　　　ふうう　つよ
The wind and rain get stronger as time passes.
风势雨势越来越强。

➕ （〜を）強める increase / 加强
つよ

1253 弱まる
よわ
動 weaken
减弱

風の勢いが徐々に弱まっている。
かぜ いきお　じょじょ　よわ
The force of the wind is gradually getting weak.
风势渐渐减弱了。

➕ （〜を）弱める weaken / 减弱
よわ

1254 舞う
ま
動 dance, fly
飞舞

午後から雪が舞い始めた。
ご ご　　ゆき　ま　はじ
The snow began to fall from the afternoon.
下午雪花开始飞散。

➕ 舞い上がる soar, fly high / 飞扬
ま あ

1255 兆候
ちょうこう
名 sign
征兆

今日はゲリラ豪雨の兆候が見られる。
きょう　　　　ごうう　ちょうこう　み
There are signs of sudden downpours today.
今天有游击暴雨的征兆。

👉 also written 徴候 / 也写作"徴候"。

➕ 前兆 sign / 前兆
ぜんちょう

1256 暑苦しい
あつくる

イ形 **muggy**
闷热难耐

先週から湿度が高く、暑苦しい日が続いている。
せんしゅう　　しつど　たか　　あつくる　　ひ　つづ

The humidity has been high since last week and we are experiencing many muggy days.
上周起湿度很高，闷热难耐的天气持续不断。

1257 寝苦しい
ねぐる

イ形 **hard to sleep**
难以入睡

猛暑日が続いて、夜も寝苦しい。
もうしょび　つづ　　よる　ねぐる

Extremely hot days are continuing and it's difficult to sleep at night.
连日酷暑，晚上都睡不好觉。

1258 じめじめ[と]〈する〉

副 **humid**
潮湿

雨の日が続いて、じめじめしている。
あめ　ひ　つづ

We are getting many rainy days and it's humid all over.
连日下雨，非常潮湿。

1259 かんかんな

ナ形 **brightly/furious**
毒辣辣，大发脾气

①朝から日がかんかんに照っている。
あさ　　ひ　　　　　て
②弟のうそに父はかんかんだ。
おとうと　　ちち

① The sun has been shining brightly since morning.
② My father is furious about my younger brother's lie.
①从早上起太阳就毒辣辣的。
②爸爸对弟弟的谎话大发雷霆。

➕ かんかん照り scorching sun / 毒辣辣的太阳

👉 ① a condition where the sunlight is very strong ② being extremely angry / ①日照很厉害 ②暴怒

1260 気がめいる
き

慣 **get depressed**
颓丧

こう雨の日が続いては気がめいる。
あめ　ひ　つづ　　　き

We keep getting rainy days and it's depressing.
连日的雨天心情颓丧。

1261 やけに

副 **awfully**
特别

今日はやけに蒸し暑い。
きょう　　　　　む　あつ

Today is awfully humid and hot.
今天可真够闷热的。

➕ 妙に awfully / 莫名地
みょう

1262 さなか

名 **in the midst of**
最高潮

猛暑のさなかに、台風が発生した。
もうしょ　　　　　たいふう　はっせい

The typhoon formed in the midst of extreme heat.
酷暑最盛之时，刮台风了。

➕ 最中 in the midst of / 最盛时期
さいちゅう

1263 気まぐれ〈な〉
き

名
ナ形 **fickle/fickle**
反复无常

秋の天気は気まぐれで、とても変わりやすい。(ナ形)
あき　てんき　き　　　　　　　　　か

Autumn weather is fickle and changes easily.
秋天的天气反复无常，总是变。

1264 ☐	遮る _{さえぎ}	豪雨がドライバーの視界を遮っている。 _{ごう う}　　　　　_{し かい}　_{さえぎ}
動	**block** 遮蔽	The torrential rain is blocking the driver's view. 豪雨遮蔽了司机的视线。

➕ 妨げる prevent, block / 防碍
_{さまた}

1265 ☐	避ける _さ	こんな悪天候の中、外出は避けた方がいい。 _{あくてんこう}　_{なか}　_{がいしゅつ}　_さ　_{ほう}
動	**avoid** 避开	Better to avoid leaving in this bad weather. 这么坏的天气，还是避开外出为好。

これも
覚えよう！ ⓱
_{おぼ}

カ **カタカナ語①**　katakana words ① / 片假名词①
_ご

アナリスト	analyst / 分析专家
アレンジ〈する〉	to arrange / 安排
アンコール	encore / 重播，重演
エキスパート	expert / 专家
エピソード	episode / 插曲，逸事
オーソドックスな	orthodox / 正统
オフィシャルな	official / 官方，正式
オリエンテーション（＝オリエン）	orientation / 新人教育
カルチャーショック	culture shock / 文化冲击
ギャップ	gap / 鸿沟
グローバルな	global / 全球化
コーディネート〈する〉	coordinate / 搭配
コントラスト	contrast / 对照
サプライズ	surprise / 惊喜
ジェンダー	gender / 性别
シミュレーション	simulation / 模拟，仿真

災害
さいがい

Disaster / 灾害

1266 警報
けいほう

名 warning
警报

10 年に一度の災害警報が出された。
ねん　いち ど　さいがいけいほう　だ

A disaster warning was issued for the first time in ten years.
发出了 10 年未遇的灾害警报。

1267 注意報
ちゅう い ほう

名 warning
警报

東京に大雨強風注意報が出された。
とうきょう　おおあめきょうふうちゅう い ほう　だ

A warning for heavy rain and strong wind was issued in Tokyo.
东京发出了大雨强风警报。

1268 震源地
しんげん ち

名 epicenter
震源地

ここは震源地からは遠いが、かなり揺れた。
しんげん ち　　　とお　　　　　　　　ゆ

It is far here from the epicenter but it shook pretty hard.
这里离震源地很远，但也晃得很厉害。

1269 震度
しん ど

名 seismic intensity on the Japanese Shindo scale
震度

おそらくこの町の震度は3くらいだろう。
まち　しん ど

The earthquake that hit this town was probably about a scale 3 on the Japanese seismic intensity scale.
这个城镇的震度应该有 3 级左右。

➕ マグニチュード magnitude / 震级

1270 緊急〈な〉
きんきゅう

名
ナ形 emergency/emergency
紧急

極めて危険な状態なので、緊急に避難する。
きわ　　　き けん　じょうたい　　　　　きんきゅう　ひ なん

It is a very dangerous situation, so we will evacuate immediately.
是极其危险的状态，需要紧急避难。

➕ 緊急事態 emergency situation / 紧急事态
きんきゅう じ たい

1271 速やかな
すみ

ナ形 quickly
迅速

警報を聞いて、住民は速やかに避難した。
けいほう　き　　じゅうみん　すみ　　　ひ なん

The residents quickly evacuated after hearing the warning siren.
听到警报以后，居民们迅速避难。

1272 強烈な
きょうれつ

ナ形 intense
强烈

今度の台風は今までになく強烈だ。
こん ど　たいふう　いま　　　　　　きょうれつ

The upcoming typhoon is unprecedentedly intense.
这次台风的强烈程度史无前例。

1273 猛烈な
もうれつ

ナ形 ferocious
猛烈

台風 10 号が猛烈なスピードで日本列島に向かっている。
たいふう　ごう　もうれつ　　　　　　　に ほんれっとう　む

Typhoon No. 10 is approaching the Japanese archipelago at a ferocious speed.
台风 10 号以猛烈的速度向日本列岛逼近。

1274

驚異的な
きょう い てき

ナ形 **record-breaking**
惊人

九州地方で驚異的な降水量を記録した。
きゅうしゅう ち ほう きょう い てき こうすいりょう き ろく

The Kyushu region saw record levels of rainfall.
九州地方惊人的降水量破纪录了。

1275

はなはだしい

イ形 **excessive**
相当

損害ははなはだしい金額に上った。
そんがい きんがく のぼ

The damage amounted to excessive financial loss.
损失达到了相当惊人的金额。

1276

竜巻
たつまき

名 **tornado**
龙卷风

今日は全国で竜巻が発生している。
きょう ぜんこく たつまき はっせい

Tornadoes are forming all over the country today.
今天全国都在刮龙卷风。

1277

土砂
ど しゃ

名 **earth and sand**
砂土

豪雨によって崩れた土砂で、多くの家が流された。
ごう う くず ど しゃ おお いえ なが

Many houses were washed away by the earth and sand from the torrential rain.
由于豪雨崩塌下来的砂土冲走了很多户人家。

➕ 土砂崩れ landslide / 泥石流・土砂災害 landslide disaster / 泥石流灾害
ど しゃくず ど しゃさいがい

1278

浸水〈する〉
しんすい

名 **flooded**
浸水

近くの川があふれて、我が家も浸水した。
ちか かわ わ や しんすい

The river nearby overflowed, and our house was flooded.
附近的河流暴涨，我们家浸水了。

➕ 床下浸水 flooded below floor level / 地板下面浸水・
ゆかしたしんすい
床上浸水 flooded above floor level / 水没到地板上・洪水 flood / 洪水
ゆかうえしんすい こうずい

1279

雪崩
な だれ

名 **avalanche**
雪崩

春の登山には雪崩の危険性がある。
はる と ざん な だれ き けんせい

Spring mountain climbing entails the risk of avalanches.
春天登山有雪崩的危险。

1280

噴火〈する〉
ふん か

名 **eruption**
喷发

50年ぶりにA火山が噴火した。
ねん か ざん ふん か

Volcano A erupted for the first time in 50 years.
50年未遇的A火山喷发了。

1281

災い
わざわ

名 **misfortune**
灾祸

日本では各地で災いを追い払う祭りを行う。
に ほん かくち わざわ お はら まつ おこな

There are many matsuri festivals around Japan that try to push away misfortune.
在日本各地举行消灾的祭奠活动。

➕ 災難 mishap / 灾难
さいなん

1282 被災 〈する〉
ひさい

名 disaster
受灾

被災した地域にボランティアが集まった。
ひさい　　ちいき　　　　　　　　　　　　あつ

Volunteers gathered at the disaster site.
受灾地聚集了很多志愿者。

➕ 被災地 disaster-hit area / 受灾地・被災者 victims of disaster / 受灾者
ひさいち　　　　　　　　　　　　　　　　　ひさいしゃ

1283 損害
そんがい

名 damage
损失

地震による損害は予想以上に大きい。
じしん　　　　そんがい　　よそういじょう　　おお

The damages from the earthquake is larger than expected.
由于地震损失比想像的要大。

➕ 損害保険 non-life insurance / 财产保险
そんがい ほけん

1284 異変
いへん

名 change
异常情况

裏の山の異変に気づいたら、速やかに逃げましょう。
うら　やま　　いへん　　き　　　　　　すみ　　　　に

If you notice any change in the mountains behind us, run
away immediately.
注意到了后山的异常情况，就赶快撤离。

1285 襲う
おそ

動 attack
袭击，侵袭

①夜中に大地震に襲われた。
よなか　　おおじしん　　おそ
②死の恐怖に襲われる。
し　きょうふ　　おそ

① We were hit by a huge earthquake in the middle of the night.
② We were overwhelmed by the fear of death.
①半夜大地震袭来。
②受死亡之恐惧之侵袭。

👉 ① attack and inflict damage ② an unpleasant feeling becomes very strong / ①攻击造成伤害②另人不快的感情很强烈

1286 裂ける
さ

動 rip
裂开

揺れが大きく、大地が裂けた。
ゆ　　おお　　　だいち　　さ

The quake was big and the land cracked.
剧烈摇晃，大地开裂。

➕ （〜を）裂く tear apart / 撕裂
さ

1287 いざというとき

慣 if the need arises; the critical moment at need
一旦有情况时

いざというときのために食料を多めに買っておく。
しょくりょう　おお　　か

I purchase extra food just in case.
为以防万一，要多购置一些食物材料。

1288 破壊 〈する〉
はかい

名 destroy
破坏

大きな揺れで多くの建物が破壊された。
おお　　ゆ　　おお　　たてもの　　はかい

Many buildings were destroyed by the big tremor.
由于很剧烈的摇晃很多建筑被震坏了。

➕ 破壊力 destructive power / 破坏力・環境破壊 environment destruction / 环境破坏
はかいりょく　　　　　　　　　　　　　　　かんきょうはかい

1289 荒らす
（あ）

動 damage
糟蹋

イノシシに畑を荒らされた。
（はたけ）（あ）

The wild boar damaged the field.
菜地被野猪弄得乱七八糟。

1290 有り様
（あ）（さま）

名 state, condition
情况

現地は目を覆う有り様だった。
（げんち）（め）（おお）（あ）（さま）

The site was in a terrible condition.
现场真是惨不忍睹。

👉 used in bad circumstances / 用于不好的情况。

1291 実況〈する〉
（じっきょう）

名 live reporting
实况

被害が大きい地域から実況中継している。
（ひがい）（おお）（ちいき）（じっきょうちゅうけい）

They are reporting live from the area hard-hit by the disaster.
正在实况转播受害很严重的地区的情况。

➕ 実況中継〈する〉 live reporting / 实况转播・実況放送〈する〉 live broadcast / 实况放送
（じっきょうちゅうけい）　（じっきょうほうそう）

1292 根こそぎ
（ね）

副 from the root
一点不剩

大洪水で大きな木が根こそぎ流された。
（だいこうずい）（おお）（き）（ね）（なが）

Large trees were washed away from the root due to the massive flood.
大洪水把大树连根冲走。

1293 ことごとく

副 entirely
统统

この地域の家はことごとく被害を受けた。
（ちいき）（いえ）（ひがい）（う）

All houses were hit with damages in this area.
这个地区的房子统统受灾。

1294 ひずみ

名 distortion
变形

地震後、多くの家にひずみが発見された。
（じしん）（ご）（おお）（いえ）（はっけん）

A distortion was found in many houses after the earthquake.
地震后，很多房子都出现了变形。

1295 ぐにゃぐにゃ〈な／する〉

ナ形 become limp, completely
副 undone
软绵绵

地震で高速道路がぐにゃぐにゃに曲がった。（ナ形）
（じしん）（こうそくどうろ）（ま）

The highway roads were completely undone due to the earthquake.
由于地震高速公路变得扭扭歪歪的。

➕ ぐちゃぐちゃ〈な／する〉 sloppy / 一塌糊涂

1296 くっきり［と］〈する〉

副 clearly
清晰

衛星写真で台風の目がくっきりと見える。
（えいせいしゃしん）（たいふう）（め）（み）

The eye of the typhoon can be observed clearly from the satellite photo.
从卫星照片上看台风中心一目了然。

1297 一帯
いったい
名 entire area
一带

この辺り一帯が洪水で被災した。
あた　　いったい　　こうずい　　ひさい

The entire area around here was damaged by the flood.
这附近一带因洪水受灾。

➕ 一円 all over / 一带
いちえん

1298 仮定 〈する〉
かてい
名 premise
假定

大地震が起きたと仮定し、被害を予想する。
おおじしん　お　　　　　かてい　　ひがい　よそう

They forecast the damages on the premise that a major
earthquake has occurred.
假设发生大地震，预想受灾情况。

1299 配給 〈する〉
はいきゅう
名 supply
配给

被災地で食料品や毛布などが配給された。
ひさいち　しょくりょうひん　もうふ　　　　はいきゅう

Food supplies and blankets were distributed at the disaster
site.
在受灾地配给食物和毛巾等物品。

1300 分配 〈する〉
ぶんぱい
名 distribution
分配

ボランティアのスタッフが配給を平等に分配する。
　　　　　　　　　　　　　はいきゅう　びょうどう　ぶんぱい

The volunteers distributed the rations equally.
志愿者工作人员们平均分配配给物品。

1301 くむ
動 fetch (water)
打水

水が止まったので井戸の水をくんだ。
みず　と　　　　　　いど　みず

The water stopped, so we fetched water from the well.
因为停水了，从井里打来了水。

➕ 汲み取る fetch / 汲取
く　と

1302 復旧 〈する〉
ふっきゅう
名 restoration
修复

電気は復旧したが、ガスは時間がかかりそうだ。
でんき　ふっきゅう　　　　　　　　じかん

The electricity has been restored, but the gas may take more
time.
电已经恢复，但煤气好像需要时间。

➕ 復旧工事 restoration construction / 修复工程・ 復興する restoration / 复兴
ふっきゅうこうじ　　　　　　　　　　　　　　　　　　　　ふっこう

1303 風評
ふうひょう
名 rumor
谣传

災害後の風評による被害も深刻だ。
さいがいご　ふうひょう　　　ひがい　しんこく

Damage caused by rumors after a disaster is also serious.
灾害后的谣传使灾情更严重。

1304 不幸中の幸い
ふこうちゅう　さいわ
慣 one consolation
不幸中的万幸

家族みんなが無事だったのは不幸中の幸いだ。
かぞく　　　　ぶじ　　　　　　ふこうちゅう　さいわ

That everyone in the family was safe is one consolation.
家人都能平安无事是不幸中的万幸。

1305 紫外線
しがいせん

名 ultraviolet light
紫外线

夏は必ず<u>紫外線</u>対策をして出かける。
なつ　かなら　しがいせんたいさく　　で

I always leave the house in the summer with ultraviolet light prevention measures.
夏日必须做好防晒措施后外出。

➕ 赤外線 infrared rays / 红外线
せきがいせん

1306 オゾン層
そう

名 ozone layer
臭氧层

<u>オゾン層</u>の破壊が心配されている。
そう　は かい　しんぱい

The depletion of the ozone layer is worrying.
臭氧层的破坏另人担心。

1307 温室効果ガス
おんしつこうか

名 greenhouse gas
温室效应气体

<u>温室効果ガス</u>の減少が各国の課題だ。
おんしつこうか　げんしょう　かっこく　か だい

Decreasing greenhouse gases is an issue that needs to be addressed by all countries.
减少温室效应气体是各国的课题。

1308 氷河
ひょうが

名 glacier
冰河

北極の<u>氷河</u>が急速に溶けている。
ほっきょく　ひょうが　きゅうそく　と

The North Pole glaciers are melting quickly.
北极的冰河急速融化着。

➕ 氷河期 ice age / 冰河期
ひょうがき

1309 悩ます
なや

動 rack one's brain
困扰

先進国は地球温暖化対策に頭を<u>悩まして</u>いる。
せんしんこく　ちきゅうおんだんか たいさく　あたま　なや

Advanced nations are racking their brains about what measures to take to address global warming.
先进国家在为对应地球温室效应而头疼。

1310 致命的な
ちめいてき

ナ形 critical
致命的

このまま温暖化が進めば、<u>致命的な</u>状況になる。
おんだんか　すす　ちめいてき　じょうきょう

The situation will be critical if global warming continues.
温室效应再这么发展下去的话，会出现很致命的状况。

1311 経緯
けいい

名 details, sequence of events
经纬

環境破壊の<u>経緯</u>を調査する。
かんきょうは かい　けいい　ちょうさ

Research the sequence of events on environmental destruction.
调查环境破坏的经纬。

➕ いきさつ story / 原委・ 過程 process / 过程
かてい

1312 食い止める
くいとめる

動 **halt**
阻挡

世界が団結して温暖化の進行を<u>食い止め</u>なければ
せかい だんけつ おんだんか しんこう く と
ならない。

The world must unite to halt the progress of global warming.
世界团结起来阻止温室效应的发展。

1313 協議 〈する〉
きょうぎ

名 **discuss**
协议

各国のトップが集まり、環境改善の対策を<u>協議する</u>。
かっこく あつ かんきょうかいぜん たいさく きょうぎ

World leaders gather to discuss measures to improve the
environment.
各国首脑集聚一堂，商议环境的改善对策。

➕ 審議〈する〉 deliberation / 审议
しんぎ

1314 言い分
いぶん

名 **having something to say**
主张

それぞれの国の<u>言い分</u>に耳を傾ける。
くに い ぶん みみ かたむ

Have ears to listen to what each country has to say.
倾听每个国家不同的主张。

1315 気体
きたい

名 **gas**
气体

天然ガスはメタンでできた燃えやすい<u>気体</u>だ。
てんねん も きたい

Natural gas is a combustible gas made of methane.
天然气是由甲烷形成的易燃气体。

➕ 液体 liquid / 液体・ 固体 solid / 固体
えきたい こたい

1316 増殖 〈する〉
ぞうしょく

名 **growth**
增殖

希少な生物を人工的に<u>増殖</u>させる研究が進んでいる。
きしょう せいぶつ じんこうてき ぞうしょく けんきゅう すす

Research to artificially grow rare species of organisms is
making advances.
正在进行稀有动物的增殖研究。

1317 生態系
せいたいけい

名 **ecosystem**
生态系统

地球の<u>生態系</u>が崩れてきている。
ちきゅう せいたいけい くず

The earth's ecosystem is being disrupted.
地球上的生态系正在崩解。

1318 要因
よういん

名 **cause**
要因

A 国で空気汚染の<u>要因</u>を調査した。
こく くうきおせん よういん ちょうさ

Country A researched the cause of air pollution.
调查 A 国空气污染的主要原因。

1319 生じる
しょう

動 **occur**
发生

世界の各地で深刻な環境問題が<u>生じ</u>ている。
せかい かくち しんこく かんきょうもんだい しょう

Serious environmental problems are occurring all over the
world.
世界各地都发生着深刻的环境问题。

1320 膨大な ぼうだい	研究者は膨大なデータを分析して、対策を考えて いる。
ナ形 large amount of 庞大	Researchers are analyzing large amount of data to come up with a solution. 研究人员分析庞大的数据，考虑对策。

1321 顕著な けんちょ	空気の汚染は経済成長とともに顕著になる。
ナ形 conspicuous 显著	Air pollution is getting conspicuous with economic growth. 空气污染随着经济成长日益显著。

1322 根本的な こんぽんてき	この汚染水の対策は根本的な解決になっているの だろうか。
ナ形 fundamental 根本	Are these measures against polluted water a fundamental solution to the problem? 这个污水处理对策还没能完全解决问题。

1323 本質 ほんしつ	環境問題の本質は人間の生活を見直すことにつな がる。
名 essence 本质	The essence of the environmental problem is about reviewing the livelihood of human beings. 环境问题的本质和重新审视人类生活紧密相连。

➕ 本質的な essence / 本质上
ほんしつてき

1324 早急な さっきゅう	地球温暖化問題は早急な対応が求められている。
ナ形 immediate 尽快	Immediate action is needed to address global warming issues. 地球温室效应需要尽快对应。

👆 also read そうきゅう / 也读作"そうきゅう"。

1325 前例 ぜんれい	前例のない問題は対策を立てるのが難しい。
名 precedence 先例	It is difficult to come up with measures against unprecedented problems. 要制定没有先例的问题对策很难。

➕ 先例 precedent / 先例
せんれい

1326 等しい ひと	A国の対策は何も進んでいないのに等しい。
イ形 tantamount 相等	The measures Country A has taken are tantamount to doing nothing. A国的对策相当于没有任何进展。

1327 放棄〈する〉
ほうき

名 abandon
放弃

どの国も環境改善の責任を<u>放棄</u>することは許されない。
くに　かんきょうかいぜん　せきにん　ほうき　　　　　ゆる

No country is allowed to abandon the responsibility of improving the environment.
任何国家都不被允许放弃环境改善的责任。

1328 やみくもな

ナ形 blind
胡乱

A 国は利益を優先し、温暖化対策に<u>やみくもに</u>反対する。
こく　りえき　ゆうせん　おんだんかたいさく　　　　　　はん
たい

Country A is blindly against global warming measures for it prioritizes its own profit.
A 国为优先利益，无端反对温室效应的对策。

1329 気長〈な〉
きなが

名
ナ形 patient/patiently
慢性子

環境問題は<u>気長</u>に構えているわけにはいかない。
かんきょうもんだい　きなが　かま
（ナ形）

You cannot sit back when it comes to environmental issues.
环境问题不能慢慢来。

1330 脱する
だっ

動 avert
逃离

何とか危機的な状況は<u>脱した</u>ようだ。
なん　ききてき　じょうきょう　だっ

The critical situation has barely been averted.
好歹算是从危机状况中摆脱出来了。

➕ 脱出〈する〉 escape / 脱离
だっしゅつ

1331 いかなる

連体 whatever
怎样

<u>いかなる</u>事情があろうとも、自然環境を壊してはいけない。
じじょう　　　　　　しぜんかんきょう　こわ

Whatever the circumstances, the natural environment should not be destroyed.
不管有怎样的情况，都不可以破坏自然环境。

1332 過酷な
かこく

ナ形 severe
严酷

地球には<u>過酷</u>な環境の中でも生命を維持する動植物がいる。
ちきゅう　　かこく　かんきょう　なか　せいめい　いじ　どうしょくぶつ

There are animals and plants that survive in the most severe environment on earth.
地球上有再严酷的环境里都有生存着的动植物。

1333 至るところ
いた

慣 all over the place
到处

最近<u>至るところ</u>で温暖化が原因と思われる天災が起きている。
さいきん　いた　　　　　おんだんか　げんいん　おも　　てんさい
お

Recently we see natural disasters that appear to be caused by global warming all over the place.
最近到处都发生因温室效应导致的天灾。

大自然
だいしぜん

Nature / 大自然

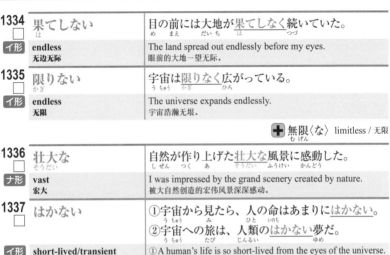

1334 果てしない
は

イ形 endless
无边无际

目の前には大地が果てしなく続いていた。
め まえ だい ち は つづ

The land spread out endlessly before my eyes.
眼前的大地一望无际。

1335 限りない
かぎ

イ形 endless
无限

宇宙は限りなく広がっている。
う ちゅう かぎ ひろ

The universe expands endlessly.
宇宙浩瀚无垠。

➕ 無限〈な〉 limitless / 无限
む げん

1336 壮大な
そうだい

ナ形 vast
宏大

自然が作り上げた壮大な風景に感動した。
し ぜん つく あ そうだい ふうけい かんどう

I was impressed by the grand scenery created by nature.
被大自然创造的宏伟风景深深感动。

1337 はかない

イ形 short-lived/transient
脆弱，渺茫

①宇宙から見たら、人の命はあまりにはかない。
う ちゅう み ひと いのち

②宇宙への旅は、人類のはかない夢だ。
う ちゅう たび じんるい ゆめ

① A human's life is so short-lived from the eyes of the universe.
② Traveling in space is humankind's transient dream.
①从宇宙的角度来看，人类的性命是非常无常脆弱的。
②去宇宙旅行是人类的幻想。

👉 ① not lasting long ② low possibility / ①持续不了②可能性很低

1338 ちっぽけな

ナ形 petty
极小

大自然の中では、人間はちっぽけな存在だ。
だい しぜん なか にんげん そんざい

Humans are a petty existence in the full scope of nature.
在大自然中，人类是很微小的存在。

1339 創造〈する〉
そうぞう

名 creation
创造

大自然はどのように創造されたのだろうか。
だい し ぜん そうぞう

I wonder how nature was created.
大自然是怎么被创造的呢?

1340 一面
いちめん

名 the whole surface
满面，第一版

①辺り一面に花が咲いている。
あた いちめん はな さ

②新聞の一面に昨日のニュースが載った。
しんぶん いちめん きのう の

① Flowers are blooming everywhere.
② The news hit the front page of the newspaper yesterday.
①这附近开满了花。
②报纸的第一版刊载了昨天的新闻。

👉 ① the entire area ② the cover story in a newspaper / ①周围全部②报纸的头条报道

1341
見晴らし
みは

名 view
眺望

山頂には見晴らしのいい山小屋が建っている。
さんちょう みは やまごや た

There is a mountain hut with a beautiful view on the top of the mountain.
山顶上建着观景绝佳的山上小屋。

1342
かすむ

動 hazed
朦朧，模糊

①遠くに山がかすんで見える。
とお やま み
②パソコンの使いすぎで目がかすむ。
つか め

① The mountain can be seen faintly in a distance.
② My eyes get hazy from using the computer too much.
①远处的山若隐若现。②用电脑过度，眼睛模糊了。

👉 ① becomes more faint and eventually being unable to be seen ② sight becomes weak / ①模糊看不清②视力衰退

1343
染まる
そ

動 dye
染上

大地が夕焼けに染まっている。
だいち ゆうや そ

The earth is dyed the color of the sunset.
大地被夕阳渲染。

➕ （〜を）染める dye / 染
そ

1344
さらす

動 be exposed
风吹雨打，曝光

①世界遺産は長い年月雨や風にさらされている。
せかいいさん なが ねんげつあめ かぜ
②自然破壊の実態がマスコミによってさらされた。
しぜんはかい じったい

① The World Heritage site has been exposed to many years of rain and wind.
② The truth behind the destruction of nature has been exposed by the mass media.
①世界遗产常年暴露在风雨中。②自然灾害的真实状态被媒体所曝光。

👉 ① keep it exposed to sun and rain ② bringing secrets and other things in the open / ①曝露在风雨或日光下②秘密等公之于众

1345
朽ちる
く

動 rot
腐朽

大きな木が100年間風雨にさらされて朽ちてしまった。
おお き ねんかんふうう く

The large tree rotted after being exposed to 100 years of wind and rain.
一棵巨大的树木100年曝露在风雨中腐烂了。

1346
大陸
たいりく

名 continent
大陆

地球には6つ、あるいは7つの大陸がある。
ちきゅう たいりく

The earth has six or seven continents.
地球上有6个，或许是7个大陆。

1347
地形
ちけい

名 geography
地形

高い場所に立つと、周辺の地形がよくわかる。
たか ばしょ た しゅうへん ちけい

When you climb to a high place, you can understand the surrounding geography.
站在很高的地方，周边的地形一目了然。

➕ 地形図 topography map / 地形图
ちけいず

1348 起伏
き ふく

名 ups and downs
起伏

この辺りは高低の差があまりなく、起伏がない地形だ。
あた こうてい さ き ふく ち けい

The land around here is flat with not much ups and downs.
这一带几乎没有高低落差，是没有起伏的地形。

➕ でこぼこ uneven / 凹凸不平・凹凸 uneven / 凹凸
おうとつ

1349 頂上
ちょうじょう

名 top, pinnacle
山頂

山の頂上から街を眺める。
やま ちょうじょう まち なが

I will view the city from the top of the mountain.
从山顶眺望街道。

➕ ピーク peak / 高峰・山頂 top of the mountain / 山顶
さんちょう

1350 とがる

動 jagged
尖

向かいの山は、やりのように頂上がとがっている。
む やま ちょうじょう

The top of the mountain in front of us is jagged like a spear.
对面的山顶像矛一样坚挺耸立。

1351 連なる
つら

動 continued
连绵

私の故郷には山が果てしなく連なる風景がある。
わたし こきょう やま は つら ふうけい

My hometown's scenery is that of never ending mountains.
我的家乡看得到无限连绵的山脉。

1352 恵み
めぐ

名 blessing
恩泽

やっと恵みの雨が降った。
めぐ あめ ふ

We were finally blessed with rain.
终于下起了及时雨。

1353 富む
と

動 wealthy
丰富

この辺りの地形は変化に富んでいる。
あた ちけい へんか と

The terrain around here is full of diversity.
这一带地形的变化丰富多样。

1354 群れる
む

動 flock
群聚

おびただしい数の鳥が群れている。
かず とり む

There were countless number of birds flocking.
很多鸟群聚在一起。

➕ 群がる flock / 聚・群れ flock / 群
むら む

1355 さえずる

動 chirp
鸟嘀

鳥たちが美しい声でさえずっている。
とり うつく こえ

The birds are chirping in a beautiful voice.
鸟儿们动听地鸣叫着。

➕ さえずり chirp / 鸟鸣

1356 惑星
わくせい

名 planet
行星

8つの惑星が太陽の周囲を回っている。
わくせい たいよう しゅうい まわ

There are eight planets circling the sun.
8大行星围绕在太阳周围。

1357 星座
せいざ

名 constellation
星座

夜の空を眺めて、さそりの形の星座を探す。
よる そら なが　　　　　　　　かたち　せいざ　さが

I look for the shape of the scorpion constellation while gazing in the night skies.
眺望夜空，寻找如蝎子形状的星座。

➕ 星座占い horoscope / 占星
せいざうらな

1358 満月
まんげつ

名 full moon
満月

天気に恵まれて、満月がきれいに輝いている。
てんき　めぐ　　　　まんげつ　　　　　　　かがや

Thanks to the good weather, the full moon is shining beautifully.
天气甚好，明月当空。

➕ 三日月 crescent moon / 新月
みかづき

1359 謎
なぞ

名 mystery
謎

海にはまだ解明されていない多くの謎がある。
うみ　　　　かいめい　　　　　　　おお　　なぞ

There are still many mysteries in the sea that have not been solved.
海底还有很多未解之谜。

➕ ミステリー mystery / 神秘

1360 影
かげ

名 shadow
倒影，影子

① 湖に山の影が映っている。
みずうみ　やま　かげ　うつ
②友達と影を踏みながら歩く。
ともだち　かげ　ふ　　　　　　ある

① The shape of the mountain is reflected on the lake.
② I walk with my friend while trying to step on the shadows.
①湖面映着山的倒影。
②踩着朋友的影子走。

👉 ① the shape of something ② the dark part caused by blocking light / ①物体的样子②光被遮挡后产生的黑暗部分

1361 現象
げんしょう

名 phenomena
现象

世の中には、科学では証明できない様々な自然現象がある。
よ　なか　　　かがく　　しょうめい　　　さまざま　しぜんげんしょう

There are various natural phenomena in the world that science cannot prove.
世界上有很多科学无法证明的各种自然现象。

➕ 怪奇現象 supernatural phenomena / 怪异现象
かいきげんしょう

レジャー

1362
余暇
よか

名 afterglow
业余时间

仕事が忙しくて、余暇を楽しむ余裕がない。
しごと いそが　　　 よか　 たの　 よゆう

I'm so busy with work that I don't have the time to enjoy the afterglow.
工作太忙，没空享受业余时间。

1363
盛大な
せいだい

ナ形 grand
盛大

今年の夏、盛大な音楽フェスティバルに参加した。
ことし なつ せいだい おんがく　　　　　　　　　さんか

I participated in a grand music festival this summer.
今年夏天参加了盛大的音乐祭。

1364
成り行き
な　ゆ

名 the course of the event
顺势而为

成り行きで、友達とキャンプに行くことになった。
な　ゆ　　 ともだち

I ended up going camping with my friend.
就这么自然而然的，和朋友们一起去露营了。

1365
絶好〈な〉
ぜっこう

名
ナ形 first rate, most appropriate
绝佳

当日は絶好のキャンプ日和だった。(名)
とうじつ ぜっこう　　　　　　 びより

The day was a most beautiful day for camping.
那天真是露营绝佳的大晴天。

1366
方々
ほうぼう

名 all over
到处

キャンプ場で荷物がなくなってしまい、方々を探した。
じょう にもつ　　　　　　　　　 ほうぼう さが

I lost the baggage at the camping site and looked all over for it.
在露营场所东西不见了，到处寻找。

1367
バーベキュー

名 barbeque
烧烤

自然の中でのバーベキューは久しぶりだ。
しぜん なか　　　　　　　　　 ひさ

It's been a while that I enjoyed a barbecue in the midst of nature.
很久没有在大自然中享用烧烤了。

1368
調達〈する〉
ちょうたつ

名 procurement
采购

キャンプ場の近くのスーパーで、食料品を調達した。
じょう ちか　　　　　　　 しょくりょうひん ちょうたつ

I procured food at the supermarket near the camping site.
在露营地附近的超市里采购了吃的东西。

➕ 現地調達〈する〉 local procurement / 现地采购
げんち ちょうたつ

1369
野生
やせい

名 wild
野生

キャンプ場には野生の動物がいた。
じょう　　　 やせい どうぶつ

There were wild animals at the camping site.
露营地有野生动物。

1370 希少な
きしょう

ナ形　**rare**
稀少

たくさんの希少な動物に遭遇した。
きしょう　　どうぶつ　　そうぐう

I encountered many rare animals.
遇到了很多稀有动物。

➕ 希少価値 rarity value / 物以稀为贵・ レアな rare / 稀少
きしょうかち

1371 巣
す

名　**nest**
巣

森の中で動物の巣を見つけた。
もり　なか　どうぶつ　　す　　み

I found an animal's nest in the woods.
在森林中发现了动物的巢穴。

1372 翼
つばさ

名　**wing**
翅膀

湖で渡り鳥が翼を休めていた。
みずうみ　わた　どり　つばさ　やす

A migratory bird was resting its wings by the lake.
候鸟在湖面上休息。

➕ 羽 wings / 羽毛
はね

1373 遭遇 〈する〉
そうぐう

名　**encounter**
遭遇

この辺りで熊に遭遇することもあるらしい。
あた　　くま　そうぐう

You may encounter bears around here.
这一带好像会撞见熊。

1374 摘む
つ

動　**pick**
采摘

山にはたくさんの花が咲いていたので、摘んで持
やま　　　　　　　　はな　さ　　　　　　　　つ　　も
ち帰った。
かえ

The flowers were blooming everywhere in the mountains, so I picked some to bring home.
山上开了许多花，采一些带回家。

1375 すいすい［と］

副　**smoothly**
顺畅

彼女は初めてのスケートだったのに、すいすいと
かのじょ　はじ
滑った。
すべ

It was her first time skating, but she was able to glide smoothly.
她第一次滑冰但是滑得很流畅。

1376 物体
ぶったい

名　**object**
物体

空に不思議な物体が飛んでいた。
そら　ふしぎ　　ぶったい　と

A strange object was flying in the sky.
天空中有不明物体飞过。

1377 アトラクション

名　**attraction**
娱乐项目

この遊園地には、子どもが楽しめるアトラクション
ゆうえんち　　こ　　　たの
が多い。
おお

This amusement park has many attractions that children can enjoy.
这个游乐园有很多孩子玩儿的娱乐项目。

1378 ジェットコースター

このジェットコースターは怖いと評判だ。
こわ　ひょうばん

名 roller coaster
过山车

This roller coaster is known to be frightening.
据说这个过山车很恐怖。

1379 ちゅうちょ 〈する〉

彼女はジェットコースターに乗るのをちゅうちょした。
かのじょ　の

名 hesitate
犹豫

She hesitated to get on the roller coaster.
她犹豫了一下要不要坐过山车。

1380 強がる
つよ

強がっているが、実は彼は高い所は苦手のようだ。
つよ　じつ　かれ　たか　ところ　にがて

動 act brave
逞强

He acts brave, but he is actually afraid of heights.
虽然逞强着，但实际上他很害怕高的地方。

1381 操縦 〈する〉
そうじゅう

友達が操縦する小型飛行機に乗せてもらった。
ともだち　そうじゅう　こがたひこうき　の

名 maneuver, pilot
驾驶

I rode a small plane that my friend piloted.
坐上了朋友驾驶的小型飞机。

✚ 操縦士 pilot, driver／飞机驾驶员
そうじゅうし

1382 あっけない

夏休みは特に楽しいこともなく、あっけなく終わった。
なつやす　とく　たの　お

イ形 all too soon
不尽兴

The summer holidays ended all too soon without anything fun.
暑假没什么特别开心的事情，没怎么尽兴就过去了。

1383 沈黙 〈する〉
ちんもく

映画を見終わって、一同はしばらく沈黙していた。
えいが　みお　いちどう　ちんもく

名 silence
沉默

Everyone was silent for a while after the movie ended.
电影剧终，全场沉默了片刻。

1384 断念 〈する〉
だんねん

天候が悪く、登山は断念した。
てんこう　わる　とざん　だんねん

名 giving up
断念

I gave up mountain climbing as the weather was bad.
天气不好，放弃去登山的念头了。

これも
覚えよう！ ⑱

カ カタカナ語② katakana words ② / 片假名词②

ジレンマ	dilemma / 窘境
シンポジウム	symposium / 专题讨论会
スタンス	stance / 立场
ダイレクトな	direct / 直接的
ディスカッション〈する〉	discussion / 讨论
ノウハウ	know-how / 技术
ハウツー	how-to / 基础方法
パーフェクトな	perfect / 完美的
パフォーマンス	performance / 行为表现，演出，性能
バラエティ	variety / 形式多样
バリエーション	variation / 变化
ビジュアル	visual / 视觉化
ビジョン	vision / 愿景
ファンタジー	fantasy / 幻想
ブランク	blank / 空白
ボイコット〈する〉	boycott / 联合抵制
メーカー	manufacturer / 厂商
メジャー〈な〉	major / 大型，一流
マイナー〈な〉	minor / 负面
モチベーション	motivation / 动机，热情
ライフスタイル	lifestyle / 生活方式
レパートリー	repertoire / 保留节目，拿手好戏

N1
Chapter
11
ニュース

News
新闻

Section 1

事故
じこ

Accidents / 事故

1385 衝突 〈する〉
しょうとつ

名 **collision**
撞击

近所で車と自転車が衝突した。
きんじょ くるま じてんしゃ しょうとつ

A car and a bicycle crashed in the neighborhood.
在家附近一辆车和自行车撞上了。

➕ 衝突事故 collision accident / 冲撞事故
しょうとつじこ

1386 搬送 〈する〉
はんそう

名 **transportation**
搬送

負傷者が救急車で病院に搬送された。
ふしょうしゃ きゅうきゅうしゃ びょういん はんそう

The injured was carried to the hospital by ambulance.
伤员被救护车送去了医院。

➕ 輸送 〈する〉 transport / 输送
ゆそう

1387 もがく

動 **struggle**
挣扎

子どもが海で溺れてもがいている。
こ うみ おぼ

A child is drowning in the sea.
孩子掉进海里在挣扎着。

1388 犠牲
ぎせい

名 **sacrifice**
死亡，牺牲

①今回の事故は多くの犠牲を出した。
こんかい じこ おお ぎせい だ
②自分を犠牲にして、社会に尽くす。
じぶん ぎせい しゃかい つ

① This accident caused great damage.
② I sacrifice myself to serve society.
①此次事故导致很多人死亡。
②牺牲自我，服务社会。

➕ ①犠牲者 victim / 牺牲者・②犠牲的な victimized / 牺牲性的
ぎせいしゃ ぎせいてき

👉 ① the victimized persons and items due to the accident ② provide something important for the purpose /
①在事故中受害的人和物②为达目的提供重要的东西

1389 無謀 〈な〉
むぼう

名 **reckless/reckless**
ナ形 鲁莽

無謀な運転をする車が走って行った。（ナ形）
むぼう うんてん くるま はし い

A car with a reckless driver passed by.
开过去一辆横冲直撞的车。

1390 ひき逃げ 〈する〉
に

名 **hit-and-run**
肇事逃逸

ひき逃げした犯人が逃げている。
に はんにん に

The hit-and-run criminal is on the loose.
肇事逃逸的犯人还未找到。

1391 立ち去る
た さ

動 **leave**
离去

運転手は負傷者を無視して立ち去ったらしい。
うんてんしゅ ふしょうしゃ むし た さ

The driver apparently ignored the injured person and drove away.
好像司机不顾受伤的人逃走了。

1392 通報 〈する〉
つうほう
名 report
报警

目撃者がすぐに 110 番に通報した。
もくげきしゃ　　　　　　ばん　　つうほう
The witness immediately called 110 (the police).
目击者立即拨打了 110。

1393 出動 〈する〉
しゅつどう
名 dispatch
出动

目撃者の通報でパトカーが出動した。
もくげきしゃ　つうほう　　　　　　しゅつどう
The patrol car was dispatched immediately after the witness' report.
接到目击者的报警后警车立刻出动。

1394 証拠
しょうこ
名 proof
证据

犯人の逮捕に必要な証拠を探す。
はんにん　たいほ　ひつよう　しょうこ　さが
Look for necessary proof to arrest the criminal.
寻找逮捕犯人所需要的证据。

1395 根拠
こんきょ
名 grounds
根据

犯人の話には根拠がない。
はんにん　はなし　　　こんきょ
The criminal's story is groundless.
犯人说的话没有根据。

1396 消し去る
け　さ
動 wipe away
去掉

犯人は現場の証拠を全て消し去った。
はんにん　げんば　しょうこ　すべ　け　さ
The criminal wiped away all proof at the crime scene.
犯人把现场的证据都消去了。

➕ 消去〈する〉 delete / 消除
しょうきょ

1397 ごまかす
動 cheat
蒙骗

犯人は事実をごまかしている。
はんにん　じじつ
The criminal is lying about the truth.
犯人欺瞒事实。

1398 妨害 〈する〉
ぼうがい
名 obstruction
干扰

事故の捜査を妨害する者がいる。
じこ　そうさ　ぼうがい　もの
There is someone that is obstructing the investigation into the accident.
有人在干扰事故的捜查。

➕ 安眠妨害〈する〉 disturbing sleep / 睡眠干扰・妨害電波 jamming / 干扰电波
あんみんぼうがい　　　　　　　　　　　　　　　ぼうがいでんぱ

1399 あわや
副 in the nick of time
差一点儿

あわや大事故になるところだった。
だいじこ
I escaped a major accident in the nick of time.
眼看就要变成重大事故了。

1400 別状
べつじょう
名 serious condition
异常情况

幸い負傷者の命に別状はないそうだ。
さいわ　ふしょうしゃ　いのち　べつじょう
Fortunately the condition of the injured person is not serious.
幸好伤员的生命并没有异常情况。

➕ 異状 abnormality / 异状
いじょう

1401 身元
みもと

名 **identity**
身份

警察が負傷者の身元を調べている。
けいさつ ふしょうしゃ みもと しら

The police is checking the identity of the injured person.
警察在调查伤员的身份。

➕ 身元不明 unidentified / 身份不明
みもとふめい

1402 当人
とうにん

名 **person in question**
当事人

警察が事故を起こした当人に話を聞いた。
けいさつ じこ お とうにん はなし き

The police listened to the story of the person who caused the accident.
警察向肇事的当事人发问。

➕ 本人 the person himself/herself / 本人
ほんにん

1403 痛ましい
いた

イ形 **pitiful**
惨痛

あまりに痛ましい事故に社会が憤っている。
いた じこ しゃかい いきどお

Society is angry at the pitiful accident.
事故简直惨不忍睹，引起了公愤。

1404 憤る
いきどお

動 **resent**
愤怒

被害者は、逃げ続ける犯人に憤っている。
ひがいしゃ に つづ はんにん いきどお

The victim resents the criminal who continues to run.
受害人对逃逸中的犯人十分愤慨。

➕ 憤り anger / 气愤
いきどお

1405 見抜く
みぬ

動 **see through**
看穿

警察が犯人のうそを見抜いた。
けいさつ はんにん みぬ

The police saw through the criminal's lies.
警察看穿了犯人的谎言。

➕ 見破る see through / 看破
みやぶ

1406 究明〈する〉
きゅうめい

名 **investigation**
调查清楚

事故の原因を究明する。
じこ げんいん きゅうめい

I will investigate the cause of the accident.
把事故原因调查清楚。

➕ 解明〈する〉 reveal / 弄清
かいめい

1407 合致〈する〉
がっち

名 **match**
吻合

目撃者の証言と状況が合致した。
もくげきしゃ しょうげん じょうきょう がっち

The witness' statement and the circumstances matched.
目击者的证词与状况吻合。

➕ 一致〈する〉 agree / 符合
いっち

1408 自首〈する〉
じしゅ

名 **turn oneself in**
自首

事故の翌日、犯人が自首した。
じこ よくじつ はんにん じしゅ

The criminal turned himself in the day after the accident.
事故次日，犯人自首了。

1409 手抜き〈する〉
てぬ

名 **corner-cutting**
偷工减料

建設会社の<u>手抜き</u>工事で事故が起きた。
けんせつがいしゃ　てぬ　こうじ　じこ　お

The accident occurred because of the corner-cutting construction by the construction company.
发生了建筑公司施工偷工减料事件。

1410 再現〈する〉
さいげん

名 **reenact**
再现

現場で事故を<u>再現</u>する。
げんば　じこ　さいげん

Reenact the accident at the scene.
在现场再现事故。

➕ <u>再現</u>ドラマ docudrama / 再现剧场
　さいげん

1411 賠償〈する〉
ばいしょう

名 **compensation**
赔偿

事故を起こした者は犠牲者に<u>賠償</u>する責任がある。
じこ　お　もの　ぎせいしゃ　ばいしょう　せきにん

The person who caused the accident has the duty to compensate the victim.
肇事者有责任赔偿伤亡者。

➕ <u>賠償</u>金 compensation money / 赔偿金・損害<u>賠償</u> compensation for damages / 损失赔偿
　ばいしょうきん　　　　　　　　　　　　　　　　そんがいばいしょう

1412 再三
さいさん

副 **repeatedly**
屡次

警察は<u>再三</u>、安全運転を訴えている。
けいさつ　さいさん　あんぜんうんてん　うった

The police repeatedly urged safe driving.
警察屡次提醒安全驾驶。

🟰 <u>再三</u>再四
　さいさんさいし

1413 後を絶たない
あと　た

慣 **never cease**
络绎不绝

この道路では交通事故が<u>後を絶たない</u>。
どうろ　こうつうじこ　あと　た

Traffic accidents never cease on this road.
这条道路交通事故频现。

1414
脅す
おど

動 **threaten**
恐吓

若い男が通行人を脅して金を奪った。
わか　おとこ　つうこうにん　　おど　　　かね　うば

A young man threatened the passerby and robbed his cash.
年轻男子恐吓行人抢走了钱。

➕ 脅し threat / 威吓・脅迫〈する〉 threaten / 胁迫
おど　　　　　　　　　　きょうはく

1415
不審〈な〉
ふしん

名 **suspicious/suspicious**
ナ形 可疑

近所で不審な人物が目撃されていた。（ナ形）
きんじょ　　ふしん　じんぶつ　もくげき

A suspicious person was witnessed in the neighborhood.
在附近目击了可疑人员。

➕ 不審者 suspicious person / 可疑人・不審物 suspicious object / 可疑物品
ふしんしゃ　　　　　　　　　　　　　　　ふしんぶつ

1416
手口
て ぐち

名 **method, modus operandi**
手法

事件の手口が明らかになった。
じ けん　て ぐち　あき

The modus operandi of the case became apparent.
事件的手法明朗化了。

1417
巧妙な
こうみょう

ナ形 **clever**
巧妙

巧妙な手口からして、犯人はプロだろう。
こうみょう　て ぐち　　　　　　はんにん

Guessing from the clever trick, the criminal is probably a professional.
从巧妙的犯罪手法来看，犯人应该是老手了。

1418
偽造〈する〉
ぎ ぞう

名 **fraud**
伪造

カードを偽造するグループが逮捕された。
ぎ ぞう　　　　　　　　たい ほ

The card fraud group was arrested.
逮捕了伪造卡片的团伙。

1419
もくろむ

動 **scheme**
图谋

犯人は完全犯罪をもくろんでいる。
はんにん　かんぜんはんざい

The criminal is scheming a perfect crime.
犯人在谋划周全的犯罪。

➕ もくろみ scheme / 企图・企てる plan / 企图
くわだ

1420
あくどい

イ形 **unscrupulous, flashy, bad**
恶毒

過去に例がないあくどい手口だ。
か こ　れい　　　　　　　て ぐち

That is an unprecedented, wicked method.
史无前例的恶毒的犯罪手法。

➕ 悪質な malicious / 毒辣
あくしつ

1421
浅ましい
あさ

イ形 **shameful**
卑鄙

お年寄りのお金をだまし取るなんて浅ましい。
とし よ　　かね　　　　と　　　　　　あさ

It's shameful to trick an elderly person for money.
欺骗老年人的钱财真是太卑鄙了。

1422 逃れる
のが
動 escape
逃避

最も怪しい男が取り調べを逃れたままだ。
もっと あや おとこ と しら のが
The most suspicious man is escaping questioning.
最可疑的男人逃避了审讯。

1423 逃げ出す
に だ
動 run away
溜走

犯人と思われる男が警察から逃げ出した。
はんにん おも おとこ けいさつ に だ
The man believed to be the criminal fled from the police.
被认为是犯人的男子从警察手里溜走了。

1424 逃す
のが
動 let escape
放走

警察のミスで犯人を逃してしまった。
けいさつ はんにん のが
The criminal escaped due to police error.
由于警察的过失让犯人逃走了。

1425 あがく
動 struggle
挣脱

犯人がどうあがいても、逮捕は時間の問題だ。
はんにん たいほ じかん もんだい
No matter how much the criminal struggles, their arrest is a matter of time.
犯人再怎么逃脱逮捕也只是时间问题了。

1426 一連
いちれん
名 series
一连串

一連の事件には、いくつか共通点がある。
いちれん じけん きょうつうてん
The series of cases have some commonalities.
一连串的事件里有几个共同点。

1427 根底
こんてい
名 bottom
根底

この事件の根底には現代の社会問題がある。
じけん こんてい げんだい しゃかいもんだい
Behind this case lies modern social problems.
这个事件的根底中有当代的社会问题。

1428 同一〈な〉
どういつ
名 same
ナ形 相同

二つの事件の犯人は、おそらく同一人物だ。(名)
ふた じけん はんにん どういつじんぶつ
The criminal of both cases is probably the same person.
两个事件的犯人恐怕是同一个。

1429 真実
しんじつ
名 fact
真相

事件に関する真実が明らかになりつつある。
じけん かん しんじつ あき
Facts related to this case are gradually being revealed.
事件真相渐渐水落石出。

1430 真相
しんそう
名 truth
真相

真相はまだ闇の中だ。
しんそう やみ なか
The truth is still unknown.
真相还隐藏在黑暗中。

1431 報じる
ほう
動 report
报道

昨日の事件が大きく報じられた。
きのう じけん おお ほう
Yesterday's case was reported widely.
昨天的事件被大肆报道。

1432 騒ぎ立てる
さわ た
動 get all excited
起哄

事件についてマスコミが騒ぎ立てている。
じけん さわ た
The mass media is all excited about the case.
关于该事件媒体大肆炒作。

1433 揺るがす
ゆ
動 rock
震動

これは社会を揺るがすような大事件だ。
しゃかい　ゆ　　　　　　だい じ けん

This is a major case that rocked society.
这是震动社会的大事件。

1434 引き起こす
ひ　お
動 trigger
引发

マスコミの報道が混乱を引き起こした。
ほうどう　こんらん　ひ　お

The reporting by the mass media caused the confusion.
媒体的报道引发了混乱。

1435 さらわれる
動 abducted
诱拐

この近くで幼い子どもがさらわれた。
ちか　　おさな　こ

A small child was abducted near here.
这里附近有个小孩被诱拐了。

➕ 誘拐〈される〉 kidnap / 诱拐・人さらい kidnapper / 拐子
　　ゆうかい　　　　　　　　　　　ひと

1436 詐欺
さ ぎ
名 fraud
欺诈

お年寄りをターゲットにした詐欺が急増している。
とし よ　　　　　　　　　　　　さ ぎ　きゅうぞう

Cases of fraud targeting old people are increasing drastically.
以老年人为目标的欺诈突然增加。

➕ 詐欺事件 scam / 诈骗事件・詐欺師 con artist / 诈骗犯
　　さ ぎ じ けん　　　　　　　　　さ ぎ し

1437 あげくの果て［に］
は
慣 ultimately
到头来

犯人は犯行を続け、あげくの果てに海外に逃げた。
はんにん　はんこう　つづ　　　　　　　　は　　かいがい　に

The criminal repeatedly commit the crime and ultimately fled overseas.
犯人持续犯罪，结果逃到了国外。

1438 推測〈する〉
すいそく
名 speculate
推测

警察は犯行の動機を推測する。
けいさつ　はんこう　どう き　すいそく

The police speculate as to the motive of the crime.
警察推测犯罪动机。

➕ 推論〈する〉 inference / 推论
　　すいろん

1439 断定〈する〉
だんてい
名 declare
断定

警察はその事件を殺人事件と断定した。
けいさつ　　　じ けん　さつじん じ けん　だんてい

The police declared the case to be a homicide.
警察断定此事件为杀人事件。

1440 突き止める
つ　と
動 determine
追究

警察がようやく事件の真相を突き止めた。
けいさつ　　　　　じ けん　しんそう　つ　と

The police finally determined the facts behind the case.
警察终于追究到了事件的真相。

1441 指差す
ゆび さ
動 point
指明方向

被害者が犯人の逃げた方向を指差した。
ひ がいしゃ　はんにん　に　　ほうこう　ゆび さ

The victim pointed in the direction that the criminal escaped.
被害者指明了犯人逃跑的方向。

1442 不当〈な〉
ふ とう
名 unfair, unjust
ナ形 不正当

ある男性が不当な捜査で逮捕された。（ナ形）
だんせい　ふ とう　そう さ　たい ほ

A man was arrested due to unfair investigation
那个男人因无理的搜查被逮捕。

1443 ずさんな
ナ形 sloppy 马虎
ずさんな捜査で、証拠が残らなかった。
Evidence was lost due to a sloppy investigation.
马虎的搜查使得证据没被留下。

1444 手がかり
名 clue 线索
事件解決の手がかりがなかなかつかめない。
They were unable to grasp any clues to solving the case.
很难把握解决事件的线索。

➕ 糸口 clue / 头绪

1445 取り調べ
名 questioning 调查
警察の取り調べが始まった。
Police questioning has started.
警察开始调查。

➕ 取り調べる question / 调查

1446 追い詰める
動 corner 逼入绝境
警察はせっかく追い詰めた犯人を逃した。
The police released the criminal they had managed to corner.
警察让好不容易逼入绝境的犯人逃跑了。

1447 行き詰まる
動 reach a dead end 行不通
捜査は行き詰まっているようだ。
The investigation is at a dead end.
搜查好像进入了死胡同。

1448 裁く
動 punish 裁决
犯人は法律によって裁かれる。
The criminal will be punished according to law.
犯人依法受到裁决。

1449 有罪
名 guilty 有罪
犯人は裁判で有罪になった。
The criminal was found guilty in trial.
犯人被裁定为有罪。

↔ 無罪 ➕ 刑 sentence / 刑・刑期 sentence period / 刑期

1450 もしくは
接続 or 或者
刑期は3年、もしくは5年だろう。
The sentence will likely be three to five years of imprisonment.
刑期为3年或5年。

1451 刑務所
名 prison 监狱
刑期が決まると、犯人は刑務所に入ることになる。
Once the sentence is given, the criminal will go to prison.
刑期裁定后犯人将被送入监狱。

1452

| 治安
 ちあん
 名 **safety**
 治安 | 日本は夜出かけても危険が少なく、<u>治安</u>がいい。
にほん　よる　で　　　　きけん　すく　　　ちあん

 Japan is a safe country with people being able to stay out at night relatively safely.
 日本夜晚即使出门危险也很少，治安非常好。 |

1453

| 世論
 よろん
 名 **public**
 輿論 | マスコミが政府の支持率を調査するため、<u>世論</u>調
せいふ　し　じ　りつ　ちょうさ　　　　　よろんちょう
 査を行った。
 さ　おこな

 The mass media conducted a public survey on government support.
 媒体为调查政府支持率，做了舆论调查。 |

👍 read せろん also / 也读作 "せろん"。

1454

| 表向き
 おもてむ
 名 **surface, appearance**
 表面上 | <u>表向き</u>は平和な社会でも、様々な問題を抱えている。
 おもてむ　　　へいわ　しゃかい　　　さまざま　もんだい　かか

 Even a society that appears peaceful has many problems.
 表面上和平的社会也有种种问题。 |

1455

| 優位 〈な〉
 ゆうい
 名
 ナ形 **superiority/superior**
 优势 | 現代でも男性が<u>優位</u>な社会が多い。（ナ形）
 げんだい　　だんせい　ゆうい　しゃかい　おお

 Even today, there are many societies where men stand superior.
 现代还是男性占优势的社会。 |

1456

| ハンデ
 名 **handicap, obstacles**
 障碍 | まだまだ女性の昇進には<u>ハンデ</u>がある。
 じょせい　しょうしん

 There are still obstacles to women's promotions.
 女性的升迁目前还是有障碍的。 |

〓 ハンディキャップ

1457

| 格差
 かくさ
 名 **disparity**
 差距 | 日本では経済的<u>格差</u>が拡大していると言われる。
 にほん　　　けいざいてきかくさ　　かくだい　　　　　い

 Economic disparity is said to be spreading in Japan.
 据说日本经济差距正在扩大。 |

➕ 収入格差 income disparity / 收入差距・格差社会 unequal society / 差别社会
しゅうにゅうかくさ　　　　　　　　　　　　　　かくさしゃかい

1458

| 不服 〈な〉
 ふふく
 名
 ナ形 **disapproval**
 不服 | 彼は会社の処分について<u>不服</u>を訴えた。（名）
 かれ　かいしゃ　しょぶん　　　　　ふふく　うった

 He claimed his disapproval over the company's penalty.
 他不服公司对他的处分。 |

➕ 不平〈な〉 inequality, unequal / 不公平
ふへい

1459
大々的な
だいだいてき

ナ形 major
大規模

A 国で国民による大々的なデモがあった。
こく　こくみん　　　　　　　　　　　　だいだいてき

There was a major demonstration by the citizens in Country A.
A 国国民举行了大规模游行。

1460
誇大な
こだい

ナ形 exaggerated
夸张

商品の誇大な広告は信用できない。
しょうひん　こだい　こうこく　しんよう

An exaggerated advertisement of a product cannot be trusted.
夸大商品的广告不能相信。

➕ 誇大広告 exaggerated advertisement / 夸大广告・誇大妄想 megalomaniac / 夸大妄想
こだいこうこく　　　　　　　　　　　　　　　　　　　　　こだいもうそう

1461
デマ

名 demagogy
谣言

あたかも真実のように伝えられた報道はデマだった。
しんじつ　　　　　つた　　　　　ほうどう

The reporting that sounded like truth was a demagogy.
那个好像真真的一样的报道其实是谣言。

1462
速報
そくほう

名 news flash
速报

テレビやネットでニュース速報が伝えられた。
そくほう　つた

A news flash appeared on the television and the Internet.
电视和网络上传来新闻速报。

➕ 緊急速報 news flash / 緊急速報・地震速報 earthquake news flash / 地震速报
きんきゅうそくほう　　　　　　　　　　　じしんそくほう

1463
行き渡る
いきわた

動 permeate
遍及

A市は災害時に住民に十分に行き渡る水を配給した。
し　さいがいじ　じゅうみん　じゅうぶん　いきわた　みず　はいきゅう

City A distributed enough water for all residents during the disaster.
A 市在灾害时为所有居民配给足够的水。

1464
アイデンティティー

名 identity
身份

民族的文化的アイデンティティーは尊重されるべきだ。
みんぞくてきぶんかてき　　　　　　　　　　　　　そんちょう

Ethnological and cultural identity must be respected.
民族性性文化性的身份应该被尊重。

1465
主体
しゅたい

名 main constituent
主体

一般の人々が主体となる社会が理想だ。
いっぱん　ひとびと　しゅたい　　　　しゃかい　りそう

It is an ideal society where the ordinary people are the main constituents.
一般人为主体的社会是理想社会。

➕ 主体的な proactive / 主体
しゅたいてき

1466
貢献〈する〉
こうけん

名 contribution
贡献

社会に貢献した人たちが賞を授かった。
しゃかい　こうけん　ひと　　　しょう　さず

People who contributed to society won an award.
向为社会作出贡献的人授奖。

➕ 社会貢献〈する〉 social contribution / 社会贡献・貢献度 degree of contribution / 贡献度
しゃかいこうけん　　　　　　　　　　　　　　　　　　　　　こうけんど

1467 名誉〈な〉
めいよ

名 honor/honorable
ナ形 名誉

文化の発展に貢献できたことを名誉に思う。(ナ形)
ぶんか　はってん　こうけん　　　　　　　めいよ　おも

I am honored to have been able to contribute to cultural development.
为文化发展作出贡献感到十分光荣。

➕ 名誉市民 honorary citizen / 名誉市民
めいよしみん

1468 及ぶ
およ

動 amount to, lead to
波及

指導者の影響力が社会全体に及ぶ。
しどうしゃ　えいきょうりょく　しゃかいぜんたい　およ

The influence of a leader affects the entire society.
指导者的影响力波及到整个公司。

1469 恵む
めぐ

動 donate
救済

名前を明かさないまま貧しい人にお金を恵む。
なまえ　あ　　　　　　まず　ひと　かね　めぐ

I will donate money to poor people without revealing your identity.
匿名在经济上救济那些贫穷的人。

1470 有する
ゆう

動 possess
有

全ての人が自分の行動に責任を有している。
すべ　ひと　じぶん　こうどう　せきにん　ゆう

Everyone is responsible for their own actions.
所有人都对自身的行为有责任。

1471 出直す
でなお

動 make a fresh start/come again
重出江湖，再来

①世間を欺いた政治家は二度と出直すことはできない。
せけん　あざむ　せいじか　にど　でなお

②友達の家を訪ねたが留守だった。また出直そう。
ともだち　いえ　たず　るす　　　　　　　でなお

① A politician who lied to society will never be able to make a fresh start.
② I visited my friend, but he wasn't at home so I will come again.
①欺瞒过世人的政治家不能再重出江湖。
②来朋友家拜访，但是没人，下次再来。

👉 ① start over from the beginning ② come again because a given person was not there / ①从头再做一遍 ②因为不在再来

1472 カテゴリー

名 category
范畴

この二つの問題はカテゴリーが異なる。
ふた　もんだい　　　　　　　こと

The two issues are of different categories.
这两个问题的范畴是不一样的。

➕ はんちゅう category / 范畴

1473 不穏な
ふおん

ナ形 ominous
不稳定的

社会全体に不穏な空気が漂っている。
しゃかいぜんたい　ふおん　くうき　ただよ

An ominous atmosphere permeates the entire society.
社会整体处于动荡的氛围中。

1474 よどむ

①教室の空気が<u>よどん</u>でいたので、窓を開けて換気した。

②現代の<u>よどんだ</u>社会を何とかしたい。

動 become thick/become stagnant
不畅通，淤塞

① The air in the classroom was thick so I opened the window for ventilation.
② I want to do something with today's stagnant society.
①教室空气不流通，开窗换气。
②想对这个浑浊的现代社会做些什么。

➕ よどみなく smoothly / 流畅

👉 ① the flow of water and air stops ② an unlively situation / ①水、空气的流动停止②没有活力的状态

1475 案じる

若者から将来を<u>案じる</u>声が聞かれる。

動 worry
担心

We hear voices from the young people who worry about the future.
从年轻人那儿听到对未来担忧的心声。

1476 同感 〈する〉

国民の多くが彼の意見に<u>同感し</u>、投票した。

名 agree
同感

Many citizens agreed with his views and voted for him.
国民多数都对他的意见抱有同感，给他投票。

1477 なあなあ

<u>なあなあ</u>の関係では、きちんとした話し合いにならない。

名 colluding
敷衍了事

A colluding relationship makes it difficult to conduct proper negotiations.
彼此敷衍的关系是无法好好对话的。

➕ なれ合い collusion / 合谋

1478 露呈 〈する〉

この件で日本社会が抱える問題が<u>露呈した</u>。

名 illustration
暴露

This case illustrated the problem of Japanese society.
这件事暴露了日本社会的问题。

➕ 露見〈する〉 exposed / 败露

1479 暗示 〈する〉

アナリストが今後の経済回復を<u>暗示した</u>。

名 implication
暗示

The analyst connoted future economic recovery.
分析专家暗示了今后经济的恢复。

➕ 自己暗示 self-suggestion / 自我暗示

1385-1541

1480
朗報
ろうほう
名 **good news**
喜讯

不況の中、経済に関する朗報が伝わってきた。
ふきょう　なか　けいざい　かん　　ろうほう　　つた

Good news regarding the economy came in amid the stagnant economy.
不景气的时候传来了有关经济的喜讯。

➕ 悲報 tragic news / 坏消息・吉報 good news / 喜报
ひほう　　　　　　　　　　　　　　　　きっぽう

1481
出現 〈する〉
しゅつげん
名 **appearance**
出现

今こそ偉大なリーダーの出現が期待されている。
いま　　いだい　　　　　　しゅつげん　き たい

People are waiting for the appearance of a great leader today.
正值今日众人期待伟大领袖的出现。

1482
特有な
とくゆう
ナ形 **particular**
特有的

海外からの観光客は日本特有な文化に興味がある。
かいがい　　　かんこうきゃく　にほんとくゆう　ぶんか　きょうみ

Tourists from abroad are interested in the culture particular to Japan.
从海外来的游客对日本特有的文化很感兴趣。

➕ 固有な indigenous / 固有的
こゆう

1483
予告 〈する〉
よこく
名 **advance notice**
预告

労働者を解雇する際は30日前までの予告が必要だ。
ろうどうしゃ　かいこ　　さい　にちまえ　　　よこく　ひつよう

One needs to give 30 days of advanced notice to fire a worker.
解雇劳动人员时需要提前30天预先告知他们。

1484
施行 〈する〉
しこう
名 **go into effect**
实行

来月から新しい法律が施行される。
らいげつ　あたら　　ほうりつ　しこう

A new law will go into effect next month.
下个月起新的法律将被实行。

👉 also read せこう / 也读作 "せこう"。

1485
且つ
か
接続 **and**
而且

現代社会は複雑、且つ不安定である。
げんだいしゃかい　ふくざつ　か　ふあんてい

Modern society is complex and unstable.
现代社会复杂而且不安定。

Section 4

政治
せいじ

Politics / 政治

1486
内閣
ないかく

名 cabinet
内阁

新しい内閣のメンバーが決定した。
あたら　　　ないかく　　　　　　　　けってい

The new cabinet members have been decided.
已经决定好新的内阁人员。

➕ 大臣 minister / 大臣・内閣総理大臣 prime minister / 内阁总理大臣
だいじん　　　　　　　　　　　ないかくそうりだいじん

1487
体制
たいせい

名 system, organization
体制

ようやく国の新しい体制が整った。
くに　あたら　　たいせい　ととの

The new administration of the country was finally set up.
国家新的体制终于成形了。

➕ 社会体制 social framework / 社会体制
しゃかいたいせい

1488
有力な
ゆうりょく

ナ形 prominent
有势力

有力な政治家が大臣に選ばれた。
ゆうりょく　せいじか　　だいじん　えら

A prominent politician was chosen as a minister.
有势力的政治家会被选为大臣。

➕ 無力な powerless / 无力・有力者 powerful person / 有威望者
むりょく　　　　　　　　　　ゆうりょくしゃ

1489
声明〈する〉
せいめい

名 statement
声明

政府から新しい方針に関する声明が出された。
せいふ　　あたら　　ほうしん　かん　　せいめい　だ

The government made a statement about the new policy.
政府发出了有关新方针的声明。

➕ 声明文 statement / 声明文
せいめいぶん

1490
会見〈する〉
かいけん

名 news conference
会见

首相がマスコミの前で会見した。
しゅしょう　　　　　　まえ　かいけん

The prime minister held a news conference in front of the press.
首相在新闻媒体前举行了接见会。

➕ 記者会見〈する〉 press conference / 记者招待会
きしゃかいけん

1491
意向
いこう

名 intention
意向

国のトップとしての意向を国民に伝える。
くに　　　　　　　　いこう　こくみん　つた

He shared his intention as the top of the country to the citizens.
向民众传达作为国家领导者的意向。

1492
弁明〈する〉
べんめい

名 defend
辩解

A議員は自身の問題発言を弁明した。
ぎいん　じしん　もんだいはつげん　べんめい

Parliamentarian A defended his problematic statements.
A议员辩解了自身有问题的发言。

1385-1541

239

1493 明かす
あ

動 reveal/spend
说出，过夜

① 首相が今後の外国訪問の予定を明かした。
しゅしょう　こんご　がいこくほうもん　よてい　あ

② 緊急国会が長引き、とうとう夜を明かした。
きんきゅうこっかい　ながび　　　　　　　　よ　あ

① The prime minister revealed his future plans to visit other nations.
② The emergency diet session continued all throughout the night.
①首相透露了今后去外国访问的预定行程。
②紧急国会时间拖长，开了一夜。

➕ ②（〜が）明ける be over / 亮
あ

👉 ① make public something that was hidden ② stay up until morning without sleep / 将隐瞒的事情公之于众②没睡迎来了早晨

1494 率いる
ひき

動 head
率领

人気のある政治家が率いる新しい政党が誕生した。
にんき　　　　せいじか　ひき　　あたら　　せいとう　たんじょう

A new political party headed by a popular politician was formed.
倍受支持的政治家率领的新政党诞生了。

1495 結成〈する〉
けっせい

名 formulation
结成

このところ、次々と新しい政党が結成されている。
つぎつぎ　あたら　せいとう　けっせい

Recently, we see many new political parties being formed.
最近结成了一个又一个的新政党。

1496 保守的な
ほしゅてき

ナ形 conservative
保守的

候補者の中には保守的な考えを持つ若者も多い。
こうほしゃ　なか　ほしゅてき　かんが　も　わかもの　おお

There are conservative youngsters among the candidates.
候选人中也有许多思想保守的年轻人。

↔ 革新的な　➕ リベラルな liberal / 自由的
かくしんてき

1497 極端〈な〉
きょくたん

名
ナ形 extremity/extreme
极端

極端な考えは人々に理解されにくい。（ナ形）
きょくたん　かんが　ひとびと　りかい

People with extreme ideas are not understood by many.
极端的思想很难让人们理解。

➕ 両極端〈な〉 both extremes / 两个极端
りょうきょくたん

1498 賢明な
けんめい

ナ形 wise
贤明

政府の賢明な判断が望まれる。
せいふ　けんめい　はんだん　のぞ

We await a wise decision by the government.
政府贤明的判断是众望所归。

1499 思惑
おもわく

名 expectation, opinion
意图

大臣の思惑は不明だ。
だいじん　おもわく　ふめい

The minister's expectation is unknown.
大臣的意图不明。

➕ 思惑通り as planned / 与预期相同
おもわくどお

1500　うやむやな

何事もうやむやなままにするのはよくない。
なにごと

ナ形　obscure, vague
含糊

Keeping things vague is not good.
什么事都含糊不清不好。

➕ 曖昧な vague / 暧昧
あいまい

1501　可決〈する〉
か けつ

国会で新しい法律案が可決された。
こっかい　あたら　ほうりつあん　か けつ

名　passage
通过

The new law was passed in parliament.
在国会上通过了新的法案。

↔ 否決〈する〉
ひ けつ

1502　押し切る
お き

野党の反対は押し切られた。
やとう　はんたい　お き

動　have one's way, overpower
排除

The opposition party's opposition was overpowered.
在野党的反对被镇压了。

1503　委ねる
ゆだ

この問題に関する判断を国民に委ねる。
もんだい　かん　はんだん　こくみん　ゆだ

動　put in the hands of
委托

Decision on this issue will be put in the hands of the people.
关于这个问题的判断就委托给国民。

1504　当選〈する〉
とうせん

今回の選挙で多くの新人議員が当選した。
こんかい　せんきょ　おお　しんじんぎいん　とうせん

名　electoral triumph
当选

Many new parliamentarians were elected in the elections.
在这次的选举中很多新人议员当选。

↔ 落選〈する〉
らくせん

1505　棄権〈する〉
き けん

選挙を棄権するのは国民として無責任だ。
せんきょ　き けん　こくみん　む せきにん

名　abstention
弃权

Abstaining from voting is irresponsible as a citizen.
作为国民，选举弃权是不负责的。

1506　暴露〈する〉
ばく ろ

政治家の過去の問題が暴露された。
せいじか　かこ　もんだい　ばく ろ

名　reveal
揭露

The politician's past problem was revealed.
政治家过去的问题被揭露。

➕ 暴露話 tell-all story / 丑闻・暴露本 tell-all book / 丑闻书籍
ばく ろ ばなし　　　　　　　　ばく ろ ほん

1507　欺く
あざむ

国民を欺くような態度は許されない。
こくみん　あざむ　たいど　ゆる

動　mislead
欺骗

An attitude that misleads the citizens is unforgivable.
欺骗国民的态度是不可原谅的。

➕ だます trick, deceive / 欺瞒

1508 遺憾 〈な〉
いかん

大臣の不正について、首相が遺憾の意を示した。
だいじん ふせい しゅしょう いかん い しめ
(名)

名 ナ形 remorse/remorseful
遺憾

The prime minister expressed remorse over the minister's corruption.

关于大臣的营私舞弊，首相表示十分遗憾。

1509 賄賂
わいろ

政治家が賄賂を受け取っていたことが発覚した。
せいじか わいろ う と はっかく

名 bribe
賄赂

It became known that the politician received bribes.

政治家接受行贿的事暴露了。

1510 背く
そむ

あの政治家は権力に背いて意志を貫いた。
せいじか けんりょく そむ いし つらぬ

動 be contrary to
违抗

That politician turned his back to authority and stood by his convictions.

那个政治家对抗权力的意志贯彻始终。

1511 過ち
あやま

大きな過ちを犯した政治家が逮捕された。
おお あやま おか せいじか たいほ

名 offense
过失

A politician that committed a grave offense was arrested.

犯了大过失的政治家被逮捕了。

1512 狙う
ねら

彼女は大臣のポストを狙っているのだろう。
かのじょ だいじん ねら

動 eye
瞄准

She is probably eyeing the minister's position.

她大概想当大臣吧。

➕ 狙い target / 目标
ねら

1513

財政
ざいせい

名 **finance**
财政

国民は国の財政の安定を望んでいる。
こくみん くに ざいせい あんてい のぞ

The citizens want the country's finances to be stable.
国民盼望着国家财政的安定。

➕ **財政難** financial difficulty / 财政困难
ざいせいなん

1514

金融
きんゆう

名 **money and banking**
金融

日本銀行は新たな金融政策を行った。
に ほんぎんこう あら きんゆうせいさく おこな

The Bank of Japan enacted a new monetary policy.
日本银行实施了新的金融政策。

➕ **金融業** financial business / 金融业
きんゆうぎょう

1515

緩和〈する〉
かん わ

名 **easing**
缓和

景気を好転させるためには、金融緩和政策が必要
けい き こうてん きんゆうかん わ せいさく ひつよう
だ。

A monetary easing is necessary to revive the economy.
为了使景气好转，缓和金融的政策是必要的。

➕ **緊張緩和** ease tension / 缓和紧张
きんちょうかん わ

1516

好転〈する〉
こうてん

名 **recovery**
好转

専門家は経済が好転すると予想している。
せんもん か けいざい こうてん よ そう

Experts forecast that the economy will recover.
专家预想经济好转。

➕ **暗転〈する〉** dim, worsen / 恶化
あんてん

1517

陥る
おちい

動 **fall into**
陷入

国は深刻な不況に陥った。
くに しんこく ふ きょう おちい

The country fell into a deep recession.
国家陷入了严重不景气的局面。

1518

抑制〈する〉
よくせい

名 **containment**
抑制

日本の中央銀行は深刻なデフレを抑制する。
に ほん ちゅうおうぎんこう しんこく よくせい

Japan's central bank contained a serious threat of deflation.
日本中央银行抑制严重的通货紧缩。

➕ **抑える** contain, hold back / 控制
おさ

1519

バブル

名 **bubble economy**
泡沫经济

90年代に入ってすぐにバブルが崩壊した。
ねんだい はい ほうかい

The economic bubble burst in the early 90s.
进入90年代，泡沫经济解体了。

🟰 **バブル経済** ➕ **バブル時代** bubble economy era / 泡沫经济时代
けいざい じ だい

1385-1541

1520 見通し
みとおし

名 outlook
眺望

景気回復の見通しが、なかなかつかない。
けいきかいふく みとおし

It is difficult to provide an outlook on economic recovery.
一直看不到景气复苏的曙光。

1521 兆し
きざし

名 sign
征兆

国の経済に明るい兆しが見えてきた。
くに けいざい あか きざし み

The country is showing signs of economic recovery.
渐渐看到国家经济明朗的征兆。

1522 対策
たいさく

名 measures
对策

効果的な景気回復の対策が待たれる。
こうかてき けいきかいふく たいさく ま

People await effective economic stimulus.
等待着使景气复苏的有效对策。

➕ 景気対策 economic stimulus measures / 景气对策・
けいきたいさく
インフレ対策 inflation measures / 通货膨胀对策
たいさく

1523 操る
あやつ

動 manipulate
操控，掌握

①彼は日本経済を操るほどの有力者だ。
かれ にほんけいざい あやつ ゆうりょくしゃ
②彼女は5か国語を操る。
かのじょ こくご あやつ

① He is an influential figure that can even manipulate Japan's economy.
② She can speak five languages.
①他是一个能操控日本经济的有权势的人。
②她掌握5国语言。

👆 ① control someone else or an organization ② someone with skills and language abilities / ①控制他人或组织②有技术语言的才能

1524 ばらまく

動 scatter about
播散

政府はお金をばらまいているだけだと批判されている。
せいふ かね ひはん

The government is criticized for merely handing out money.
政府被批判只是播散金钱。

1525 公表〈する〉
こうひょう

名 announcement
公布

政府が今年度の経済統計を公表した。
せいふ こんねんど けいざいとうけい こうひょう

The government announced economic statistics for this fiscal year.
政府公布了本年度的经济统计。

1526 推移〈する〉
すいい

名 transition
趋势

このグラフは国民の所得の推移を示している。
こくみん しょとく すいい しめ

This graph shows the change in citizens' income.
这个图表显示出国民收入的趋势。

1527 上昇〈する〉
じょうしょう

名 rise
上升

昨年から物価が上昇している。
さくねん ぶっか じょうしょう

Prices have been rising since last year.
去年开始物价上升。

↔ 下降〈する〉
かこう

1528	飛躍的な ひやくてき	A国の経済は飛躍的に発展した。 こく けいざい ひやくてき はってん
ナ形	rapid 飞跃的	The economy of Country A has improved rapidly. A国的经济飞跃地发展。

➕ 飛躍〈する〉 leap / 飞跃
ひやく

1529	遂げる と	①A国の経済力は大きな飛躍を遂げた。 こく けいざいりょく おお ひやく と ②彼は転落の人生を歩み、悲惨な死を遂げた。 かれ てんらく じんせい あゆ ひさん し と
動	achieve 达到，最终结果	① Country A's economic power has achieved rapid progress. ② He spent a life of downfall and met a tragic death. ①A国的经济实力达到巨大的飞跃。 ②他过着堕落的人生，最终悲惨地死去。

👉 ① fulfill a purpose or a plan ② occurring as a result / ①达成目的或计划②作为结果是那样的

1530	運用〈する〉 うんよう	政府は国民の老後のための保障金を運用している。 せいふ こくみん ろうご ほしょうきん うんよう
名	investment 运用	The government invests security money to be used for people after they retire. 政府在运营国民为老后准备的保障金。

➕ 資産運用〈する〉 asset management / 资产运营
しさんうんよう

1531	融資〈する〉 ゆうし	銀行は有望な企業に積極的に融資する。 ぎんこう ゆうぼう きぎょう せっきょくてき ゆうし
名	lending 融资	The bank aggressively lends to promising corporations. 银行积极地为有前景的企业融资。

1532	外貨 がいか	外貨のレートは毎日変わる。 がいか まいにち か
名	foreign currency 外币	The foreign exchange rate changes daily. 外币的汇率每天都在变。

➕ 為替レート foreign exchange rate / 外币汇率
かわせ

1533	有数〈な〉 ゆうすう	A銀行は世界でも有数の銀行だ。(名) ぎんこう せかい ゆうすう ぎんこう
名 ナ形	prominent 屈指可数	Bank A is one of the most prominent banks in the world. A银行在世界中也是屈指可数的银行。

➕ 屈指の leading / 一流的・指折りの leading / 屈指可数的
くっし ゆびお

1534	流通〈する〉 りゅうつう	この国では外貨は流通していない。 くに がいか りゅうつう
名	circulation 流通	Foreign currency is not circulating in this country. 在这个国家没有流通外币。

1535	頭打ち あたまうち	順調に伸びていた経済は頭打ちになった。 じゅんちょう の けいざい あたまうち
名	limit 达到顶点	The economy which has been growing steadily hit the ceiling. 一直顺风顺水的经济已经达到顶峰。

1385-1541

1536 乗っ取る
の　と
動　take over
攻占

A社がB社を乗っ取ったと報道された。
しゃ　しゃ　の　と　ほうどう

The media reported that Company A took over Company B.
据报道 A 社收购了 B 社。

➕ 買収〈する〉 acquisition / 收购
ばいしゅう

1537 明白な
めいはく
ナ形　obvious
清楚

A社によるB社買収は明白な事実だ。
しゃ　しゃばいしゅう　めいはく　じじつ

The takeover by Company A of Company B is an obvious fact.
A 社收购 B 社的报道是很明了的事实了。

1538 交わす
か
動　exchange
交换

銀行が企業と融資契約を交わす。
ぎんこう　きぎょう　ゆうしけいやく　か

The bank and company exchanged a loan contract.
银行与企业交换了融资契约。

1539 有益な
ゆうえき
ナ形　effective
有益

専門家が国の経済に有益な対策を検討する。
せんもんか　くに　けいざい　ゆうえき　たいさく　けんとう

Experts discuss effective economic measures for the country.
专家对国家经济有益的对策进行了研究。

➖ 無益な
むえき

1540 空白〈な〉
くうはく
名　blank
ナ形　空白

バブル崩壊後は「空白の時代」と呼ばれる。（名）
ほうかいご　くうはく　じだい　よ

The years after the bursting of the bubble economy is called the "missing era."
泡沫经济瓦解后的时期被称为"空白期"。

➕ ブランク blank / 空栏

1541 ひいては
副　lead to
进而

世界経済の回復が、ひいては自国の経済回復になる。
せかいけいざい　かいふく　じこく　けいざいかいふく

The recovery of the global economy leads to the economic recovery of our own country.
世界经济的复苏进而转变为本国的经济复苏。

様子・イメージ
ようす

Appearance, Image
模样・印象

性格
せいかく

Personality / 性格

1542
大らかな
おお
ナ形 **big-hearted**
豁达的

彼は大らかな性格で、みんなに愛されている。
かれ　おお　　　　せいかく　　　　　　　　　　あい

He is a big-hearted person and loved by all.
他性格豁达，受大家的喜爱。

1543
朗らかな
ほが
ナ形 **cheerful**
爽朗的

朗らかな笑い声は、周りの雰囲気を明るくする。
ほが　　　わら　ごえ　　まわ　　ふんいき　　あか

Cheerful laughter brightens the atmosphere.
爽朗的笑声使周围气氛变得愉悦。

➕ 明朗な cheerful / 明朗
めいろう

1544
人懐こい
ひとなつ
イ形 **friendly**
容易和人亲近

彼女は人懐こい性格で、友達が多い。
かのじょ　ひとなつ　　　せいかく　　ともだち　おお

She is a friendly person and has many friends.
她性格平易近人，朋友很多。

👉 also said「人なつっこい」/ 也说「人なつっこい」。

1545
生真面目〈な〉
きまじめ
名
ナ形 **serious/serious**
认真

あんなに生真面目な人に会ったことがない。(ナ形)
きまじめ　ひと　あ

I have never met anyone as serious-minded as that person.
从未见过这么认真的人。

1546
几帳面な
きちょうめん
ナ形 **scrupulous, methodical**
一丝不苟

姉は子どもの頃から几帳面な性格だった。
あね　こ　　　ころ　　きちょうめん　せいかく

My older sister was always scrupulous.
姐姐小时候就是一丝不苟的性格。

➕ だらし(が)ない sloppy / 吊儿郎当

1547
誠実〈な〉
せいじつ
名
ナ形 **sincere/sincere**
诚实

彼は誠実で、信頼できる人だ。(ナ形)
かれ　せいじつ　　しんらい　　　　ひと

He is a sincere and trustworthy person.
他是个诚实、可信赖的人。

↔ 不誠実〈な〉
ふせいじつ

1548
気さくな
き
ナ形 **casual, open-minded**
坦率

田中先生は気さくで、親しみやすい先生だ。
たなかせんせい　き　　　　した　　　　　　せんせい

Our teacher Mr. Tanaka is an open-minded person and easy to
get along with.
田中老师是个坦率、容易亲近的老师。

1549
シャイな
ナ形 **shy**
腼腆

彼女はシャイで、人が来ると隠れてしまう。
かのじょ　　　　　ひと　く　　　かく

She is shy and hides when people approach her.
她很腼腆，一有人来就躲起来。

➕ 内気な introvert / 羞怯・ はにかみ屋 shy / 忸怩的人・ 恥ずかしがり屋 shy / 老是害羞的人
うちき　　　　　　　　　　　　　や　　　　　　　　　　　は　　　　　　　　や

1550 潔い
いさぎよ

イ形 **gallant**
毫不犹豫

彼は自分のミスを潔く認める人だ。
かれ　じぶん　　　　　いさぎよ　みと　ひと

He is quick to gallantly acknowledge his own mistakes.
他是个勇于承认自己错误的人。

1551 まめな

ナ形 **faithful, painstaking**
勤快

彼はまめな人で、よく連絡をくれる。
かれ　　　　ひと　　　　　れんらく

He is a devoted person and often contacts me.
他是一个勤恳的人，经常跟我联系。

➕ 筆まめな good correspondent / 勤于动笔・不精〈な/する〉 laziness / 懒惰・
ふで
無精〈な/する〉 indolence / 懒散
ぶ しょう

1552 気立て
き だ

名 **disposition**
性格

素直で気立てのいい女性が理想だ。
す なお　き だ　　　　　じょせい　　りそう

My ideal woman is someone who is straightforward with an even temperament.
又真诚，性格又良好的女性是最理想的。

1553 人当たり
ひと あ

名 **one's manners towards others**
印象

部長は人当たりがソフトで、話しやすい。
ぶちょう　ひと あ　　　　　　　　　　はな

The manager is gentle towards others and easy to talk to.
部长给人的印象很平和，好说话。

1554 情け深い
なさ　ぶか

イ形 **compassionate**
善良

情け深い彼女は、多くの人に慕われている。
なさ　ぶか　かのじょ　　おお　　ひと　した

She is compassionate and liked by many.
善良的她受到很多人的爱慕。

1555 純粋な
じゅんすい

ナ形 **pure**
纯粹

いつまでも純粋な心を忘れたくない。
じゅんすい　こころ　わす

I don't want to forget to maintain a pure heart.
无论什么时候都不要忘记纯粹的心。

➕ ピュアな pure / 纯洁

1556 クールな

ナ形 **cool**
冷酷

彼は一見クールだが、実は情熱的な人だ。
かれ　いっけん　　　　　じつ　じょうねつてき　ひと

He appears cool, but he is in fact a passionate person.
初见他感觉冷酷，实际是一个热情的人。

1557 ドライ〈な〉

名
ナ形 **dry/restrained, dry**
理智，干燥

①彼のドライな性格も魅力の一つだ。(ナ形)
かれ　　　　せいかく　みりょく　ひと
②ドライアイなので、目薬を使っている。(名)
め ぐすり　つか

① His restrained attitude is one of his assets.
② I have dry eye, so I use eye drops.
①他理智的性格也是魅力之一。
②因为干眼症，在使用眼药水。

👉 ① not influenced by feelings ② dry and lacking moisture / ①理智②干了没有水分

1558 シビアな

シビアな

彼女は物の見方がとてもシビアだ。

かのじょ　もの　みかた

ナ形　severe, strict

严厉

She has a strict view of things.

她看待事物十分严厉。

1559 繊細な

せんさい

彼女は傷つきやすく、繊細だ。

かのじょ　きず　　　　　　せんさい

ナ形　sensitive

细腻

She is sensitive and easily hurt.

她是一个容易受伤、感情细腻的人。

➕ デリケートな delicate / 敏感

1560 意地っ張り〈な〉

い　じ　ば

あの人の意地っ張りな性格はきっと直らないだろう。（ナ形）

ひと　い　じ　ば　せいかく　　　　　　なお

名　stubborn

ナ形　固执

Her stubborn personality will probably never get better.

那个人固执的性格怕是改不了了。

1561 強情〈な〉

ごうじょう

彼は強情で、絶対に意見を変えない。（ナ形）

かれ　ごうじょう　　ぜったい　いけん　か

名　headstrong

ナ形　顽固

He is headstrong and never changes his opinion.

他很顽固绝对不会改变意见。

➕ 強情っぱり〈な〉 stubborn / 脾气犟

ごうじょう

1562 おっちょこちょい〈な〉

おっちょこちょいな彼女は、よくかぎを無くす。

かのじょ　　　　　　な

（ナ形）

名　scatterbrain/scatterbrain

ナ形　冒失

Being the scatterbrain that she is, she often loses her keys.

冒冒失失的她经常丢钥匙。

1563 おせっかい〈な〉

母はよく人の世話を焼いて、おせっかいだと思われている。（ナ形）

はは　　　ひと　せわ　や　　　　　　　　　　　　　おも

名　meddlesome/meddlesome

ナ形　多管闲事

My mother is always too helpful to others, and ends up being considered meddlesome.

母亲经常主动关心别人，被认为多管闲事。

1564 出しゃばり〈な〉

で

彼女はすぐに口を出してくる。出しゃばりだ。（ナ形）

かのじょ　　　　くち　だ　　　　で

名　self-assertive/self-assertive

ナ形　多嘴

She always buts in. She is so assertive.

她总是立刻插嘴。真多嘴。

➕ 出しゃばる be self-assertive / 多嘴

で

1565 荒っぽい

あら

私は運転すると、急に性格が荒っぽくなる。

わたし　うんてん　　　　きゅう　せいかく　あら

イ形　rough

粗暴

When I drive, my personality suddenly turns rough.

我一开车，性格就立刻变得粗暴。

1566 キレる
おとうと

動 snap, lose one's temper
生气

弟は<u>キレ</u>やすく、よく友達とけんかしている。
おとうと　　　　　　　　　ともだち

My younger brother easily snaps and is always fighting with his friends.
弟弟很容易发火，经常与朋友吵架。

1567 横柄な
おうへい

ナ形 arrogant
傲慢

彼は<u>横柄な</u>態度で、ずいぶん損をしている。
かれ　おうへい　たいど　　　　　　　　　そん

He is missing out a lot with his arrogant attitude.
他傲慢的态度十分吃亏。

1568 冷淡な
れいたん

ナ形 cold
冷淡

彼はクールと言うより<u>冷淡な</u>性格だ。
かれ　　　　　　い　　　　　れいたん　せいかく

He has a cold, rather than cool, personality.
与其说他冷酷，不如说他性格冷淡。

➕ 冷酷〈な〉 cold / 冷酷
　れいこく

1569 無神経〈な〉
む しんけい

名
ナ形 insensitivity/insensitive
神经大条

人に気を遣わない<u>無神経な</u>人とは付き合いたくない。（ナ形）
ひと　き　つか　　　　　む しんけい　ひと　　　つ　あ

I don't want to associate with insensitive people who don't care about others.
不想与不顾虑别人神经大条的人交往。

1570 軽率な
けいそつ

ナ形 careless, thoughtless
草率

社会人として<u>軽率な</u>行動は控えるべきだ。
しゃかいじん　　　けいそつ　こうどう　ひか

One should refrain from taking careless action as an adult.
作为社会人士应该避免草率的行动。

1571 おっかない

イ形 frightening
可怕

隣の家のおじさんは話し方も態度も<u>おっかない</u>。
となり　いえ　　　　　　　はな　かた　たいど

The way the man next door acts and talks is frightening.
邻居家的大叔说话方式和态度都令人害怕。

👉 a casual expression for「恐ろしい」/ 是 "恐ろしい" 的俗话。

1572 陰気な
いんき

ナ形 gloomy
阴沉

<u>陰気だった</u>弟が、彼女ができて明るくなった。
いんき　　　おとうと　かのじょ　　　　　あか

My gloomy brother became cheerful after he starting going out with his girlfriend.
阴沉沉的弟弟交了女朋友后变得开朗了。

↔ 陽気な　➕ 陰気くさい gloomy / 阴郁
　ようき　　　　いんき

1573 せこい

イ形 stingy
狡猾

あんな<u>せこい</u>奴とは、もう付き合わない。
やつ　　　　　　つ　あ

I will never associate with such a stingy person.
再也不跟那种狡猾的家伙交往了。

Feeling Good / 好心情

1574

爽快な
そうかい

ナ形 refreshed
爽朗

爽快な気分で朝を迎えた。
そうかい き ぶん あさ むか

I woke up feeing refreshed.
以爽朗的心情迎接早晨。

➕ すがすがしい fresh / 神清气爽

1575

軽快な
けいかい

ナ形 light
轻松愉快

軽快な音楽を聴きながら1日を過ごす。
けいかい おんがく き にち す

I spent the day listening to light music.
听着轻松愉快的音乐度过一天。

➕ 軽やかな light / 轻快
かろ

1576

和やかな
なご

ナ形 amicable
和睦

友達と和やかにパーティーをした。
ともだち なご

We held an amicable party with friends.
与朋友在和睦的气氛下开了一个晚会。

➕ 和む calm / 温和
なご

1577

和気あいあいと
わ き

副 congenial, harmonious
連体 和蔼可亲

和気あいあいとおしゃべりが弾む。(副)
わ き はず

Enjoy the conversation in a congenial manner.
他们聊得甚欢。

➕ 一家団らん family gathering / 合家欢乐
いっ か だん

1578

喜ばしい
よろこ

イ形 joyous
喜悦

家族みんなが集まれたのは、とても喜ばしい。
か ぞく あつ よろこ

It is delightful that the entire family was able to gather together.
家里人都能聚在一起十分另人高兴。

1579

華々しい
はなばな

イ形 spectacular, glamorous
轰轰烈烈

大好きな俳優が華々しく活躍している。
だい す はいゆう はなばな かつやく

My favorite actor is enjoying spectacular success.
最喜欢的艺人正积极地活跃在一线。

1580

いそいそと

副 cheerfully
兴冲冲地

おしゃれをして、いそいそと出かける。
で

She dressed up and cheerfully left home.
精心打扮后兴冲冲地出门了。

1581

うきうき〈する〉

副 lighthearted, cheery
屁颠儿屁颠儿

これからコンサートかと思うと、うきうきする。
おも

I get cheery when I think of the concert after this.
一想到接下来的演唱会就屁颠儿屁颠儿的。

1582 ときめく

彼女のことを考えるだけで、胸が<u>ときめく</u>。
かのじょ　　　　　　　　　　　　むね

動　flutter
　　怦然心动

My heart flutters just by thinking about her.
一想到她就心通扑通地跳。

➕ ときめき fluttering of the heart / 怦然心动

1583 意気揚々 ［と］
　　い　き　ようよう

試合でライバルに勝って、<u>意気揚々</u>と帰った。(副)
し　あい　　　　　　　か　　　　　い　き　ようよう　　かえ

副　triumphantly
連体　得意洋洋地

We returned triumphantly after winning over our rival at the games.
在比赛中打败了对手，得意洋洋地回家了。

1584 得意満面 〈な〉
　　とく　い　まんめん

可愛い彼女ができて、弟は<u>得意満面だ</u>。(ナ形)
かわい　かのじょ　　　　　　　おとうと　とく　い　まんめん

名　proud face
ナ形　春风满面

My younger brother is so proud about his cute new girlfriend.
交到一个可爱的女朋友，弟弟春风满面的。

1585 心が躍る
　　こころ　おど

明日から旅行だ。今から<u>心が躍</u>っている。
あした　　　りょこう　　いま　　　こころ　おど

慣　be thrilled
　　内心激动

I'm going on a trip starting tomorrow. I'm so thrilled.
明天去旅行啦。现在就开始激动了。

1586 待ち遠しい
　　ま　どお

来週からの夏休みが<u>待ち遠しい</u>。
らいしゅう　　　なつやす　　　ま　どお

イ形　cannot wait
　　盼望已久

I can't wait for the summer holidays to start from next week.
下周开始的暑假真另人期待。

1587 せいせいする

悩みが解消されて、<u>せいせいした</u>。
なや　　かいしょう

動　feel refreshed
　　痛快

I feel so refreshed now that my troubles are resolved.
消除了烦恼真痛快。

1588 さばさば 〈する〉

あんな彼と別れて、<u>さばさばした</u>。
かれ　わか

副　feel refreshed, relieved
　　心情舒畅

I feel relieved that I broke up with that boyfriend.
与那样的男朋友分手另人心情舒畅。

1589 乗り気 〈な〉
　　の　き

友達はこのビジネスプランに<u>乗り気だ</u>。(ナ形)
ともだち　　　　　　　　　　　　の　き

名　enthusiasm/enthusiastic
ナ形　感兴趣

My friend is enthusiastic about this business plan.
朋友对这项商业企划很感兴趣。

1590 テンション

軽快な曲を聴くと、<u>テンション</u>が上がる。
けいかい　きょく　き　　　　　　　　　　あ

名　tension
　　情绪

Listening to light music gets me going.
听轻快的音乐令人心情愉悦。

1591 喜怒哀楽
　　き　ど　あいらく

親友とは<u>喜怒哀楽</u>を素直に出せる関係だ。
しんゆう　　　き　ど　あいらく　すなお　だ　　かんけい

名　emotions
　　喜怒哀乐

I am able to show all my emotions honestly to my best friend.
亲密朋友是可以将喜怒哀乐不加掩饰地表现出来的关系。

1592

うっとうしい

イ形 **annoying**
沉闷，厌烦

① このところ、うっとうしい天気が続いている。
てんき つづ
② 弟 の聞いている音楽がうっとうしくて仕方ない。
おとうと き おんがく しかた

① Depressing weather is continuing these days.
② The music my brother listens to is so annoying.
①最近一段时间沉闷的天气一直持续着。
②弟弟听的音乐十分另人厌烦。

👍 ① feeling depressed due to the weather ② annoying, disturbing / ①由于天气原因心情阴郁②吵，碍事

1593

切ない
せつ

イ形 **painful**
难受

失恋して切ない気持ちを、友達に打ち明けた。
しつれん せつ きも ともだち う あ

I confided my painful feelings over lost love to a friend.
对朋友吐露了失恋后难受的心情。

1594

やるせない

イ形 **heartrending**
闷闷不乐

片思いはやるせない。
かたおも

One-sided love is heartrending.
单恋是很苦闷的。

1595

しゃくに障る
さわ

慣 **annoying**
惹人不快

兄の態度がいちいちしゃくに障る。
あに たいど さわ

My brother's attitude is so annoying.
哥哥的态度总惹人不快。

1596

へこむ

動 **depressed**
沮丧

勝てると思ったライバルに負けてへこんでいる。
か おも ま

I'm depressed that I lost to a rival I thought I will win.
输给了本以为能战胜的对手十分沮丧。

1597

くよくよ〈する〉

副 **worry**
耿耿于怀

小さいことに、いつまでもくよくよするな。
ちい

I worry about small things.
对小事不要一直耿耿于怀。

➕ 気に病む worry / 介意
き や

1598

心苦しい
こころぐる

イ形 **painful, regretful**
过意不去

何から何まで面倒をみていただいて心苦しい。
なに なに めんどう こころぐる

I feel bad that you are taking care of everything.
一切事情都受到照料实在过意不去。

1599

むなしい

イ形 **vain, futile**
空虚

努力したのに失敗し、むなしい気持ちになった。
どりょく しっぱい きも

All of my efforts ended in failure, leaving me feeling like it
was all futile.
明明努力了却失败，心像被抽空了似的。

➕ 空虚な futile / 空虚
くうきょ

1600 憂うつ〈な〉
ゆううつ

名 ナ形 depression/depressed
郁郁寡欢

雨が続いただけで、憂うつな気分になる。(ナ形)
あめ つづ ゆう きぶん

I feel depressed just because it keeps raining.
只要雨下不停，心情就郁郁寡欢。

1601 惨めな
みじ

ナ形 miserable
惨痛

彼に恥をかかされた。こんな惨めな思いは二度と
かれ はじ みじ おも にど
したくない。

He embarrassed me. I never want to feel so miserable again.
他让我出丑了。像这样惨痛的经历不想再有第二次。

1602 根に持つ
ね も

慣 hold a grudge
记仇

彼は小さなことをいつまでも根に持つ性格だ。
かれ ちい ね も せいかく

He tends to hold a grudge over the smallest things.
他是那种小事也会一直记仇的性格。

➕ 恨む hold a grudge / 怨恨
うら

1603 ねたむ

動 envy
嫉妒

人をねたむより、自分が努力すべきだ。
ひと じぶん どりょく

You should put in some effort rather than envy other people.
与其嫉妒他人更应该自己努力。

1604 劣等感
れっとうかん

名 inferiority complex
劣等感

劣等感を捨てて、前向きに頑張ろう。
れっとうかん す まえむ がんば

Get rid of your inferiority complex and be positive.
抛掉劣等感积极地努力吧。

↔ 優越感
ゆうえつかん

1605 孤独〈な〉
こどく

名 ナ形 loneliness/lonely
孤独

日本に来たばかりの頃は、友達がいなくて孤独だっ
にほん き ころ ともだち こどく
た。(ナ形)

I was lonely without friends when I first arrived to Japan.
刚来日本的时候没有朋友很孤独。

1606 屈折〈する〉
くっせつ

名 warped, convoluted/
refraction
歪曲, 折射

①彼の性格は複雑で、屈折している。
かれ せいかく ふくざつ くっせつ
②光をガラスに通すと、屈折する。
ひかり とお くっせつ

① He has a complex, warped personality.
② Glass refracts light.
①他的性格很复杂、有点儿扭曲。
②光透过玻璃发生折射。

👉 ① something that should be straight but is bended ② when light passes through something and the direction changes / ①本来笔直的东西弯曲了②光通过物体时方向发生改变

1607 気が向かない
き む

慣 not in the mood
没兴致

今日は気が向かないから、飲み会に行きたくない。
きょう き む の かい い

I don't want to go to the drinking party as I'm not in the mood today
今天没兴致就不去喝酒了。

1608 □ **ナ形**	未熟な み じゅく immature, inexperienced 不成熟	まだまだ未熟だ。もっと自分を鍛えなくては。 み じゅく　　　　　　じ ぶん　きた I'm still inexperienced. I must train myself more. 还远远不够成熟。要更加锻炼自己。

➕ 成熟〈する〉 mature / 成熟
せいじゅく

1609 □ **副**	びくびく[と]〈する〉 be afraid of 畏首畏尾	彼は自信が持てないのか、いつもびくびくしている。 かれ　じ しん　も He is always nervous, maybe because he is not confident enough. 他没自信总是畏首畏尾的。

1610 □ **副**	おどおど〈する〉 uneasily, anxiously 战战兢兢	彼はいつもおどおどしていて、自分の意見が言えない。 かれ　　　　　　　　　　じ ぶん　い けん　い He always acts anxiously and is never able to say his own opinion. 他总是战战兢兢的，不敢说出自己的意见。

1611 □ **副**	もやもや〈する〉 murky, hazy 疙疙瘩瘩	友達と仲直りしたが、まだもやもやしている。 とも だち　なかなお I want to make amends with my friend but I'm still feeling murky. 虽然和朋友和好了，但仍然疙疙瘩瘩的。

プラスのイメージ

Positive Image / 积极印象

1612

ポジティブな

〈ナ形〉 **positive**
积极

彼女は何度失敗しても、いつもポジティブだ。
かのじょ　なん　ど　しっぱい

She's always positive, no matter how many times she makes a mistake.
她无论失败多少次总是很积极乐观。

1613

みずみずしい

〈イ形〉 **fresh**
水灵灵

朝、採れた野菜はみずみずしい。
あさ　と　　やさい

Vegetables harvested in the morning is fresh.
清晨采摘的蔬菜水灵灵的。

1614

しとやかな

〈ナ形〉 **graceful**
端庄

着物姿の女性は、とてもしとやかな印象だ。
き ものすがた　じょせい　　　　　　　　　　いんしょう

A women dressed in kimono gives an impression of being graceful.
穿着和服的女性给人很端庄的印象。

👉 an expression used for women / 针对女性使用的表达方式.

1615

優雅 〈な〉
ゆう が

〈名〉
〈ナ形〉 **graceful, refined**
优雅

友人は女優のように優雅な生活を送っている。
ゆうじん　じょゆう　　　　ゆう が　せいかつ　おく

（ナ形）

My friend leads a refined life like an actress.
朋友过着像女艺人般优雅的生活。

1616

チャーミングな

〈ナ形〉 **charming**
迷人

彼女は顔もしぐさもチャーミングだ。
かのじょ　かお

Both her face and gestures are charming.
她容貌举止都很迷人。

➕ 魅力的な attractive / 有魅力
みりょくてき

1617

ソフトな

〈ナ形〉 **soft**
平和

彼のソフトな印象が人をリラックスさせる。
かれ　　　　いんしょう　ひと

His soft demeanor makes people relax.
他平和的样子使人放松。

1618

シャープな

〈ナ形〉 **sharp**
敏锐

彼女は頭が切れて、シャープだと言われている。
かのじょ　あたま　き　　　　　　　　　　　　い

She is said to have a sharp mind and be very bright.
大家都说她脑子转得快，思维敏锐。

1619

明快な
めいかい

〈ナ形〉 **clear**
条理清晰

田中先生の言葉は明快で、とてもわかりやすい。
た なかせんせい　こと ば　めいかい

Our teacher Tanaka-san's words are clear and easy to understand.
田中老师的话条理清晰，非常易懂。

➕ 明瞭な intelligible / 明了
めいりょう

1620 りりしい
おとうと き
弟はスーツを着ていると、りりしくみえる。

イ形 **manly**
威风
My younger brother looks manly when he wears a suit.
弟弟穿上西服，看起来很有男子气概。

➕ りんと〈する〉 dignified / 凛然

1621 やんわり [と]
あいて きず さそ ことわ
相手を傷つけないようにやんわりと誘いを断った。

副 **softly**
委婉地
I gently declined the invitation hoping not to hurt the other person.
为了不伤害对方而委婉地拒绝了邀请。

1622 滑らかな
なめ
①彼女の英語の発音は滑らかだ。
②彼女の滑らかな肌が羨ましい。

ナ形 **smooth/smooth**
流畅，光滑
① Her English pronunciation is smooth.
② I envy her smooth skin.
①她的英文发音流畅。
②羡慕她光滑的肌肤。

👉 ① flow smoothly ② the surface is smooth / ①顺溜②表面光滑

1623 堂々 [と]
どうどう
かんきゃく まえ どうどう
観客の前で堂々とスピーチをした。(副)

副 連体 **confidently**
坦荡地
I made a speech confidently before the audience.
在观众面前毫不拘谨地演说。

1624 健全な
けんぜん
かれ けんぜん かんが も ひと
彼はとても健全な考えを持った人だ。

ナ形 **healthy**
健全
He is a person with very healthy views.
他是一个拥有健全思想的人。

↔ 不健全な
ふけんぜん

1625 とびきり
かのじょ ゆうじん なか びじん
彼女は友人の中でもとびきりの美人だ。(副)

名 副 **exceptionally, by far**
出众
She is by far the most beautiful woman among my friends.
她在朋友中也是个出众的美人儿。

1626 抜群な
ばつぐん
かのじょ せいかく ようし ばつぐん
彼女は性格も容姿も抜群だ。

ナ形 **outstanding**
出众
Both her looks and personality are great.
她无论性格还是容貌都很出众。

1627 すばしっこい
あいけん うご お
愛犬は動きがすばしっこくて、追いつけない。

イ形 **quick**
敏捷
My dog moves so quickly I can't keep up.
爱犬的动作十分敏捷，追赶不上。

👉 also said すばしこい / 也说"すばしこい"。

1628
恥じらう
は

動 embarrassed
羞涩

彼女は恥じらって、頬を赤くした。
かのじょ　は　　　　　　ほお　あか

She blushed in embarrassment.
她羞涩得脸颊变红了。

➕ 恥じらい shyness / 难为情

1629
たやすい

イ形 easily
不费力

こんな問題ならたやすく解ける。
もんだい　　　　　　　と

I can easily solve a problem like this.
如果是这样的问题很容易解决。

1630
悠々 [と]
ゆうゆう

副　leisurely
連体　绰绰有余

早めに着いた。約束の時間には悠々間に合うだろ
はや　　つ　　　やくそく　じかん　　ゆうゆうま　あ
う。(副)

I arrived early so I can make it to the time of the appointment
leisurely.
提前到了。离约好的时间绰绰有余。

1631
めきめき [と]

副　to a great extent
迅速

彼は日本語がめきめき上達している。
かれ　にほんご　　　　　　じょうたつ

His Japanese is improving a great deal.
他的日语水平迅速提升。

1632
至れり尽くせり
いた　　つ

慣　thorough
十分周到

このホテルのサービスは至れり尽くせりだ。
いた　　つ

The hotel service here is thorough.
这个酒店的服务十分周到。

マイナスのイメージ

Negative Image / 消极印象

1633

ネガティブな

ナ形 **negative**
消极

ネガティブな考えからは何も生まれない。

Nothing can be born from negative thoughts.
用消极的思想是什么都想不出来的。

1634

見苦しい
みぐる

イ形 **ugly, despicable**
难看

彼の潔くない態度は、とても見苦しい。

His unmanly behavior is despicable.
他不干脆的态度太丢人了。

1635

ややこしい

イ形 **confusing**
复杂

あの人の話はややこしくて、よくわからない。

That person's story was confusing and hard to understand.
那个人的话很复杂，不太明白。

1636

悲惨な
ひ さん

ナ形 **tragic**
悲惨

悲惨な光景を見て、胸が痛くなった。

I feel pained watching such a tragic scene.
看着悲惨的景象不禁心痛。

➕ 残酷な cruel / 残酷

1637

みすぼらしい

イ形 **miserable**
寒碜

みすぼらしい格好で出かけるのはやめなさい。

Quit going out in such miserable clothes.
不要穿得那么寒碜地出门。

1638

乏しい
とぼ

イ形 **spare, scarce**
匮乏

自分の国に関する知識が乏しくて、情けない。

I feel bad about my sparse knowledge of my own country.
有关自己国家的知识知之甚少，真不好意思。

1639

貧弱な
ひんじゃく

ナ形 **meagerly, scrimpy**
贫弱

弟はやせていて、貧弱な体格だ。

My younger brother is feeble.
弟弟体格瘦弱。

1640

汚らわしい
けが

イ形 **filthy, foul**
令人厌恶

そんな話、聞くのも汚らわしい。

Just hearing about such a story is detestable.
那种话听着都令人厌恶。

1641

いやらしい

イ形 **crude, vulgar**
下流

いやらしい目つきの男が彼女を見ている。

A man with leering eyes is watching her.
眼神色眯眯的男人正在看她。

1642 卑しい いや	彼は得をすることばかり考えていて、<u>卑しい</u>人だ。 かれ　とく　　　　　　　　　かんが　　　　　　いや　ひと
イ形 low, crude, scummy 卑鄙	He is such a vulgar person, always thinking about how he can gain profit. 他只想着获取，是个卑鄙的人。

1643 希薄な きはく	彼女は頑張ろうという気持ちが<u>希薄だ</u>。 かのじょ　がんば　　　　　　　きも　　　きはく
ナ形 lacking, thin 稀薄	She lacks any intention to work hard. 她想努力的决心渐渐变淡了。

1644 月並みな つきな	考えても<u>月並みな</u>アイディアしか出てこない。 かんが　　　つきな　　　　　　　　　　　で
ナ形 commonplace 平庸	No matter how hard I think, I can only come up with commonplace ideas. 即使想也只能想出平凡无奇的主意。

➕ 通り一遍な superficial / 泛泛
とお　いっぺん

これも覚えよう！ ⑲
おぼ

🏢 **日本の主な省庁の名称** Names of major Japanese ministries / 日本主要省厅机关的名称
にほん　おも　しょうちょう　めいしょう

外務省 がいむしょう	Ministry of Foreign Affairs / 外务省
環境省 かんきょうしょう	Ministry of Environment / 环境省
経済産業省 けいざいさんぎょうしょう	Ministry of Economy, Trade and Industry / 经济产业省
厚生労働省 こうせいろうどうしょう	Ministry of Health, Labor and Welfare / 厚生劳动省
国土交通省 こくどこうつうしょう	Ministry of Land, Infrastructure, Transport and Tourism / 国土交通省
財務省 ざいむしょう	Ministry of Finance / 财务省
総務省 そうむしょう	Ministry of Internal Affairs and Communications / 总务省
農林水産省 のうりんすいさんしょう	Ministry of Agriculture, Forestry and Fisheries / 农林水产省
防衛省 ぼうえいしょう	Ministry of Defense / 防卫省
文部科学省 もんぶかがくしょう	Ministry of Education, Culture, Sports, Science and Technology / 文部科学省
復興庁 ふっこうちょう	Reconstruction Agency / 复兴厅

1645

☐

ぶっきらぼうな

ナ形　gruff, blunt
生硬

彼女のぶっきらぼうな話し方は印象が悪い。
かのじょ　　　　　　　　はな　かた　いんしょう　わる

Her gruff way of speaking gives a bad impression.

她生硬的说话方式给人的印象很差。

1646

☐

むっつり[と]〈する〉

副　sullen, sulky
沉默寡言

彼女は怒っているのか、むっつりしている。
かのじょ　おこ

She is sullen, possibly angry.

她是不是生气了，一声不吭。

1647

☐

不細工な
ぶさいく

ナ形　ugly
难看

せっかく人形を作ったが、少し不細工だ。
にんぎょう　つく　　　すこ　ぶさいく

I finally made the doll but it's a bit ugly.

好不容易做好了人偶，但有点儿粗糙。

1648

☐

つれない

イ形　indifferent
薄情

友達なのに、そんなつれないこと言わないで。
ともだち　　　　　　　　　　　　　　　い

You're my friend so don't be so indifferent.

明明是朋友不要说那么薄情的话。

1649

☐

しぼむ

動　shrink
凋谢

何度も失敗して、夢がしぼんでしまった。
なんど　しっぱい　　　ゆめ

I lost hope for my dreams after my repeated failures.

无数次的失败让梦想枯萎了。

➕ 膨らむ expand / 膨胀
ふく

1650

☐

あやふやな

ナ形　vague, uncertain
含糊

いつまでもあやふやな態度を取るのはよくない。
たいど　と

It's not good to continue taking an uncertain attitude.

一直采取含糊的态度是不好的。

1651

☐

生ぬるい
なま

イ形　lukewarm, tepid
不彻底，微温

①部長の叱り方は生ぬるい。
ぶちょう　しか　かた　なま
②このビールは生ぬるくておいしくない。
なま

① The way the manager scolds people is too tepid.
② The beer is not good because it's lukewarm.

①部长的斥责不够彻底。
②这瓶啤酒温温了不好喝。

👉 ① not strict, sloppy ② when something that should be cold is not cold / ①不严厉，随便②应该凉的东西不凉了

1652

☐

無礼〈な〉
ぶれい

名　impolite
ナ形　失礼

彼は人にあいさつもせず、無礼な態度だ。（ナ形）
かれ　ひと　　　　　　　　ぶれい　たいど

He is such an impolite person; he won't even greet people.

他不跟人打招呼，态度失礼。

➕ 非礼〈な〉 impolite / 不礼貌
ひれい

1653 気取る
きど

動 put on airs
装腔作势

あの人は気取っていて、話しかけづらい。
ひと　きど　　　　　　　　　　はな

That person always puts on airs and is difficult to speak to.
那个人装腔作势不好答话。

➕ 気取り屋 stuck up / 装模作势的人・きざ〈な〉cheesy (used for men) / 装模作样（用于男性）

1654 近寄りがたい
ちかよ

慣 unapproachable
难以接近

社長は怖そうで近寄りがたい。
しゃちょう　こわ　　　　ちかよ

The president looks scary and unapproachable.
社长看起来很凶，难以接近。

➕ 近寄る approach / 接近
ちかよ

1655 ちやほや〈する〉

副 pampered
娇惯

妹は末っ子で、家族にちやほやされて育った。
いもうと　すえ こ　　かぞく　　　　　　　　　　　　　　そだ

My little sister is the youngest and was pampered by the
family when growing up.
妹妹是最小的孩子被家里人娇生惯养。

➕ もてはやす praise / 一个劲儿地夸奖

1656 窮屈な
きゅうくつ

ナ形 tight/ill at ease
狭窄，拘束

①この靴は窮屈で、足が痛くなる。
くつ　きゅうくつ　あし　いた
②昨日のパーティーは初対面の人ばかりで窮屈な
きのう　　　　　　　しょたいめん　ひと　　　　きゅうくつ
思いをした。
おも

① These shoes are tight, and my feet hurts.
② There was no one I knew at yesterday's party, so I was ill
at ease.
①这双鞋太窄了，脚痛。
②昨天的聚会都是初次见面的人感觉很拘束。

👉 ① cannot move freely because the item is too small ② the environment prohibits one from relaxing / ①空间狭小活动不自由②因环境而无法放松

1657 ヤバい

イ形 really bad
不妙

今回のテストの点数はヤバい。どうしよう。
こんかい　　　　　　　てんすう

The test results this time around are really bad. What should I
do?
这次考试分数不妙。怎么办。

👉 young people use the same expression to mean something good, such as, "This ramen is ヤバい (great)" / 在年轻人中说"这个拉面不妙（＝非常好吃）"，是用于好的意思。

1658 どん底
そこ

名 rock bottom
底层

今が人生のどん底だ。これから良くなっていくだ
いま　じんせい　　　そこ　　　　　　　　　よ
ろう。

My life is at rock bottom now so it should get better.
现在处于人生的低谷。今后会越来越好吧。

これも
覚えよう！ ⑳

 日本の地方の名称 Names of Japanese regions / 日本地区的名称

北海道地方 ほっかいどう ち ほう	Hokkaido region / 北海道地区
東北地方 とうほく ち ほう	Tohoku region / 东北地区
関東地方 かんとう ち ほう	Kanto region / 关东地区
甲信越地方 こうしんえつ ち ほう	Koshinetsu region / 甲信越地区
中部地方 ちゅうぶ ち ほう	Chubu region / 中部地区
北陸地方 ほくりく ち ほう	Hokuriku region / 北陆地区
近畿地方 きん き ち ほう	Kinki region / 近畿地区
中国地方 ちゅうごく ち ほう	Chugoku region / 中国地区
四国地方 し こく ち ほう	Shikoku region / 四国地区
九州地方 きゅうしゅう ち ほう	Kyushu region / 九州地区
沖縄地方 おきなわ ち ほう	Okinawa region / 冲绳地区
東日本 ひがし に ほん	East Japan / 东日本
西日本 にし に ほん	West Japan / 西日本
北日本 きた に ほん	North Japan / 北日本

N1
Chapter
13

間違えやすい表現①
まちが　　　　　　　　ひょうげん

Frequently Mistaken Expressions ①
容易误用的表达①

副詞①
ふくし

Adverb ① / 副词①

1659 くすくす

giggling
嘻嘻（地笑）

女の子たちが、楽しそうにくすくす笑っている。
おんな　こ　　　　たの　　　　　　　　　　　　　わら

The happy girls are giggling.
女孩子们开心地嘻嘻笑起来。

1660 げらげら

laughing out loud
哈哈大笑

この映画は何度見てもげらげら笑える。
えいが　なんどみ　　　　　　　　わら

I always laugh out loud every time I see this movie.
这部电影看几次都觉得好笑。

1661 そこそこ

hurriedly
匆匆

勉強もそこそこに、遊びに出かける。
べんきょう　　　　　　　あそ　　で

After hurrying to finish my studies, I go outside and play.
匆匆学了一会儿就出去玩了。

1662 ぺこぺこ〈する〉

kowtow, bowing
点头哈腰

彼はいつも上司にぺこぺこしている。
かれ　　　　じょうし

He is always kowtowing to his boss.
他总是对上司一副点头哈腰的样子。

 ぺこぺこ means being very hungry / 也有肚子很饿的意思。

1663 ひしひし［と］

acutely, severely
深刻地

彼女は何も言わないが、その悲しみがひしひしと
かのじょ　なに　い　　　　　　　　かな
伝わってくる。
つた

She doesn't say anything but her sadness can be acutely felt.
她什么也没说，但她的悲伤却能深刻地感觉得到。

1664 ばらばら［と］

scattered
吧嗒吧嗒地

大雨がばらばらと降ってきた。
おおあめ　　　　　　　ふ

Big raindrops began falling here and there.
大雨吧嗒吧嗒地下起来了。

1665 ぱらぱら［と］

sprinkle/flip through
淅淅沥沥地，哗啦哗啦地

①雨がぱらぱら降り始めた。
あめ　　　　　　ふ　はじ
②雑誌をぱらぱら見る。
ざっし　　　　　　み

① The rain started to fall sparsely.
② I flipped through the pages of the magazine.
①雨淅淅沥沥地下了起来。
②哗啦哗啦地翻看杂志。

 ① a condition where the drops are falling little by little ② flipping pages of a book and other items / ①小东西淅淅沥沥地落下的样子②快速翻书的样子

1666 ぞろぞろ［と］

in droves
一个跟着一个络绎不绝地

コンサート会場からぞろぞろ観客が出てきた。
かいじょう　　　　　　かんきゃく　で

The audience came out of the concert hall in droves.
观众们从音乐会场络绎不绝地拥了出来。

1667

ぽちぽち

もう10時だ。ぽちぽち出かけよう。

bit by bit, about to
慢慢地

It's already 10 o'clock. Why don't we leave about now.
已经十点了。慢慢地可以出发了吧。

➕ ぼつぼつ little by little / 渐渐地

1668

ずるずる [と]

①結論が出ないまま、会議がずるずる続いている。
②ずるずる音を立ててラーメンを食べる。

dragging/slurping
拖延不决地，抽吸液状物声音

① The meeting dragged on without reaching any conclusion.
② Slurp your ramen.
①一直得不出结论，会议就这么一直拖着。
②边发出声音边吸着面条。

👉 ① an unfavorable condition continues wastefully ② the sound of slurping noodles / ①不如意的状态一直拖着无法解决②吃面时发出的声音

1669

ちくちく [と]〈する〉

セーターの毛がちくちくする。

itchy
刺痛

The wool of the sweater is itchy.
这毛衣扎得慌。

1670

のこのこ

友達が約束に1時間も遅れて、のこのこ現れた。

nonchalantly, shamelessly
漫不经心地

My friend was one hour late to the appointment yet he appeared nonchalantly.
朋友迟到了整整一个小时才漫不经心地出现了。

1671

くらくら [と]〈する〉

急に立ち上がったら、目まいでくらくらした。

dizzily
眩晕

I felt dizzy when I stood up suddenly.
突然站起来，觉得头晕眼花。

1672

ちょくちょく

大学の友達とはちょくちょく集まっている。

frequently
时常

I frequently get together with my college friends.
我时常和大学的朋友聚一聚。

➕ たびたび repeatedly / 屡次

1673

ふわふわ [と]〈する〉

空にふわふわと雲が浮かんでいる。

floatingly
轻轻漂浮的样子

The clouds are floating in the sky.
空中轻轻漂浮着云朵。

➕ ふんわり [と]〈する〉 softly / 轻飘飘地・ ふかふか [と]〈する〉 fluffy / 松松软软

1674

ちらほら [と]〈する〉

雪がちらほらと舞っている。

sprinkling, several
稀稀落落地

Some snow is sprinkling down.
雪稀稀落落地飘着。

1675 ふらりと

時間ができると、ふらりと旅に出る。
じかん　　　　　　　　　　たび　で

aimlessly
突然地

I travel on impulse when I have the time.
一有时间就来一次说走就走的旅行。

➕ ぶらりと casually / 无目的地・ふらっと aimlessly / 无目的地

1676 じっとり [と]〈する〉

湿気が多くて、肌がじっとりする。
しっけ　おお　　　はだ

damp
潮湿

My skin gets damp from the humidity.
湿气很重，皮肤很潮湿。

➕ じめじめ [と]〈する〉 moist / 潮湿

1677 ずばり [と]

彼は遠回しではなく、ずばりと意見を言う。
かれ　とおまわ　　　　　　　　いけん　い

decisively
直截了当地

He doesn't beat around the bush and speaks out his opinion.
他毫不委婉直截了当地说出了想法。

1678 まさしく

そう言ったのは、まさしく彼だ。
い　　　　　　　　　　かれ

undoubtedly
确实

It was undoubtedly him that said that.
会这么说的人确实就是他了。

🟰 まさに

1679 ありありと

疲れがありありと顔に出る。
つか　　　　　　　かお　で

obviously
显然

The fatigue obviously shows on the face.
看他的脸，他显然很累。

1680 しばし

男は女に話した後、しばし沈黙した。
おとこ　おんな　はな　　あと　　　　　ちんもく

for a while
暂时

After talking to the woman, the man became silent for a while.
男人对女人说完话后，沉默了一会儿。

1681 まんまと

あんな手口に、まんまとだまされるなんて情けない。
てぐち　　　　　　　　　　　　　　　　なさ

successfully
彻底

It's pitiful that I was successfully fooled by such a trick.
居然彻底地被那样的手段欺骗了，真是悲剧。

1682 まるっきり

このうわさは、まるっきりうそでもない。

totally
完全

That rumor is not totally wrong.
这传闻也不全是假的。

👉 also said まるきり / 也可以说「まるきり」。

1683 てんで［～ない］

そんな理由では、<u>てんで</u>話にならない。
りゆう　　　　　　　　　　　　はなし

at all, entirely
根本，完全

That can't be a reason at all.
那样的理由，根本就不像话。

👉 an informal expression of 全然 /「全然」的通俗表达。

1684 とうてい［～ない］

A 社の条件は、<u>とうてい</u>了承できない。
しゃ　じょうけん　　　　　　　　　　りょうしょう

utterly, absolutely
无论如何也

Company A's terms are absolutely unacceptable.
A 公司的条件，无论如何也接受不了。

➕ とても［～ない］ very / 怎么也

1685 第一
だいいち

彼の話はうそだ。<u>第一</u>、彼はそこにいなかった。
かれ　はなし　　　　　　だいいち　かれ

firstly
首先

His story is a lie. He wasn't there is the first place.
他在撒谎。首先，他不在那里。

1686 まして

この問題は大人でも解けない。<u>まして</u>、子どもに
もんだい　おとな　と　　　　　　　　　　こ
は無理だ。
むり

let alone
何况

Even an adult cannot solve this problem, let alone a child.
这个问题大人都解决不了，更何况是孩子。

➕ なおさら all the more so / 更加

1687 努めて
つと

風邪気味だが、<u>努めて</u>元気に見せている。
かぜぎみ　　　　　つと　げんき　み

as much as possible
尽量

I feel feverish but I try to look energetic as much as possible.
有点儿感冒，但尽量表现得很精神。

1688 ふんだんに

<u>ふんだんに</u>野菜を使って、スープを作る。
やさい　つか　　　　　　　　つく

amply
充分地

Use ample amount of vegetable to make the soup.
大量地用蔬菜做汤。

1689 誠に
まこと

本日はお越しいただき、<u>誠に</u>ありがとうございま
ほんじつ　こ　　　　　　まこと
した。

sincerely
实在

We sincerely thank you for coming over today.
实在太感谢您今日的到来了。

1690 切に
せつ

皆様のご成功を、<u>切に</u>お祈りいたします。
みなさま　せいこう　せつ　いの

eagerly, sincerely
恳切地

We sincerely pray for your success.
由衷祝愿大家能够成功。

副詞③・その他
ふくし　　　　た

Adverb ③ , Miscellaneous / 副词③・其他

1691
☐ いささか

副 **somewhat**
稍微

今回の選挙は、いささか盛り上がりに欠ける。
こんかい　せんきょ　　　　　　　　　　も　あ　　か

This election somewhat lacked enthusiasm.
这次选举有点儿冷清。

1692
☐ もろに

副 **completely, wholly**
迎面

駅の階段で、もろに転んでしまった。
えき　かいだん　　　　　　ころ

I fell down the stairs bad at the station.
在车站里的楼梯上迎面摔了个大跟头。

1693
☐ もはや

副 **already, now**
早就，已经

点差がついた。勝負は、もはやこれまでだ。
てんさ　　　　　　しょうぶ

The point is spreading. The game is now over.
分数拉开了。胜负已定。

1694
☐ さほど［〜ない］

副 **not very**
不那么

故郷は 10 年前とさほど変わっていない。
こきょう　　　ねんまえ　　　　　　か

My hometown hasn't changed very much from ten years ago.
故乡和十年前没有多大变化。

1695
☐ 何ら［〜ない］
なん

副 **any**
丝毫

悪いのは彼だ。君は何ら問題ない。
わる　　　　かれ　　きみ　なん　もんだい

He's the bad one. There is nothing wrong with you.
错的是他。你一点儿问题也没有。

1696
☐ 無論
むろん

副 **of course**
当然

明日の試験では、無論遅刻は許されない。
あした　しけん　　　　　むろん　ちこく　ゆる

Of course tardiness will not be permitted during tomorrow's test.
明天考试，当然不允许迟到。

1697
☐ 何やら
なに

副 **it seems**
某些

私の誕生日に友達が何やら企画してくれているようだ。
わたし　たんじょうび　ともだち　なに　　きかく

It seems my friends are planning something for my birthday.
朋友好像在为我的生日策划着什么。

1698
☐ 何とぞ
なに

副 **kindly**
请

今後とも何とぞよろしくお願いします。
こんご　　　なに　　　　　　　　ねが

We kindly seek your understanding in future endeavors.
今后请务必多多关照。

1699
☐ 何分
なにぶん

副 **after all**
毕竟

彼は何分まだ若いので、未熟な点が多い。
かれ　なにぶん　　わか　　　　みじゅく　てん　おお

After all, he is still young and has many immature points.
他毕竟还小，有很多不成熟的地方。

1700 とかく

☐

| 副 | **given to doing**
总是 |

日本人は海外でも、とかく日本人同士で集まりがちだ。
にほんじん かいがい　　とかく にほんじんどうし　あつ

Japanese people tend to gather together even in foreign countries.

日本人在国外也总是倾向于和日本人一起玩。

1701 とやかく

☐

| 副 | **say this and that**
这个那个地 |

あの人は人のことをとやかく言うので、苦手だ。
ひと ひと　　　　　　　い　　　にがて

That person is hard to deal with because he says this and that about other people.

他这个人喜欢说三道四，所以我很不喜欢和他相处。

1702 いやに

☐

| 副 | **awfully**
异常 |

まだ5月なのに、今日はいやに蒸し暑い。
がつ　　　きょう　　　む　あつ

It's only May, but it's awfully hot today.

还只是五月，但今天异常闷热。

1703 ことのほか

☐

①今日はことのほか電車が混んでいた。
きょう　　　　　　　でんしゃ　こ

②私は甘い物が好きだ。ことのほかケーキに目が
わたし あま もの す　　　　　　　　　　　　　　め
ない。

| 副 | **exceptionally**
出乎意料，格外 |

① Today's train was exceptionally crowded.
② I love sweets. I especially love cake.

①今天电车居然很挤。
②我很喜欢甜的东西。特别是蛋糕，我非常非常喜欢。

👉 ① unexpectedly ② particularly among the others / ①居然，竟然②在一定范围里格外 / 尤其

1704 よほど

☐

| 副 | **very, much, highly**
相当，很 |

顔色が悪い。よほど体調が良くないのだろうか。
かおいろ わる　　　　　　たいちょう　よ

You look pale. You must be very ill.

脸色很不好。身体很不舒服吗？

👉 also said「よっぽど」/ 也可以说「よっぽど」

1705 いずれにしても

☐

| 副 | **in any case**
不管怎样，总之 |

進学か就職か。いずれにしても日本に住みたい。
しんがく しゅうしょく　　　　　　　　　にほん　す

Should I continue going to higher education or start working?
In any case, I want to live in Japan.

要么上学要么工作，总之不管怎样我都想住在日本。

➡ いずれにせよ

1706 なんと

☐

| 副 | **so much**
多么 |

彼女はなんと心の美しい人だろう。
かのじょ　　　こころ うつく ひと

What a woman with a beautiful heart!

她的心地多么善良呀！

1707 ぴりぴり 〈する〉

①緊張感で、その場の雰囲気がぴりぴりしている。
②刺激物で、舌がぴりぴりする。

副 | tense, touchy/tingling
提心吊胆，针刺一般地

① A tense atmosphere could be felt everywhere due to nervousness.
② My tongue has a tingling sensation from the irritant.
①当时的紧张氛围真让人胆战心惊的。
②吃了刺激性的东西，舌头火辣辣的。

☞ ① a state where the nerves are on the edge ② a stinging stimulation / ①精神兴奋②有点针刺的刺激感

1708 じかに

社長にじかに給料アップの交渉をした。

副 | directly
亲自

I directly negotiated a pay raise with the president.
我亲自和经理就加薪一事进行了谈判。

1709 たいそう 〈な〉

今日の遊園地はたいそう混雑している。（副）

副
ナ形 | greatly, too much
很

Today's amusement park is very crowded.
今天游乐园很挤。

1710 断固

何と言われても、私は断固拒否する。（副）

副
連体 | firmly
坚决

I firmly refuse, no matter what others say.
无论他说了什么，我都坚决拒绝。

1711 なんと言っても

なんと言っても、日本料理では寿司が一番だ。

慣 | more than anything
不管怎么说

More than anything, sushi is the best among Japanese dishes.
不管怎么说，在日本菜里寿司都是排第一的。

➕ なんたって（くだけた表現） in the end (casual expression) / なんたって（通俗表达）

1712 なんとしても

なんとしても志望校に入学したい。

慣 | whatever it takes
无论如何也

I want to enter the school of my choice whatever it takes.
我无论如何也想上我志愿的学校。

1713 ことによると

ことによると、来週は大阪出張になるかもしれない。

慣 | depending on the circumstances
也许

I may have to travel to Osaka on business next week depending on the circumstances.
我下星期也许会去大阪出差。

1714 にわかな

にわかに、空が黒い雲に覆われた。

ナ形 | flurry of
突然

A flurry of black clouds covered the sky.
突然，空中乌云密布。

➕ にわか勉強 cramming / 临时抱佛脚・にわか仕込み hasty preparation / 临阵磨枪

1715

制作 〈する〉
せいさく

名 produce
制作

大学の美術学部で絵画を制作する。
だいがく　びじゅつがくぶ　かいが　せいさく

I created a painting at the university's art club.

在大学的美术学院创作绘画。

➕ 卒業制作 graduation work / 毕业创作
そつぎょうせいさく

1716

製作 〈する〉
せいさく

名 produce, manufacture
制造

この工場で商品が製作されている。
こうじょう　しょうひん　せいさく

This product is manufactured in this factory.

商品就是在这个工厂制造的。

➕ 作製 〈する〉 produce / 造出物品
さくせい

1717

押さえる
お

動 hold down
按着，捂着

彼女はハンカチで口を押さえている。
かのじょ　くち　お

She is holding her mouth with a handkerchief.

她用手绢捂着嘴。

1718

抑える
おさ

動 control, restrain
抑制住

人の前で泣きたくないので、感情を抑えた。
ひと　まえ　な　かんじょう　おさ

I don't want to cry in public so I am controlling my emotions.

我不想在人前哭，所以抑制了情绪。

1719

精算 〈する〉
せいさん

名 settle
补交

駅で電車代を精算した。
えき　でんしゃだい　せいさん

I settled the train fare at the station.

在车站补交了坐过站的车钱。

1720

清算 〈する〉
せいさん

名 clear
了结

これまでの人間関係を清算したい。
にんげんかんけい　せいさん

I want to clear my past human relations.

我想了结过去的人际关系。

1721

終始 〈する〉
しゅうし

名
副 throughout, from start to end
至始至终

会議中、彼は終始下を向いたままだった。(副)
かいぎちゅう　かれ　しゅうしした　む

今日の会議は、無駄な話し合いに終始した。(名)
きょう　かいぎ　むだ　はな　あ　しゅうし

He kept his head down throughout the meeting.

Today's meeting was useless talk from start to end.

会议中，他始终低着头。今天的会议从头到尾都是废话。

1722

始終
しじゅう

名
副 constantly
经常

隣の公園は始終子どもの声がする。(副)
となり　こうえん　しじゅうこ　こえ

I constantly hear the voices of children from the nearby park.

旁边的公园里经常有孩子的声音。

➕ 一部始終 whole story / 从头到尾的全部经过
いちぶしじゅう

1723 冒す
おか

動 risk
冒着

危険を冒して、台風の中を出かけた。
きけん　おか　　たいふう　なか　で

I risked going out in the typhoon.
台风的时候冒着危险出去了。

1724 侵す
おか

動 invade
侵犯

いかなる理由があっても、他国の領土を侵しては
りゆう　　　　　　　たこく　りょうど　おか
いけない。

Whatever reason one may have, one should not invade other country's territory.
不管有什么理由，也不能侵犯他国的领土。

1725 犯す
おか

動 commit a crime
犯罪

犯罪を犯した人の心理を探る。
はんざい　おか　ひと　しんり　さぐ

Look into the mentality of the person who committed a crime.
探查罪犯的心理。

1726 保証〈する〉
ほ しょう

名 guarantee, warranty, security
保证

このパソコンは3年間の保証付きだ。
ねんかん　ほしょうつ

This personal computer has a three-year warranty.
这台电脑有三年保修期。

1727 保障〈する〉
ほ しょう

名 protect
保障

政府には国民の権利を保障する義務がある。
せいふ　こくみん　けんり　ほしょう　ぎむ

The government has a duty to protect the rights of its citizens.
政府有义务保障国民的权利。

1728 補償〈する〉
ほ しょう

名 compensation
补偿

保険に入っておけば、万一の補償も安心だ。
ほけん　はい　　　　まんいち　ほしょう　あんしん

If you are insured, you don't have to worry about compensation.
买了保险的话，有个万一也能安心得到补偿。

➕ 弁償〈する〉 compensation / 赔偿
べんしょう

1729 追求〈する〉
ついきゅう

名 seek
追求

何歳になっても、女性は美しさを追求する。
なんさい　　　　　じょせい　うつく　ついきゅう

Women seek beauty no matter what age they may be.
女性无论到了几岁也要追求漂亮。

1730 追及〈する〉
ついきゅう

名 pursue
追究

事故に関して、会社の責任を追及する。
じこ　かん　　かいしゃ　せきにん　ついきゅう

Pursue the responsibility of the company regarding the accident.
关于事故，我们追究公司的责任。

1731 追究〈する〉
ついきゅう

名 investigate
追究，追求

事件の真相を、最後まで追究していく。
じけん　しんそう　さいご　ついきゅう

Investigate the truth behind the case until the end.
我一定要弄清楚事件的真相。

1732 分別〈する〉
ぶんべつ
名 separate
区分开

可燃と不燃を分別してごみを出す。
か ねん ふ ねん ぶんべつ だ
Separate the garbage into combustibles and incombustibles.
把可燃物品和不可燃物品分开来倒垃圾。

1733 分別
ふんべつ
名 prudence
辨別力

分別のある大人があんな行動をするとは。
ふんべつ おとな こうどう
I can't believe a sensible adult can take such an action.
能做分辨是非的成年人竟然做出那样的事来。

1734 心中
しんちゅう
名 feelings
内心

愛犬を亡くした友人の心中を察する。
あいけん な ゆうじん しんちゅう さっ
I try to understand the feelings of my friend who just lost his dog.
同情朋友失去爱犬的心情。

1735 心中〈する〉
しんじゅう
名 double suicide
殉情

この小説は若い男女が心中する話だ。
しょうせつ わか だんじょ しんじゅう はなし
The novel is about a young couple committing a double suicide.
这本小说讲的是一对年轻男女殉情的故事。

1736 大家
たい か
名 distinguished person
权威

写真の男性は、日本の絵画界の大家だ。
しゃしん だんせい にほん かいがかい たい か
The man in the photo is a distinguished artist in Japan.
照片里的男性是日本美术界的权威人物。

1737 大家
おお や
名 landlord
房东

大家さんは親切で、いつも気を遣ってくれる。
おお や しんせつ き つか
The landlord is kind and is always thinking about us.
房东很亲切，总是很关心我。

1738 市場
いち ば
名 market
集市

海外旅行では、必ずその国の市場を巡る。
かいがいりょこう かなら くに いち ば めぐ
I always visit the country's markets when I travel abroad.
去海外旅游的话，我一定会去当地的菜市场转转。

➕ 青物市場 vegetable market / 菜市场・魚市場 fish market / 鱼市
あおものいち ば うおいち ば

1739 市場
し じょう
名 market
市场

多くの日本企業が海外に市場を広げている。
おお にほんきぎょう かいがい し じょう ひろ
Many Japanese corporations are expanding into the markets overseas.
很多日本企业都开拓了海外市场。

➕ 市場調査 market research / 市场调查・国内市場 domestic market / 国内市场・
し じょうちょう さ こくないし じょう
海外市場 overseas market / 国外市场
かいがいし じょう

1740 目下
もっ か
名 currently
目前

目下、地震の被害を調査しているところです。
もっ か じしん ひがい ちょう さ
Currently, we are in the midst of investigating the damages from the earthquake.
目前正在调查震灾的情况。

1741 目下
めした

名 someone of a lower rank than oneself
下属，部下

社長は私たち目下の者にも丁寧に接してくれる。
しゃちょう　わたし　めした　もの　ていねい　せっ

The president treats us juniors kindly too.
总经理对我们这些部下也很礼貌。

 目上
めうえ

これも覚えよう！㉑
おぼ

「〜っと＋動詞」 "…tto + verb" / "〜っと＋动词"
どうし

• **A：〜っとする**

はっとする	taken by surprise / 惊讶
ほっとする	feel relaxed / 放心
かっとする	feel mad / 发怒
むっとする	feel annoyed / 内心不爽
いらっとする	feel irritated / 焦躁
ぞっとする	feel creepy / 毛骨悚然
すっとする	feel relieved / 爽快
じっとする	stay still / 一动不动
そっとする	leave alone / 默默，清静

• **B：〜っと＋動詞**
どうし

ぐっと我慢する がまん	put up with / 使劲忍耐
ざっと目を通す め　とお	glance through / 扫一遍
にっと笑う わら	smile wanly / 咧嘴一笑
ぽっと赤くなる あか	be slightly flushed / 突然通红
ぬっと現れる あらわ	appear suddenly / 突然出现

1742

用品
ようひん

名 **goods**
用品，用具

スポーツ用品売り場は8階だ。
ようひん う ば かい

The sports goods counter is on the eighth floor.
运动用品的卖场在八楼。

➕ キッチン用品 kitchen utensils / 厨房用具・事務用品 office supplies / 办公室用品・
ようひん じ む ようひん
バス用品 bathroom supplies / 浴室用品
ようひん

1743

洋品
ようひん

名 **Western-style apparel and accessories**
洋货，进口货

デパートの1階にある洋品売り場で傘を買った。
かい ようひん う ば かさ か

I bought the umbrella on the first floor of the department store where they sell Western-style items.
我在百货店一楼的进口商品卖场买了伞。

➕ 洋品店 haberdashery / 进口商店
ようひんてん

1744

断つ
た

動 **discontinue**
戒，忌

入試に合格できるまで、ケーキを断つことにした。
にゅうし ごうかく た

I decided to give up cake until I pass the entrance exam.
我决定把蛋糕戒了，直到我考上大学。

1745

絶つ
た

動 **cut off**
断绝

もう彼との連絡は絶とうと思っている。
かれ れんらく た おも

I plan to cut off contact with him.
我想断绝和他的联系。

➕ 絶交〈する〉 break off a relationship / 断绝来往
ぜっこう

1746

彫る
ほ

動 **carve**
雕刻

木に名前を彫って表札にした。
き なまえ ほ ひょうさつ

I carved my name on wood and made a name plate.
我在木板上刻上名字，做成了姓名牌。

1747

掘る
ほ

動 **dig**
挖掘

庭を掘ったら、昔の皿が出てきた。
にわ ほ むかし さら で

An old plate was found when I dug through the garden.
挖院子空地时挖出了年代久远的盘子。

1748

見下す
みくだ

動 **look down**
看不起，蔑视

彼の人を見下したような態度には腹が立つ。
かれ ひと みくだ たいど はら た

I am annoyed by his attitude which looks down on people.
他那看不起人的态度真让人生气。

➕ ばかにする make fun of / 轻视，愚弄

1749 見下ろす
みお
動 look below
俯视，从上往下看

丘の頂上から町を見下ろした。
おか　ちょうじょう　まち　みお
I looked below at the town from the top of the hill.
从山丘上俯瞰下面的城市。

1750 遠回り〈する〉
とおまわ
名 detour
绕道

工事を避けて、駅まで遠回りした。
こうじ　さ　えき　とおまわ
I made a detour to the station to avoid the construction.
为了避开施工，绕道去了车站。

1751 遠回し
とおまわ
名 round-about
委婉

日本人は遠回しの表現をしがちだ。
にほんじん　とおまわ　ひょうげん
Japanese tend to use round-about expressions.
日本人经常使用委婉的表现。

➕ 婉曲な bent / 委婉的
えんきょく

1752 途切れる
とぎ
動 cease
中断

社長が現れて、みんなの会話が途切れた。
しゃちょう　あらわ　かいわ　とぎ
Everyone stopped talking when the president appeared.
总经理一进来，大家都不说话了。

1753 途絶える
とだ
動 severe continuity
断绝

幼なじみとの連絡が途絶えて3年になる。
おさな　れんらく　とだ　ねん
It has been three years since I lost contact with a childhood friend.
我和发小断绝联络已经三年了。

1754 見過ごす
みす
動 overlook
看漏

試験で大きなミスを見過ごしてしまった。
しけん　おお　みす
I overlooked a major mistake during the exam.
考试的时候有个重大错误看漏了。

1755 見逃す
みのが
動 miss
错过看的机会

せっかくのバイトのチャンスを見逃した。
みのが
I missed the chance for a part-time job.
错过了好不容易得来的兼职机会。

1756 交わる
まじ
動 intersect
相交

中央線と山手線は新宿で交わっている。
ちゅうおうせん　やまのてせん　しんじゅく　まじ
The Chuo Line and Yamanote Line intersect at Shinjuku.
中央线和山手线在新宿相交。

1757 交える
まじ
動 together
掺杂

恩師を交えてクラス会を開いた。
おんし　まじ　かい　ひら
We held a class reunion together with our former teacher.
和恩师一起开了同学会。

1758 越す
こ
動 spend/move
度过某个时期，搬家

①暖かい国で冬を越したい。
あたた　くに　ふゆ　こ
②仕事のために、東京から福岡に越して来た。
しごと　とうきょう　ふくおか　こ　き
① I want to spend the winter in a warm country.
② I moved from Tokyo to Fukuoka because of work.
①我想在暖和的国家过冬。②为了工作，我从东京搬到福冈来了。

👉 ① spend a particular season ② move / ①度过某个季节②搬家

1759
超す
こ

動 be over
超过

その祭りには 100 万人を超す観光客が集まった。
まつ　　　　まんにん　　こ　かんこうきゃく　あつ

Over 1 million tourists gathered for that festival.
那个庙会聚集了 100 万人以上。

■超える
こ

1760
指す
さ

動 point
指，指代

①時計の針が 10 時を指している。
とけい　はり　　じ　さ

②これが何を指しているか答えなさい。
なに　さ　　　こた

① The hands of the clock are pointing at 10 o'clock.
② Tell me what this is pointing at.
①表的指针指向了 10 点。
②这指代的是什么，请作答。

👉 ① point with the finger ② point out; also written「差す」/ ①用手指②也写作「差す」

1761
差す
さ

動 point/put up/put in
照射，撑，注入

①部屋に日が差してきた。
へや　ひ　さ

②紫外線対策のため、傘を差して歩く。
しがいせんたいさく　　かさ　さ　ある

③目が乾いたら、目薬を差す。
め　かわ　　　めぐすり　さ

① The sun began to shine into the room.
② I put up the umbrella when taking a walk as a means to avoid ultraviolet rays.
③ I use eye drops when my eyes get dry.
①阳光照进屋里来了。
②为了防晒，撑着伞走。
③眼干的话就滴眼药水。

👉 ①the place is lighted ②hold for items like umbrellas ③put in liquid and other things ①is also written「射す」/ ①太阳光照着②撑着（伞）③把液体倒进其他物体 ①也写作「射す」

1762
刺す
さ

動 stab
扎

はちに刺されて、病院に運ばれた。
さ　　　びょういん　はこ

I was stung by a bee and carried to the hospital.
被蜜蜂蛰了，送进医院去了。

1763
無口〈な〉
むくち

名
ナ形 quiet
不爱说话

父は無口な人だが、実はユーモアがある。(ナ形)
ちち　むくち　ひと　　じつ

My father is a quiet person but is actually very humorous.
爸爸虽然话很少，但实际上很幽默。

1764
無言
むごん

名 silent
沉默

声をかけたが、田中さんは無言で去って行った。
こえ　　　たなか　　むごん　さ　い

I called Mr. Tanaka by name but he went on without responding.
我打了招呼，但田中一句话不说沉默地走了。

➕ 無言電話 nuisance call / 接起来没有声音的电话
むごんでんわ

これも覚えよう！㉒
おぼ

数を含む四字熟語 Four-character idioms using numbers / 含数字的四字成语
かず ふく よじじゅくご

一喜一憂 いっきいちゆう	Swinging from joy to sorrow / 一喜一忧	
心機一転 しんきいってん	Getting a fresh start / 心思一转	
一目瞭然 いちもくりょうぜん	Obvious upon sight / 一目了然	
一心同体 いっしんどうたい	Be one in body and mind; the alter ego / 一心同体	
一朝一夕 いっちょういっせき	In a day / 一朝一夕	
千載一遇 せんざいいちぐう	Once in a lifetime / 千载难逢	
一挙一動 いっきょいちどう	Every single move / 一举一动	
一触即発 いっしょくそくはつ	Explosive situation / 一触即发	
満場一致 まんじょういっち	Unanimously / 全场一致	
開口一番 かいこういちばん	One's first words / 一张口就	
一刀両断 いっとうりょうだん	Come straight to the point / 一刀两断	
一発逆転 いっぱつぎゃくてん	Turn the tables with a single successful move / 一发逆转	
二人三脚 ににんさんきゃく	Teamwork (literally, a three-legged race) / 两人三脚	
四苦八苦 しくはっく	In dire distress / 四苦八苦，千辛万苦	
四方八方 しほうはっぽう	All over / 四面八方	
四面楚歌 しめんそか	Surrounded by enemies / 四面楚歌	
四捨五入 ししゃごにゅう	Round out / 四舍五入	
七転八倒 しちてんばっとう	Writhing in agony / 满地打滚	
八方美人 はっぽうびじん	People-pleaser / 八面玲珑	
十中八九 じゅうちゅうはっく	In all probability / 十有八九	
十人十色 じゅうにんといろ	Different strokes for different folks / 各不相同	

N1

Chapter

14

間違えやすい表現②
かお ひょうげん

Frequently Mistaken Expressions ②
容易误用的表达②

1765 顔から火が出る
かお　　ひ　　で

be very embarrassed
羞得满脸通红

大勢の人の前で転んで、顔から火が出そうだった。
おおぜい　ひと　まえ　ころ　　　　かお　　　ひ　　で

I fell in front of many people and was extremely embarrassed.
在众人面前摔倒，简直羞死了。

1766 顔を立てる
かお　　た

face-saving
赏脸

クライアントの顔を立てて、わざとゴルフで負けた。
かお　　た　　　　　　　　　　　　　ま

I purposely lost in the golf game to save the client's face.
为了给客户面子，我故意输了高尔夫比赛。

1767 目が届く
め　　とど

keep an eye on
注意得到

目が届く所に貴重品を置いておく。
め　　とど　ところ　きちょうひん　お

Keep your valuables where you can keep an eye on them.
把贵重物品放在看得到的地方。

1768 目が高い
め　　たか

have a discerning eye
有眼光

この絵の価値がお分かりとは、さすがお目が高い。
　　　え　　かち　　わ　　　　　　　　　　　　　め　　たか

It is very discerning of you to understand the value of this picture.
居然看得出这幅画的价值，真是有眼光。

1769 目が肥える
め　　こ

have a good eye for
有鉴赏能力

彼は一流の絵を見てきたので、目が肥えている。
かれ　いちりゅう　え　　み　　　　　　　　め　　こ

He has always looked at first-class artwork so he has a good eye for it.
他看过了很多一流的画作，因而对画很有鉴赏能力。

1770 目を盗む
め　　ぬす

do something behind one's back
避人耳目

親の目を盗んで、夜中に遊びに出かけた。
おや　め　　ぬす　　　　よなか　あそ　　で

I went out to play at midnight, unbeknownst to my parents.
背着父母，半夜偷偷跑出去玩了。

1771 目を引く
め　　ひ

attract
引人注目

彼女のファッションは、みんなの目を引く。
かのじょ　　　　　　　　　　　　　　め　　ひ

Her fashion attracts people's attention.
她的穿着打扮很引人注目。

➕ 目立つ conspicuous / 显眼
め　だ

1772 目を丸くする
め　　まる

be amazed
眼睛睁得溜圆

弟は信じられないようなすごい手品を見て、目を丸くした。
おとうと　しん　　　　　　　　　　てじな　み　　　め　　まる

My younger brother was amazed to be able to see such unbelievable magic.
弟弟看着不可置信的魔术，惊讶地瞪大了眼睛。

1773 目をつぶる
め

この企画書は少し直した方がいいが、今回は目を
きかくしょ すこ なお ほう こんかい め
つぶろう。

let it go
视而不见

This plan needs some revisions, but I will let it go this time.

这份企划书其实应该精微修改一下的，但这次就算了吧。

1774 鼻が高い
はな たか

妹がオリンピックに出場して鼻が高い。
いもうと しゅつじょう はな たか

be proud
自豪，骄傲

I am proud that my younger sister attended the Olympics.

妹妹参加了奥运会另我们感到骄傲。

1775 鼻にかける
はな

彼女は美人なのを鼻にかけている。
かのじょ びじん はな

brag, boast
骄傲自大

She brags about her beauty.

她为自己美丽的容貌感到骄傲。

1776 鼻につく
はな

あの人の気取った態度は鼻につく。
ひと きど たいど はな

be tired with
厌恶

I am tired of that person's snobbish attitude.

那人装腔作势的样子真让人厌恶。

1777 目と鼻の先
め はな さき

うちと友達の家は目と鼻の先だ。
ともだち いえ め はな さき

just nearby
近在眼前

My house is right by my friend's house.

我家和朋友家离得很近。

1778 耳につく
みみ

ラジオで同じ曲が何度もかかり、耳につく。
おな きょく なんど みみ

get caught in the ear
听后忘不掉

The same song was played repeatedly on the radio so it got caught in my ear.

录音机里循环播放着同一首歌，久久在耳边回荡。

➕ 耳障りな offensive to the ear / 刺耳的
みみざわ

1779 耳に挟む
みみ はさ

田中さんに関するうわさを耳に挟んだ。
た なか かん みみ はさ

happen to hear
偶尔听到

I happen to hear a rumor about Mr. Tanaka.

我偶尔听到了关于田中的传闻。

➕ 小耳に挟む happen to hear / 偶尔听到
こみみ はさ

1780 耳にたこができる
みみ

母の話はいつも同じで、耳にたこができる。
はは はなし おな みみ

be tired of
耳朵长茧

My mother's stories are always the same. I'm sick and tired of it.

妈妈总说一样的话，听得我耳朵都长茧了。

1781 耳を澄ます
みみ す

鳥の鳴き声に耳を澄ました。
とり な ごえ みみ す

listen carefully
侧耳倾听

I listened carefully to the sounds of the birds.

侧耳倾听小鸟的叫声。

1782 耳を貸す
（みみ か）

lend a ear
听取意见

部長が私の提案に耳を貸してくれない。
（ぶ ちょう わたし ていあん みみ か）

The manager doesn't lend his ear to my suggestions.
部长听取了我的建议。

1783 耳をふさぐ
（みみ）

block the ears
捂住耳朵，不听

聞きたくない話には耳をふさげばいい。
（き はなし みみ）

Just block your ears about stories you don't want to hear.
不想听的话别听就行了。

1784 口数が少ない
（くちかず すく）

not say much
话少

彼女はいつもはおしゃべりなのに、今日は口数が
（かのじょ きょう くちかず）
少ない。
（すく）

She is usually talkative but today she doesn't say much.
她明明总是话很多的，今天却话很少。

1785 口から先に
生まれたよう
（くち さき）
（う）

born with a big mouth
伶牙俐齿

妹はよくしゃべる。口から先に生まれたようだ。
（いもうと くち さき う）

My younger sister talks a lot. She was born with a big mouth.
妹妹话很多，伶牙俐齿的。

1786 口を挟む
（くち はさ）

interrupt
插嘴

人の話に口を挟まないでください。
（ひと はなし くち はさ）

Please do not interrupt when other people are talking.
别人说话的时候别插嘴。

1787
頭が切れる
あたま　き

sharp
脑子转得快

彼女は頭が切れる有能な社員だ。
かのじょ　あたま　き　ゆうのう　しゃいん

She is a sharp and competent employee.
她是个头脑灵活且有能力的职员。

1788
頭が上がらない
あたま　あ

no match for
(在权力、实力面前) 抬不起头来

部長は奥さんに頭が上がらないそうだ。
ぶちょう　おく　あたま　あ

It seems the manager is no match for his wife.
部长好像是妻管严。

1789
頭を抱える
あたま　かか

be at wits' end
为难，苦恼

社長は「今月も赤字だ。」と言って、頭を抱えた。
しゃちょう　こんげつ　あかじ　い　あたま　かか

The president is at his wit's end, saying the company is in red this month again.
总经理苦恼地说："这个月是赤字。"

1790
頭を冷やす
あたま　ひ

calm down
冷静下来

そんなに怒らずに、少し頭を冷やした方がいい。
おこ　すこ　あたま　ひ　ほう

Don't be so mad, calm down a little.
别那么生气，稍微冷静一下为好。

1791
首を突っ込む
くび　つ　こ

intrude
因感兴趣而一头扎进去，参与

彼女はすぐ人の話に首を突っ込みたがる。
かのじょ　ひと　はなし　くび　つ　こ

She likes to intrude into other people's conversation.
她很容易就能参与进别人的谈话里。

1792
首を長くする
くび　なが

wait impatiently
翘首盼望

弟はクリスマスを首を長くして待っている。
おとうと　くび　なが　ま

My younger brother waits impatiently for Christmas.
弟弟很期待圣诞节的到来。

1793
首をひねる
くび

puzzled
为了想清楚而沉思

彼の話にみんなが首をひねっている。
かれ　はなし　くび

Everyone is puzzled by his story.
听了他的话，大家都陷入了沉思。

➕ 首をかしげる be puzzled / 侧首思考
くび

1794
首を縦に振る
くび　たて　ふ

accept, acknowledge
点头答应

交際を申し込まれたが、彼女は首を縦に振らなかった。
こうさい　もう　こ　かのじょ　くび　たて　ふ

She was asked out but she did not accept it.
虽然被告白了，但她没有点头答应。

⬌ 首を横に振る
くび　よこ　ふ

1795 肩を並べる
（かた なら）

be equal to
勢均力敵

やっとライバルと肩を並べることができた。
（かた なら）

I am finally a match for my rival.
终于和对手势均力敌了。

1796 肩を持つ
（かた も）

be on the side of
支持，袒护

どんなときでも、部長は田中さんの肩を持つ。
（ぶちょう たなか かた も）

The manager is always on Tanaka-san's side.
无论何时，部长都很支持田中。

1797 のどから手が出る
（て で）

want desperately
形容迫切想要的心情

このバッグがのどから手が出るほど欲しい。
（て で ほ）

I desperately want this bag.
我非常想要这个包。

1798 手が足りない
（て た）

not enough help
人手不足

手が足りなくて、他の店から手伝いに来てもらった。
（て た ほか みせ てつだ き）

We did not have enough help and had to ask someone from another shop to come over.
因为人手不足，所以调了其他店的人来帮忙。

1799 手が回らない
（て まわ）

can't get around to it
（因为忙、事多等）照顾不过来

仕事が忙しくて、掃除まで手が回らない。
（しごと いそが そうじ て まわ）

I am so busy with work that I can't get around to do the cleaning.
工作太忙了，顾不上打扫卫生。

1800 手を切る
（て き）

severe ties
断绝关系

昔の遊び仲間とは、もう手を切った。
（むかし あそ なかま て き）

I already severed ties with the old playmates.
我已经和以前的玩伴绝交了。

1801 手に余る
（て あま）

too much
不胜任

この仕事は大変だ。私の手に余る。
（しごと たいへん わたし て あま）

This job is hard. It's too much for me.
这工作够呛。我胜任不了。

1802 手に負えない
（て お）

cannot handle
解决不了，力不能及

子どもたちが元気すぎて、私の手に負えない。
（こ げんき わたし て お）

The children are too active. I can't handle them.
孩子们太活泼了，我应付不来。

1803 手も足も出ない
（て あし で）

cannot do anything
一筹莫展，毫无办法

昨日の試験は難しくて、手も足も出なかった。
（きのう しけん むずか て あし で）

Yesterday's exam was so difficult, I couldn't do anything.
昨天的考试很难，我毫无办法。

1804 手を焼く
（て や）

unable to control, be at a loss to deal with
束手无策

同僚に困った人がいて、みんな手を焼いている。
（どうりょう こま ひと て や）

There is a troublemaker in the office, and we are at a loss at how to deal with him.
有个同事有困难，但我们都束手无策。

1805 足が早い
あし はや

quick to spoil
（食物）容易腐烂

生ものは足が早い。
なま あし はや

Raw food quickly spoils.
生的东西容易腐烂。

1806 足が出る
あし で

go over the budget
超出预算

旅行でお土産を買いすぎて、足が出てしまった。
りょこう みやげ か あし で

I bought too many souvenirs, and I went over my budget.
旅行中买了太多特产，超出了预算。

1807 足が棒になる
あし ぼう

walk one's leg off
腿脚累得僵直、酸痛

ずっと歩きっぱなしで、足が棒になった。
ある あし ぼう

My feet are killing me for walking so long.
一直走一直走，腿脚累得不行。

1808 足を引っ張る
あし ひ ぱ

stand in the way of
拖后腿，阻挠

チームの足を引っ張らないように頑張る。
あし ひ ぱ がんば

I will try my best not to stand in the way of the team.
我努力不拖队伍的后腿。

Section 3

慣用句：その他
かんようく　　　　　た

Idioms: Miscellaneous / 慣用句型：其他

1809 息が切れる
いき　き

① 少し走っただけで息が切れた。
すこ　はし　　　　　　　　いき　き

② そんなに頑張りすぎると、途中で息が切れるよ。
がんば　　　　　　　　　とちゅう　いき　き

be out of breath
上气不接下气，半途而废

① I was out of breath from running just a little.
② If you overwork yourself, you will run out of breath in the middle.
①跑了一小会儿就上气不接下气了。
②你那样拼命过头的话，会坚持不下去哦。

👆 ① breathing becomes difficult ② something that has been continuing for a long time is being discontinued / ①呼吸变得困难②长时间持续的事物持续不下去了

1810 息が詰まる
いき　つ

会議で沈黙が続き、息が詰まった。
かいぎ　ちんもく　つづ　　　いき　つ

feel suffocated
呼吸困难

Silence continued in the meeting and everyone felt suffocated.
会议上大家一直保持沉默，让人喘不过气来。

1811 息が長い
いき　なが

彼は30年前から人気があり、息が長い俳優だ。
かれ　　ねんまえ　　にんき　　　　　いき　なが　はいゆう

lasting
日积月累的

He has been popular since 30 years ago, so one could say he is a lasting actor.
他30年前就很有人气，是个老演员了。

1812 息を抜く
いき　ぬ

朝から休んでいない。少し息を抜こう。
あさ　やす　　　　　　　すこ　いき　ぬ

take a breather
歇口气

I haven't taken a break all morning. Let me take a little break.
从早上开始都没休息过。稍微休息一下吧。

1813 息をつく
いき

忙しすぎて、息をつく暇もない。
いそが　　　　　いき　　ひま

take a breath
喘息

I'm too busy. I have no time to take a breath.
太忙了，没时间休息。

➕ 息もつかずに without break / 完全不休息
いき

1814 息をのむ
いき

この映画には息をのむようなアクションシーンが多い。
えいが　　　いき　　　　　　　　　　　　　　　　おお

breath-taking
惊讶得出不了声

There is a lot of breath-taking action in this movie.
这部电影有很多令人哑然的动作镜头。

1815 気が気でない
き　き

サッカーの結果が心配で気が気でない。
けっか　しんぱい　き　き

feel uneasy
坐立不安

I feel so uneasy, worrying about the results of the soccer game.
担心足球赛的结果担心得坐立不安。

1816 気が済む
(き す)

feel better
心情舒畅

会社の不満を友達に話したら、気が済んだ。
(かいしゃ ふまん ともだち はな き す)

I felt better after I complained about my company to my friend.
跟朋友聊了对公司的不满以后，心情舒畅了。

1817 馬が合う
(うま あ)

get along
投缘，合得来

彼女とは何となく馬が合う。
(かのじょ なん うま あ)

She and I get along well.
不知道为什么和她很合得来。

1818 うなぎ登り
(のぼ)

sky-rocket
形容突然急速提高的样子

会社の売り上げはうなぎ登りだ。
(かいしゃ う あ のぼ)

Our company sales are sky-rocketing.
公司的营业额突然暴涨。

1819 猫に小判
(ねこ こばん)

cast pearls before swine
对牛弹琴，不懂得欣赏

そんな高価な物を彼女に贈っても猫に小判だ。
(こうか もの かのじょ おく ねこ こばん)

Sending such expensive gifts to her is like casting pearls before swine.
就算送她那么昂贵的东西，那也是对牛弹琴。

■ 豚に真珠
(ぶた しんじゅ)

1820 猫をかぶる
(ねこ)

feign innocence
矫情

彼女は男性の前ではいつも猫をかぶっている。
(かのじょ だんせい まえ ねこ)

She is always feigning innocence in front of him.
她在男性面前总是扮乖巧。

1821 猫の手も借りたい
(ねこ て か)

short-handed
人手不足，非常忙

最近、猫の手も借りたいほど忙しい。
(さいきん ねこ て か いそが)

Recently we are really short-handed.
最近忙得不可开交。

1822 猿も木から落ちる
(さる き お)

even monkeys fall from trees
智者千虑，必有一失

彼が失敗するなんて。猿も木から落ちるとはこのことだ。
(かれ しっぱい さる き お)

I can't believe he failed. You can truly say even monkeys fall from trees.
他居然会失败。真是智者千虑，必有一失啊。

1823 犬猿の仲
(けんえん なか)

do not get along well together
(比喻相互间的关系) 水火不相容

あの二人は犬猿の仲なので、別のチームにした方がいい。
(ふたり けんえん なか べつ ほう)

The two don't get along at all, so best you put them in separate teams.
他们两个人水火不容，最好还是分到不同组。

✚ 水と油 incompatible as oil and water / 格格不入
(みず あぶら)

1824 一長一短
(いっちょういったん)

have merits and demerits
有长有短

AもBも完璧とは言えない。一長一短だ。
(かんぺき い いっちょういったん)

Neither A nor B is perfect. Each has its merits and demerits.
A 和 B 都不算完美。各有长短。

1825 一石二鳥
いっせき にちょう

kill two birds with one stone 一石二鳥，双赢	アルバイトはお金も経験も得られる。一石二鳥だ。 かね けいけん え いっせき にちょう Working part-time offers you money and experience. It's killing two birds with one stone. 打工既能赚钱又能积累经验，一石二鸟。

これも覚えよう！㉓
おぼ

↓A Z アルファベットの略語① acronyms ① / 罗马字母缩略词①
りゃくご

ASEAN（アセアン）	東南アジア諸国連合 とうなん しょこくれんごう	Association of Southeast Asian Nations / 东南亚国家联盟，东盟
CEO	経営最高責任者 けいえいさいこうせきにんしゃ	Chief Executive Officer / 首席执行官
FEZ	自由経済区 じゆうけいざいく	Free Economic Zone / 自由经济区
FIFA	国際サッカー連盟 こくさい れんめい	Federation Internationale de Football Association / 国际足球联盟
GDP	国内総生産 こくないそうせいさん	Gross Domestic Product / 国内生产总值
GNP	国民総生産 こくみんそうせいさん	Gross National Product / 国民生产总值
IMF	国際通貨基金 こくさいつうかききん	International Monetary Fund / 国际货币基金组织
IOC	国際オリンピック委員会 こくさい いいんかい	International Olympic Committee / 国际奥林匹克委员会
JOC	日本オリンピック委員会 にほん いいんかい	Japan Olympic Committee / 日本奥林匹克委员会
LED	発光ダイオード はっこう	Light-Emitting Diode / 发光二极管
MBA	経営管理学修士 けいえいかんりがくしゅうし	Master of Business Administration / 工商管理硕士
NATO（ナトー）	北大西洋条約機構 きたたいせいようじょうやくきこう	North Atlantic Treaty Organization / 北大西洋公约组织

1826

明るい
あか

イ形　①bright ②bright ③well-versed
①明亮，②开朗，③熟悉

①この部屋は日当たりがよく、とても明るい。
へや　ひ あ　　　　　　　　　あか

②彼女は明るい性格で、みんなを楽しませる。
かのじょ　あか　　せいかく　　　　　　　たの

③彼は世界経済にとても明るい。
かれ　せ かいけいざい　　　　　あか

① This room is very bright with the sun shining in.
② She has a bright personality and likes to entertain others.
③ She is well-versed in world economy.
①这个房间光照充足，很亮堂。
②她性格开朗，能让人心情愉快。
③他精通世界经济。

↔ 暗い
くら

👉 ① plenty of light ② happy ③ very detailed / ①光照充足②开朗活泼③对某事物很熟悉

1827

甘い
あま

イ形　①sweet ②be easy on ③naïve
①甜，②溺爱，③看得简单

①また甘い物を食べすぎてしまった。
あま　もの　 た

②父は妹に甘い。
ちち　いもうと　あま

③彼は社会人として考えが甘い。
かれ　しゃかいじん　　　かんが　あま

① I ate too much sweets again.
② My father is easy on my younger sister.
③ His thinking is naïve for an adult.
①又吃了太多甜的东西了。
②爸爸对妹妹很溺爱。
③他作为一个进入社会的人，想法很幼稚。

➕ ③甘く見る underestimate / 小看・(考えなどが)青い naïve (thinking etc.) / 不成熟，幼稚
あま　み　　　　　　　　　　　　　　　　　かんが　　　　　あお

👉 ① taste of sugar and other similar items ② attitude is soft ③ insufficient / ①砂糖等的味道②态度很温柔③不充分

1828

かたい

イ形　①hard ②strong ③formal
①硬，②确定，③不通畅

①このパンはずいぶん固い。
かた

②日本に留学したいという弟の決心は固い。
に ほん　りゅうがく　　　　　おとうと　けっしん　かた

③この小説は文章が硬い。
しょうせつ　ぶんしょう　かた

① This bread is very hard.
② My younger brother's determination to study in Japan is strong.
③ The style of this novel is formal.
①这个面包非常硬。
②弟弟坚决地想去日本留学。
③这个小说的文体很生硬。

👉 ① unlikely to change shape ② not change easily ③ the impression is not smooth / ①很难变形②不轻易改变③印象干柔软

1829 まずい

①あの店の料理は<u>まずい</u>。

②親友とけんかして、<u>まずい</u>状態のままだ。

③<u>まずい</u>。彼との約束を忘れてた。

イ形 ①taste bad ②bad ③oh no
①难吃，②不妙，③糟糕

① Food from that restaurant tastes bad.

② I fought with my best friend, our the relationship remains bad.

③ Oh no, I forgot about the promise with him.

①这家店的菜很难吃。②和亲朋好友吵架，关系一直不好
③糟糕，我忘了和他的约定了。

☞ ① not tasty ② situation is not good ③ make a mistake / ①不好吃②状况不好③没做成某事

1830 強い

①英語は<u>強い</u>が、数学は弱い。

②外は<u>強い</u>風が吹いている。

③この建物は地震に<u>強い</u>。

イ形 ①good at ②strong
③resistant to
①擅长，②强劲，③坚固的

① I'm good at English but bad at math.

② There is strong wind blowing outside.

③ This building is quake-resistant.

①英语很厉害,数学很差。②外面刮着大风。③这栋建筑抗震能力很强。

☞ ① have the ability ② have strength and power ③ have ability to persevere /
①有能力②力气,势头很强③有抵抗的能力   ⟷ 弱い

1831 重い

①<u>重い</u>荷物を運ぶ。

②午後から会議だと思うと、気が<u>重い</u>。

③彼は口が<u>重く</u>、なかなか本音を言わない。

④兄が<u>重い</u>病気になってしまった。

イ形 ①heavy ②heavy
③taciturn ④serious
①沉重，②不舒畅，③懒得动弹，
④严重

① I'm carrying heavy luggage.

② I feel depressed when I think about the meeting in the afternoon.

③ He is a man of few words and rarely talks about his true feelings.

④ My older brother became seriously ill.

①搬重物。②一想到下午的会议就心情沉重。
③他嘴很严,不怎么吐露心里话。④哥哥患了重病。

☞ ① need a lot of power ② burdens the heart ③ dense, won't move easily ④ serious / ①需要大的力气②心
理上的负担③动作迟钝④程度严重

1832 波

①今日の海は<u>波</u>が高い。

②私は成績に<u>波</u>がある。

③時代の<u>波</u>にうまく乗る。

名 ①wave ②fluctuation
③wave
①波浪，②高低起伏，③潮流

① The waves of today's sea are high.

② My grades fluctuate. ③ I ride the waves of the times.

①今天海浪很高。②我的成绩不稳定。③完美地踏上了时代的潮流。

☞ ① the surface of the water changes with the wind ② that there are ups and downs ③ flow, movement / ①
水面由于封的影响起的变化②高低起伏③动向, 趋势

1833 根
ね

①土の中で野菜の根が広がる。
②社会の悪の根を断つ。
③妹は根が素直だ。

名 ①root ②root ③essence
①植物根部，②根源，③本性

① The root of the vegetable grows underground.
② Do away with the root cause of social injustice.
③ My younger sister is accepting at heart.
①蔬菜的根在土壤中生长开来。②断绝社会上恶的根源。
③妹妹是个本性老实的人。

👉 ① the part of the plant that grows under the ground ② the cause ③ a trait one is born with / ①植物延伸到地里的部分②原因，根据③与生俱来的特性

1834 筋
すじ

①この牛肉は筋が多い。
②彼の話は筋が通っていない。
③初めてにしては、筋がいい。

名 ①tendon ②a line of
③nature
①筋肉，②条理，③素质

① This beef is sinewy. ② His story doesn't make sense.
③ He's good considering it's his first time.
①这块牛肉很有嚼劲。②他说的话没道理。③作为第一次，还是不错的。

👉 ① the fiber in the muscle ② a single form of speech or thought ③ quality / ①肌肉中的纤维②话或者想法的条理③素质

1835 ポイント

①話のポイントを把握する。
②また相手にポイントが入った。
③ここが登山の休憩ポイントだ。
④財布の中にポイントカードが10枚以上入っている。

名 ①point ②point ③location
④point
①要点，②得分，③场所，④物品的数量

① I grasped the point of the story.
② The opponent won another point.
③ This is the resting point for the mountain climbers.
④ I have over ten point cards in my purse.
①把握讲话的要点。②对方又得了一分。③这里就是登山休憩区。
④钱包里有十几张积分卡。

👉 ① the main points ② winning points ③ place, location ④ number of points / ①要领②分数③地点④积分

1836 道
みち

①この道をまっすぐ行くと駅だ。
②成功までの道は長かった。
③彼は人の道を外れている。
④先生はその道の大家だ。

名 ①road ②road ③road ④road
①道路，②路程，③手段，④领域

① This road leads straight to the station.
② The road to success was long.
③ His actions are greatly immoral.
④ He is an expert in the field.
①这条路直走的话就是车站了。②离成功还很远。
③他这么做违背了人性。④老师是那个领域的权威。

☝ ① a place to pass by ② the path ③ a kind of life that should be ④ area / ①通过的场所②距离③符合人性的做法④方面，领域

1837
☐
さっぱり〈する〉

①シャワーを浴びて<u>さっぱりした</u>。
②晩ごはんは<u>さっぱりした</u>物が食べたい。
③彼は細かいことにこだわらない、<u>さっぱりした</u>性格だ。

副 ①refreshed ②light
③easy-going
①整洁，②清淡，③直爽

① Freshen up by taking a shower.
② I want to eat something light for dinner.
③ He is easy-going, not being bothered by small things.
①洗了澡感觉很清爽。
②晚饭我想清淡的东西。
③他不拘泥于小事，性格很直爽。

☝ ① feel good ② taste is not strong ③ easy to get along; meaning becomes "not at all" when used in the following manner: さっぱり〜ない / ①心情很好②味道不浓③不拘泥于某事，很好相处。「さっぱり〜ない」是「全く〜ない」的意思

これも
覚えよう！ ㉔

↓ A Z アルファベットの略語② acronyms ② / 罗马字母缩略词②

NGO	非政府組織	Non-Governmental Organization / 非政府组织
NPO	非営利組織	Non-Profit Organization / 非营利组织
OECD	経済協力開発機構	Organization for Economic Cooperation and Development / 经济合作与发展组织
WHO	世界保健機構	World Health Organization / 世界卫生组织
WB	世界銀行	World Bank / 世界银行
UFO	未確認飛行物体	Unidentified Flying Object / 不明飞行物
		* pronounced ユーフォー in Japanese / 在日语中常读成 "ユーフォー"
ODA	（日本の）政府開発援助	Overseas Development Assistance / （日本的）政府开发援助
PKO	国連平和維持活動	Peace-Keeping Operation / 联合国维持和平活动

Section 5

いろいろな意味を持つ言葉②

いみ も ことば

Words with various meanings ② / 有多种意思的词②

1838 起こす
お

動 ①wake up ②cause
③become ④start
①叫醒，②发生，③生出，④开始

①毎朝7時に子どもを起こす。
まいあさ じ こ お

②知り合いが交通事故を起こした。
し あ こうつうじこ お

③弟もやっとやる気を起こした。
おとうと き お

④社会のために行動を起こそう。
しゃかい こうどう お

① Wake up the children at seven every morning.
② My acquaintance caused a traffic accident.
③ My younger brother finally started to show some enthusiasm.
④ Let's act for society.
①每天七点叫孩子起床。②一个熟人引发了交通事故。
③弟弟终于鼓起干劲了。④为了公司开始行动吧。

👉 1)urge to wake up ② turn the situation worse ③ give birth to a sentiment ④ start / ①使醒来，张开眼②造成不好的状况③产生某种情绪④开始

1839 寝かす
ね

動 ①put to sleep ②lay down
③put aside
①使睡觉，②放倒，③存放着

①赤ちゃんを寝かす。
あか ね

②ビール瓶を寝かす。
びん ね

③イベントの企画をしばらく寝かす。
きかく ね

① I put the baby to sleep.
② I lay down the beer bottle.
③ I put the event plan aside for a while.
①让宝宝睡觉。②把啤酒瓶放倒。③暂时中止活动的企划。

＝寝かせる
ね

👉 ① put to sleep ② turn something that is standing sideways ③ keep it aside and not reveal immediately /
①使进入睡眠②把竖着的东西放平③先存放着

1840 受ける
う

動 ①receive ②receive ③take
④popular
①承接，②受到，③考，④受欢迎

①講演の後で質問を受ける。
こうえん あと しつもん う

②父に影響を受けて医者になった。
ちち えいきょう う いしゃ

③来月、入試を受ける。
らいげつ にゅうし う

④若者の間でこの映画が受けている。
わかもの あいだ えいが う

① I accepted questions after the lecture.
② I became a doctor upon the influence of the father.
③ I will take the entrance exam next month.
④ The movie is popular among young people.
①演讲过后接受提问。②受到父亲的影响成为了一名医生。
③下个月我要参加考试。④这部电影很受年轻人的欢迎。

👉 ① answer to something being brought toward you ② an effect or influence from others ③ responding to
something ④ become popular / ①回答指向自己的问题②受到他处的影响③对应某事物④得到好的评价

1841 滑る
すべ

① このスキー場で滑るのは初めてだ。
　　　　　　　じょう　すべ　　　　はじ
② 雪の道で滑ってしまった。
　ゆき　みち　すべ
③ 手が滑って料理を落とした。
　て　　すべ　　りょうり　お
④ 口が滑って本音を言ってしまった。
　くち　すべ　　ほんね　い

動 ① to ski ② slip ③ slip
④ blurt out
① 滑行，② 站不住脚，③ 打滑，
④ 说漏嘴

① It is my first time to ski at this ski resort.
② I slipped on the snow-covered road.
③ My hands slipped and dropped the dish.
④ I blurted out the truth.
① 我第一次来这个滑雪场滑雪。
② 在积雪的路上滑倒了。
③ 手上一打滑菜就掉地上了。
④ 说漏嘴把心里话给说出来了。

👍 ① move smoothly ② the footing becomes unstable ③ trying to hold but dropping it ④ cannot stop the force / ① 滑溜地动作② 脚上失去平衡③ 拿着的东西掉了④ 无法阻止趋势

1842 切れる
き

① 紙で指が切れた。
　かみ　ゆび　き
② やっと彼との縁が切れた。
　　　　かれ　　えん　き
③ 牛乳が切れた。買ってこなくちゃ。
　ぎゅうにゅう　き

動 ① cut ② severe ③ out of
① 切伤，② 断绝，③ 尽

① I cut my finger with paper.
② I will severe relations with him.
③ I'm out of milk so I need to go buy some.
① 手指被纸划破了。
② 最终和他分手了。
③ 没牛奶了，得再买了。

👍 ① make a scar by cutting or separating skin ② something that has been continuing ③ run out of it through use / ① 因切割而受伤或分离开来② 持续着的事物中断③ 变得无法使用

1843 はまる

① 彼のメッセージは現代社会にはまっている。
　かれ　　　　　　　　　　げんだいしゃかい
② このドラマにはまる若者が後を絶たない。
　　　　　　　　　　わかもの　あと　た
③ 詐欺師のわなにはまってしまった。
　さぎし
④ 父の型にはまった考え方に賛成できない。
　ちち　かた　　　　　かんが　かた　さんせい

動 ① appropriate
② get engrossed ③ caught in
④ set, fixed
① 吻合，② 沉迷，③ 中计，④ 适应

① His message is appropriate for today's society.
② More and more young people are getting engrossed in this drama.
③ I was caught in the trap set by the con man.
④ I cannot agree with my father's set ideas.
① 他说的话很符合现代社会。
② 越来越多的年轻人沉迷于这部电视剧。
③ 中了诈骗师的计了。
④ 我无法接受父辈一代的想法。

👍 ① fit perfectly ② become excited about ③ be tricked by for example an enemy ④ match with how things should be / ① 吻和② 沉迷③ 上了敌人的当④ 适应事物该有的样子

1844 迫る
せま

①レポートの締め切りが<u>迫って</u>いる。
②バスは都会から離れ、だんだん山が<u>迫って</u>きた。
と かい はな やま せま
③自治体にルールの改善を<u>迫る</u>。
じ ち たい かいぜん せま
④知り合いに交際を<u>迫られた</u>。
し あ こうさい せま

動 ①approach ②get closer ③urge ④press
①迫近，②临近，③情势所迫，④催促

① The deadline for the report is approaching.
② The bus is going farther away from the city and the mountains are getting closer.
③ We urge for the municipality to improve the rules.
④ An acquaintance pressed me to be his date.
①报告的截止日期快到了。②巴士远离了城市，离山地越来越近了。
③自治团体的规章急需改善。④熟人逼我和他交往。

👍 ① the time approaches ② the distance approaches ③ seek strongly ④ try to have others accept one's feelings / ①时间上临近②距离越来越近③强烈要求④催促确认自己的心意等

1845 通る
とお

①来年、ここに新しい電車が<u>通る</u>。
らいねん でんしゃ とお
②駅前を<u>通って</u>スポーツジムに行く。
えきまえ とお い
③やっと試験に<u>通った</u>。
し けん とお
④会議で自分の企画が<u>通った</u>。
かい ぎ じ ぶん き かく とお

動 ①pass through ②pass by ③pass ④accepted
①开通，②通过，③合格，④批准

① A new train will pass through here from next year.
② I will go past the station to go to the gym.
③ I finally passed the test.
④ My proposal was finally accepted at the meeting.
①明年这里将开通新的电车。②经过车站附近去健身房。
③考试终于合格了。④会议上批准了我的企划书。

👍 ① be able to go from one place to another ② pass by ③ pass such as an exam ④ be acknowledged / ①可以从一边到另外一边②通过，经过③合格④被承认，被认可

1846 飛ぶ
と

①鳥のように空を<u>飛び</u>たい。
とり そら と
②社員が海外で事件に巻き込まれ、社長自ら現地に<u>飛んだ</u>。
しゃいん かいがい じ けん ま こ しゃちょうみずか げん ち と
③政治家に関するデマが<u>飛んで</u>いる。
せい じ か かん と
④あの人はよく話が<u>飛ぶ</u>。
ひと はなし と

動 ①fly ②fly over ③circulate ④jump
①飞，②赶快跑，③传开，④离题

① I want to fly like a bird.
② The employee was involved in an incident overseas and the president himself flew over to the location.
③ Rumors about the politician is circulating.
④ He always jumps topics when speaking.
①我想像小鸟一样在空中飞。
②职员在海外被牵扯到事件中，总经理亲自赶到了当地。
③关于政治家的谣言满天飞，④那个人说话老是脱线。

👍 ① move through space ② go at once ③ information is passed at once ④ go first without keeping the order / ①在空中前行②一下子过去③消息一下子传开来④不按顺序，跳过

1847
抜く
ぬ

①庭の草を<u>抜く</u>。
にわ　くさ　ぬ
②風呂の水を<u>抜く</u>。
ふろ　みず　ぬ
③ダイエットで晩ご飯を<u>抜いた</u>。
ばん　はん　ぬ
④マラソンで前の選手を10人も<u>抜いた</u>。
まえ　せんしゅ　にん　ぬ

動　①**pull out**②**pull out**
③**go without**
④**beat, pass by**
①**抜出**，②**清除**，③**不做某事**，
④**超过**

① Pull out the grass in the garden.
② Pull out the plug of the bathtub.
③ I went without dinner during diet.
④ I beat ten runners before me during the marathon race.
①拔掉庭院里的草。②把洗澡水放掉。③为了减肥不吃晚饭。
④跑马拉松超过了我前面的十个选手。

👉 ① pull and take out ② take away something that was there ③ do without ④ go in front of / ①拔掉②除去原有的东西③不做，是没有④超过

1848
乗る
の

①椅子に<u>乗って</u>掃除する。
い　す　の　そうじ
②出張で新幹線に<u>乗った</u>。
しゅっちょう　しんかんせん　の
③友達の相談に<u>乗った</u>。
ともだち　そうだん　の
④彼は最近、調子に<u>乗り</u>すぎだ。
かれ　さいきん　ちょうし　の

動　①**mount**②**ride**③**join**
④**get carried away**
①**坐在上面**，②**乘坐**，③**参加**，
④**起劲**

① I mounted the chair to clean.
② I took the Shinkansen train for the business trip.
③ I gave counsel to my friend's problem.
④ He gets too carried away these days.
①坐在椅子上打扫。②坐新干线去出差。③我和朋友商量事情。
④他最近太嚣张了。

👉 ① go on top ② go in or out of a vehicle ③ be a partner to ④ be over-confident / ①坐在某物上面②乘坐交通工具③配合某人④起劲

1849
弾む
はず

①このベッドはよく<u>弾む</u>。
はず
②幼なじみと会話が<u>弾んだ</u>。
おさな　かいわ　はず
③階段を上っただけで息が<u>弾む</u>。
かいだん　のぼ　いき　はず
④お金を<u>弾む</u>ので、仕事を手伝ってほしい。
かね　はず　しごと　てつだ

動　①**bounce**②**be lively**
③**out of (breath)**
④**pay a lot**
①**弾起**，②**来劲**，③**呼吸急促**，
④**出手大方**

① This bed is bouncy.
② I was engaged in lively conversation with a childhood friend.
③ I'm out of breath just by climbing the stairs.
④ I will pay you a lot so please help my work.
①这张床很有弹性。②和发小越说越来劲。③光上楼梯就气喘吁吁。
④我出钱，你来帮我。

👉 ① have elasticity ② be happy and heady ③ breathing becomes heavy ④ spend a lot of money / ①有弹性②氛围愉快，很起劲③呼吸变得急促④出很多钱

1850

控える
ひか

①健康のために、お酒を<u>控えて</u>いる。
けんこう　　　　　　　さけ　ひか
②面接を<u>控えて</u>緊張している。
めんせつ　ひか　　きんちょう
③先生の話をノートに<u>控える</u>。
せんせい　はなし

動 ①cut back on ②ahead of
③write down
①节制，②等待，③记录下来

① I am cutting back on alcohol for health reasons.
② I am nervous ahead of the interview.
③ I wrote down the teacher's words in the notebook.
①为了健康，控制饮酒。②紧张地等待面试。
③我把老师说的话写在了笔记本上。

☞ ① keep it to minimum ② wait one's turn ③ write down something / ①稍微抑制，控制②等待顺序等③把某事记录下来

1851

引く
ひ

①長いひもを<u>引く</u>。
なが　　　　　ひ
②泣いて人の同情を<u>引く</u>。
な　　ひと　どうじょう　ひ
③辞書を<u>引く</u>。
じしょ　ひ
④くじを<u>引く</u>。
ひ
⑤値段から 1,000 円<u>引く</u>。
ね だん　　　　　えん ひ
⑥フライパンに油を<u>引く</u>。
あぶら　ひ
⑦政治家の血を<u>引く</u>。
せいじか　ち　ひ

動 ①pull ②attract ③look up
④draw ⑤subtract ⑥lace
⑦have
①拉，②吸引，③查找，④拔出，
⑤减价，⑥敷，⑦继承

① I pull a long rope.
② She cries to seek sympathy of other people.
③ I look it up in the dictionary. ④ I draw the lottery.
⑤ I subtract 1,000 yen from the price.
⑥ I covered the frying pan with oil.
⑦ I descended from a family of politicians.
①拉拉绳。②哭着博同情。③查词典。④抽签。⑤原价减 1000 日元。
⑥把油涂在煎锅上。⑦继承政治家的血统。

☞ ① bring towards oneself ② gather people's interest ③ research ④ select and chose ⑤ subtract ⑥ paint the entire surface ⑦ take on from earlier / ①是靠近自己②收集关心和注意③查找，搜查④选择出来⑤减少，降低⑥涂成一片⑦继承

1852

回す
まわ

①暑いので、扇風機を<u>回した</u>。
あつ　　　　せんぷうき　まわ
②バイト代を学費に<u>回す</u>。
だい　がくひ　まわ
③これを読んだら、次の人に<u>回して</u>ください。
よ　　　　つぎ ひと　まわ
④宿題は後に<u>回して</u>ゲームをしよう。
しゅくだい あと　まわ

動 ①turn on ②put away
③pass on ④put away
①转动，②转送，③依次传递，
④推迟

① I turned on the fan because it was hot.
② I will put away the money from the part-time job for tuition.
③ Pass it on to the next person when you're finished reading.
④ Forget the homework and let's play a game.
①很热，所以开了风扇。②用打工挣的钱来交学费。
③读完以后，传给下一个人。④作业等下再做，我们先玩游戏。

☞ ① movement like making a circle with the hand ② move to a different location ③ move to next in order ④ postpone / ①使某物以画圈的方式移动②转移到别处③按顺序传递④推迟到后面

Section **5**

これも 覚えよう！㉕
おぼ

 ことわざ　Proverbs and Sayings / 谚语

後の祭り あと まつ	Too late / 马后炮
雨降って地固まる あめ ふ じ かた	After a storm comes calm / 不打不相交
石の上にも三年 いし うえ さんねん	Perseverance prevails (three years on a cold stone will warm the stone) / 功到自然成
急がば回れ いそ まわ	Slow and steady wins the race / 欲速则不达
うそも方便 ほうべん	Sometimes it's necessary to stretch the truth / 说谎也是权宜之计
馬の耳に念仏 うま みみ ねんぶつ	Praying to deaf ears / 对牛弹琴
鬼に金棒 おに かなぼう	Making a strong person even stronger / 如虎添翼
五十歩百歩 ご じっ ぽ ひゃっ ぽ	Six of one and half a dozen of the other / 五十步笑百步，半斤八两
猿も木から落ちる さる き お	Even a monkey falls from trees / 智者千虑，必有一失
自画自賛 じ が じ さん	Self-praise / 自卖自夸
自業自得 じ ごう じ とく	You reap what you sow / 自作自受
知らぬが仏 し ほとけ	Ignorance is bliss / 眼不见心不烦

住めば都 <ruby>す<rt>す</rt></ruby> <ruby>みやこ<rt>みやこ</rt></ruby>	Home is where you make it / 久居为安
善は急げ ぜん いそ	Strike while the iron is hot / 好事不宜迟
宝の持ち腐れ たから も ぐさ	A useless possession / 英雄无用武之地，白搭
ちりも積もれば山となる つ やま	Many a little makes a mickle / 积尘成山，积少成多
出る杭は打たれる で くい う	The best policy is to keep your head down / 枪打出头鸟
時は金なり とき かね	Time is money / 一寸光阴一寸金
七転び八起き ななころ や お	Ups and downs (of life) / 百折不挠
寝耳に水 ねみみ みず	Out of the blue / 晴天霹雳
早起きは三文の徳 はやお さんもん とく	Early to bed, early to rise makes a person wealthy, healthy and wise / 早起的鸟儿有虫吃
類は友を呼ぶ るい とも よ	Birds of a feather flock together / 物以类聚，人以群分
良薬は口に苦し りょうやく くち にが	The best advice is the hardest to take / 良药苦口
笑う門には福来る わら かど ふくきた	Good fortune and happiness will come to those who smile / 和气致祥，和气生财

く

し

は

ひとなみ	人波	676
ひとなみ〈な〉	人並み〈な〉	180
ひとねむり〈する〉	一眠り〈する〉	359
ひとみ	瞳	919
ひとめ	人目	142
ひとめぼれ〈する〉	一目ぼれ〈する〉	86
ひとやすみ〈する〉	一休み〈する〉	361
ひどり	日取り	121
ひとりでに	ひとりでに	903
ひとりのこらず	一人残らず	222
ひなた	日なた	368
ひなん〈する〉	非難〈する〉	634
ひのいり	日の入り	260
ひび	日々	257
ひふえん	皮膚炎	878
ひほう	悲報	1480
ひめくり	日めくり	233
ひやかし	冷やかし	106
ひやかす	冷やかす	106
ひやく〈する〉	飛躍〈する〉	1528
ひやくてきな	飛躍的な	1528
ピュアな	ピュアな	1555
ひょうが	氷河	1308
ひょうがき	氷河期	1308
ひょうさつ	表札	292
びょうしゃ〈する〉	描写〈する〉	1057
びょうそく	秒速	742
ひらきなおる	開き直る	145
びり	びり	441
ぴりぴり〈する〉	ぴりぴり〈する〉	1707
ひれい〈な〉	非礼〈な〉	1652
ひろう〈する〉	披露〈する〉	122
ひろうえん	披露宴	122
ひんかく	品格	983
ピンからキリまで	ピンからキリまで	199
ピンキリ	ピンキリ	199
ひんけつ	貧血	858
ひんじゃくな	貧弱な	1639
ひんしゅ	品種	757
ひんしゅかいりょう〈する〉	品種改良〈する〉	758
ピンチヒッター	ピンチヒッター	601
ひんど	頻度	820

| ぴんとくる | ぴんとくる | 94 |
| ひんぱんな | 頻繁な | 53 |

ふ		
ふい〈な〉	不意〈な〉	308
ふいうち	不意打ち	308
フィクション	フィクション	1087
フィルター	フィルター	318
ふうう	風雨	1243
ふうけいびょうしゃ	風景描写	1057
ふうしゅう	風習	783
ふうど	風土	785
ふうひょう	風評	1303
ぶうぶういう	ぶうぶう言う	423
ふえいせいな	不衛生な	825
フォーマルな	フォーマルな	977
ふおんな	不穏な	1473
ふかけつな	不可欠な	329
ふかふか[と]〈する〉	ふかふか[と]〈する〉	1673
ぶき	武器	1181
ふくすう	複数	510
ふくらむ	膨らむ	1649
ふくれる	膨れる	227
ふける	更ける	263
ふける	老ける	937
ふけんぜんな	不健全な	1624
ふこうちゅうのさいわい	不幸中の幸い	1304
ふさい	負債	558
ふさいがく	負債額	558
ぶさいくな	不細工な	1647
ぶしょう〈な/する〉	不精〈な/する〉	1551
ぶしょう〈な/する〉	無精〈な/する〉	1551
ぶじょく〈する〉	侮辱〈する〉	1199
ふしん〈な〉	不審〈な〉	1415
ふしんしゃ	不審者	1415
ふじんどうはん	夫人同伴	1119
ふしんぶつ	不審物	1415
ふぜい	風情	687
ふせい〈な〉	不正〈な〉	458
ふせいじつ〈な〉	不誠実〈な〉	1547
ぶたにしんじゅ	豚に真珠	1819
プチいえで〈する〉	プチ家出〈する〉	22
ふちょう〈な〉	不調〈な〉	565

<著者> アークアカデミー

1986年創立。ARCグループ校として、ARC東京日本語学校、アークアカデミー新宿校、大阪校、京都校、ベトナムハノイ校がある。日本語教師養成科の卒業生も1万人を超え、日本語を通して社会貢献できる人材育成を目指している。

監修　遠藤 由美子（えんどう ゆみこ）
早稲田大学大学院日本語教育研究科修士課程修了
アークアカデミー新宿校校長

執筆　山田 光子（やまだ みつこ）
立教大学文学部教育学科卒業
ARC東京日本語学校講師

協力　関 利器（せき りき）
ARC東京日本語学校専任講師

はじめての日本語能力試験
N1 単語　3000　[英語・中国語版]

2017年 4月10日　初版　第1刷発行
2021年 6月 4日　初版　第6刷発行

著　者	アークアカデミー
翻訳・翻訳校正	Yvonne Chang/Red Wind（英語）
	ALA中国語教室 胡玉菲（中国語）
イラスト	花色木綿
装丁	岡崎裕樹
編集・DTP	有限会社ギルド
発行人	天谷修身
発行所	株式会社アスク出版
	〒162-8558 東京都新宿区下宮比町2-6
	TEL 03-3267-6864　FAX 03-3267-6867
	https://www.ask-books.com/
印刷・製本	日経印刷株式会社

アンケートにご協力ください.
 https://www.ask-books.com/support/